LA COPIE DE MONTAIGNE
Etude sur les citations dans les «Essais»

Dans la même collection:

1. Bonnet, Pierre, *Bibliographie méthodique et analytique des ouvrages et documents relatifs à Montaigne*, 1983. In-8 de 586 pp., rel.
2. Defaux, Gérard, *Marot, Rabelais, Montaigne: l'écriture comme présence*, 1987. In-8 de 227 pp., br.
3. Brousseau-Beuermann, Christine, *La copie de Montaigne. Etude sur les citations dans les «Essais»*, 1989. In-8 de 312 pp., br.

A paraître en 1989 et 1990:

— *Etudes sur l'«Apologie de Raimon Sebond»* (éd. par C. Blum).

— *Montaigne philosophe* (collectif).

— Blum, Claude, *De la «Theologia naturalis» à la «Théologie naturelle»* (éd. critique, 2 vol.)

— Tetel, Marcel, *Montaigne et l'humanisme italien.*

— Brody, Jules, *Nouvelles lectures des «Essais».*

Etudes montaignistes

III

Christine Brousseau-Beuermann

La copie de Montaigne
Etude sur les citations dans les «Essais»

Publié avec le concours du Centre National
de la Recherche Scientifique

CHAMPION – SLATKINE

PARIS - GENÈVE

1989

COMITÉ DE PUBLICATION
DE LA «COLLECTION DES ÉTUDES MONTAIGNISTES»

R. Aulotte (Paris); C. Blum (Paris); W. Bots (Leyde); J. Brody (Harvard); G. Defaux (Baltimore); O. Lopez Fanego (Madrid); F. Garavini (Firenze); M. McKinley (Charlottesville); L. Kritzman (Columbus); E. Kushner (Toronto); E. Limbrick (Victoria); D. Ménager (Paris); G. Nakam (Paris); Fr. Rigolot (Princeton); Z. Samaras (Thessalonique); M. Tetel (Durham); A. Tournon (Aix-Marseille).

ISBN 2-05-101084-6   ISSN 0986-492-X

Je tiens à remercier les "suffisants" lecteurs qui ont bien voulu lire et amender, autant que cela était possible, les premières versions de ce texte : les professeurs Jules Brody, Jacques Chomarat, Victoria Kahn et André Tournon. Sans la confiance qu'a bien voulu m'accorder le professeur Claude Blum, et sans sa diligence, cette étude n'aurait jamais été "mise en moule" : je lui voue donc une reconnaissance toute particulière.

Je dédie ce livre à la mémoire de celle qui fut "la meilleure des mères".

... Dii male perdant
Antiquos, mea qui praeripuere mihi
(A. Baillet, *La vie de Monsieur Descartes*, 1691, t. II, p. 545)

INTRODUCTION

Les lecteurs des *Essais* ont transformé cette œuvre, qui, de façon toute particulière, s'offre aux remaniements de l'interprétation et de la transposition par récriture. C'est ainsi que le livre de Montaigne peut encore passer pour un manuel de sagesse dont les audaces libertines se sont résorbées au cours du temps en un scepticisme quelque peu prudhommesque ; on y a vu l'auto-portrait d'un honnête homme, une œuvre baroque que l'on s'est efforcé de reconstruire en la rangeant sous les canons d'un ordre cartésien. Les lectures philosophiques, humanistes et universitaires ont défait ce texte pour l'édifier autour d'une pensée expressive d'une personnalité. Il est vrai que Montaigne invitait en quelque sorte à un tel dépeçage de son livre qu'il dit avoir écrit sans ordre ou préméditation, à coup d'allongeails et à grand renfort d'additions : une rhapsodie, dit-il, composée de "lopins", un montage de pièces rapportées et de morceaux improvisés. Aussi se trouve-t-il, selon Michel Charles, que "ce texte composite en appelle à un ultime principe de diversification, à la fragmentation par le lecteur qui en déchirera les pages pour les placer çà et là dans sa propre bibliothèque"[1].

Rares sont en revanche les lecteurs qui ont tenté de suivre l'enchaînement subtil d'éléments pourtant hétéroclites qui font de la plupart des *Essais* des aventures qui peuvent mener loin : on ne sait en effet comment, une fois embarqué dans la lecture d'un essai on passe insensiblement d'un paysage à un autre. La pensée oblique et elliptique de l'auteur progresse par sauts, d'une réflexion philosophique à une anecdote, d'une sentence latine à une confidence autobiographique ; ces

---

[1] Michel Charles, "Bibliothèques", *Poétique*, février 1978, p. 18.

passages cependant s'enchaînent sans solution de continuité. C'est surtout cet art de la contexture que les premiers lecteurs des *Essais* admiraient[2]. La nouveauté et la pertinence d'une lecture dite "philologique" des *Essais* consiste à prendre pour acquis et comme point de départ leur composition visiblement décousue et, de là, à essayer de redonner au discours une cohérence fondée, non pas sur le contenu de la pensée récrite dans un ordre logique qui ne fut jamais celui de Montaigne, mais sur le mode de penser accueilli dans toute sa débordante et déconcertante variété. En se refusant "à tout prix et par principe à arracher les mots de Montaigne de ces configurations où il avait choisi de les immobiliser"[3], le lecteur "philologique" peut recevoir les *Essais* comme un texte où se réalise la forme dynamique de l'intellect dans une matière composite et souvent empruntée.

Toutefois, ce n'est pas seulement la diversité des sujets abordés et de leurs sources qui fait des *Essais* un livre mêlé, mais leur polyphonie de voix linguistiques, à laquelle, jusqu'ici, peu d'attention a été accordée : car Montaigne est polyglotte si l'on accepte de le lire en faisant la part de tous ses codes linguistiques : en français, en latin, en italien et en grec. Les langues et les langages divers des *Essais* s'enchaînent quasi organiquement (pour user d'une métaphore qui n'engage à aucune ontologie naturaliste du texte) dans la lecture suivie d'un essai, qui dégage le mouvement d'une pensée en acte. Les fervents de la pensée montaignienne privilégient au contraire les formes fixes de l'expression, les bons morceaux des *Essais*, prélevés du "reste" sans égard aux coutures qui les y attachent. Parmi les déchets rebutés, les plus résiduels,

---

[2] Jules Brody, *Lectures de Montaigne,* French Forum Monographs, 39(Lexington, Ky., 1982).

[3] *Ibid.*, p. 11.

les citations, demandent toujours à être récupérées[4]. Etudier les citations dans les *Essais*, c'est entreprendre de mettre en relief l'une des modalités de l'énonciation et une des prémices de la réception du texte de Montaigne sur lesquelles toute édition, intégrale ou abrégée, est obligée de prendre position. Dans ce but, je propose, à partir de ce que Gérard Genette appelle les transpositions[5] et que je désignerai comme les "copies" ou "récitations" des *Essais*, de dégager un modèle notionnel de la "citation"[6].

---

[4] La première étude consacrée aux citations des *Essais* est due à Michaël Metszchies, *Zitat und Ziterkunst in Montaigne's 'Essais'* (Genève : Droz, 1966) ; mais la citation y est considérée comme une forme d'imitation. Des études de l'imitation comme processus générateur des *Essais* ont été menées, dans une perspective assez proche, par Terence Cave, *The Cornucopian Text* (Oxford, 1979) et R. L. Regosin, "Sources and Resoures : the 'Pretexts' of Originality in Montaigne's *Essais*", *Substance*, 21 (1978), 103-115 ; ces deux auteurs assimilent la citation à l'imitation et voient dans l'écriture "empruntée" de Montaigne un mode d'expression formateur de son moi, selon une ontologie négative, puisque le manque qui est au centre du moi, se remplit sans fin, dans la quête d'une possession de soi, médiatisée par celle de l'autre, dans l'emprunt. La citation qui est négligée dans les études précédentes, a été l'objet d'une attention particulière dans *La seconde main* d'Antoine Compagnon (Paris, 1973) ; elle est approchée de deux manières bien différentes, par Mary McKinley, qui dégage la base contextuelle de la citation, immergée dans le contexte montaignien, dans *Words in a Corner*, French Forum Monographs (1981), et par Claude Blum, qui pose les jalons d'une relation entre l'allégation centrifuge et la citation egocentrique, dans "La fonction du déjà dit", *CAIEF*, mai 1981, pp. 35-51. Enfin Michel Charles replace les citations des *Essais* à l'intérieur des "modes d'expression secondaires", c'est-à-dire des discours qui portent sur d'autres discours, et il souligne fort justement que "c'est bien la latinité qui importe à Montaigne, et non Virgile", non plus que les autres auteurs, car Montaigne infléchit la quête de l'autorité vers celle de l'authenticité de la langue : *cf.* "Montaigne et le commentaire irrespectueux", *L'arbre et la source* (Paris : Seuil, 1985), pp. 156-177.

[5] G. Genette, *Palimpsestes* (Paris : Seuil, 1982), pp. 237-238.

[6] Le terme de "copie" que nous employons au sens usuel de "reproduction", ne doit avoir aucune connotation péjorative ; ainsi au XVIIIe siècle, on pouvait dire d'une traduction de Quintilien que c'était une "excellente copie qui durera autant que l'original". *Essais*, éd. P. Coste de 1779, T. 9, p. 4, n. (y).

Dans cette perspective, le texte des *Essais*, entendus au sens large, c'est-à-dire tels qu'ils sont reçus et transmis par leurs éditeurs successifs, se trouve systématiquement remodelé selon les horizons d'attente et les divers besoins d'un public souvent naïf, d'écoliers, de femmes, de jeunes gens, de lecteurs dits moyens, à la formation, à l'édification, ou à l'amusement desquels les *Essais* sont destinés. Ces éditions, équipées comme elles sont, d'introduction, de notes, de commentaires, et d'index, constituent donc des ébauches interprétatives et, parfois, quand l'appareil exégétique est particulièrement développé, des réalisations herméneutiques qui réforment considérablement l'original et qui, ce faisant, finissent souvent par se substituer à lui.

Dans les pages qui suivent, il va être question des diverses manières dont les citations des *Essais* ont été reçues, traitées, traduites, ignorées, supprimées, bref, de la relation qu'elles entretiennent avec les autres aspects formels et substantiels de l'œuvre, telle qu'elle figure dans la tradition réceptive. Dans la première partie de cette étude, je tâcherai de dégager un modèle de la citation à partir de l'usage de la copie, dont elle relève. La deuxième partie sera consacrée à la pratique de l'emprunt, dans deux grandes "copies d'auteur" : le "plagiat" de Charron et la joute intertextuelle que constituent, à cet égard, les *Pensées* de Pascal. Dans une troisième partie, il s'agira d'aborder la rhapsodie de morceaux reproduits par Montaigne dans sa "copie" en tant que texte d'auteur et de soumettre un seul essai, "De la tristesse" (i. 3), à une lecture "philologique". La dernière partie doit esquisser un cadre historique où sera mise en valeur la fonction dialogique de la citation, dans la tradition de la diatribe à laquelle se rattachent les *Essais*. En soulignant la nature dialogique des *Essais*, on est conduit à revoir la notion même du sujet qui s'y "récite", pour le concevoir comme une personne qui livre les effets de son discours, sous la forme d'un rétro-portrait.

PREMIERE PARTIE

LES COPIES DE LECTEURS

INTRODUCTION

L'édition ou la réimpression d'un texte est avant toute autre chose une copie reproduite pour un public spécifique, dont il est possible de supputer l'appartenance sociale, par l'évaluation du niveau culturel assumé par l'éditeur, qu'indiquent la nature et le nombre de ses interventions. Délégué d'une classe de lecteurs auxquels il fournit un supplément de compétence, par les notes et autres précisions qu'il imprime au texte même et à ses entours, et qui tracent, en voulant le combler, un écart informationnel ou culturel, l'éditeur, en tant que médiateur entre la performance d'un auteur et la compétence d'un groupe de ses lecteurs, est donc un *intellecteur* ou interprète, qui vise justement à assurer l'intelligence d'un texte devenu à certains égards problématique ou opaque. C'est ainsi que l'édition procurée par Marie de Gournay, la première à donner la traduction des citations, est révélatrice non seulement de l'incompétence en langues anciennes des premiers lecteurs, à l'orée du XVIIe siècle, mais aussi du fait qu'aux yeux de cette génération de lecteurs, les citations des *Essais* durent déjà apparaître comme une déviance par rapport à la seule langue d'usage : le français. Un témoignage analogue sur le statut des citations dans les *Essais,* est fourni par les transpositions réductrices ou "copies" expurgées et amendées : les *Esprits*, les *Extraits* des *Essais* qui, de la fin du XVIIe à la fin du XIXe siècle, ont systématiquement exclu les citations tenues pour une interférence évidente avec le véritable contenu des *Essais* : la pensée ou les idées de Montaigne. Par contre, le retour au texte, citations latines comprises, dans les éditions partielles ou les morceaux choisis à usage scolaire de la Troisième République, coïncide plus ou moins avec l'intronisation des études classiques dans l'enseignement laïc et l'appropriation de l'étude de la littérature par l'Université.

Sans vouloir faire une bibliographie commentée ou une histoire des éditions intégrales et abrégées des *Essais*, il est logique d'introduire cette part d'érudition dans la perspective de la critique actuelle qui déplace son lieu, de l'auteur à celui que tient le "lecteur dans le texte". Ce lecteur, entraîné dans le texte où il finit par laisser incrustée sa marque individuelle, la trace permanente de ses interventions, est d'abord l'éditeur du texte intégral. Mais en ceci, les premiers éditeurs comme les plus récents, qui reproduisent l'œuvre en la lisant, ne font que suivre l'exemple de son tout premier lecteur : l'auteur.

:s indications dans une ponctuation plus moderne, comme l'ont fait tous
:s éditeurs de Montaigne (éd. Municipale, I, xvii-xviii).

Un consensus d'ignorance semble en effet s'être formé à l'égard
.e la ponctuation du XVIe siècle : même les éditeurs qui affichent un
respect absolu" pour le texte de l'édition de 1588, non seulement dans sa
:ontexture mais encore dans la forme orthographique, si variable au XVIe
iècle, de l'expression, substituent une ponctuation logique à la
'ponctuation mal établie, sinon de hasard, qui était employée à l'époque et
lans laquelle Montaigne n'a eu que voir, car il ne ponctuait jamais et
ibandonnait ce soin aux imprimeurs" (I, v-vi). Il est vrai que dans ses
idditions, comme dans ses autres textes autographes, Montaigne use de
peu de signes de ponctuation : les majuscules en tiennent souvent lieu.
Pour l'ultime édition des *Essais*, il demande à l'Angelier "qu'il n'y
espargne les poincts et lettres majuscules", car "c'est un langage coupé"[1].
Bien qu'il ait affirmé qu'il ne se "mesle ny d'orthographe... ny de
ponctuation", car il est "peu expert en l'un et en l'autre", Montaigne a
corrigé sur son exemplaire la ponctuation du texte imprimé, d'une main
qui n'est pas aussi capricieuse qu'on veut bien le faire accroire[2]. Cette
lecture au souffle coupé que Montaigne enregistre par la ponctuation est
infiniment précieuse, car elle seule en effet indique les intonations ou les
pauses qui marquent le passage à cette autre instance de l'énonciation
qu'est la citation. Comme il appartient au citateur de marquer la distance
entre son propre discours et les mots rapportés, d'insérer la citation dans
sa phrase ou de la mettre hors texte, la ponctuation n'obéit à aucune

---

[1] Addition manuscrite au verso du frontispice gravé de l'exemplaire de Bordeaux,
reproduite dans l'édition Naigeon (1802), la reproduction typographique d'E. Courbet, T, 1,
p. II.

[2] D. Maskell fait la même observation : "after 1588 he came to take enormous
interest in punctuation and some interest in spelling". "The evolution of the *Essais*",
Essays in memory of R. Sayce (Oxford, 1982), p. 23.

CHAPITRE I

LECTEURS INTELLECTEURS

1. MONTAIGNE LECTEUR DES *ESSAIS*

Premier lecteur de son livre, Montaigne l'enrichit d'al
d'un apport massif de citations : huit ans après la premi
bordelaise de 1580, il en fait paraître à Paris une quatrième, '
d'un troisième livre et de six-cents additions aux deux prem
nombreux vers latins. Il poursuit pendant quatre ans, jusqu'à s
travail d'expansion sur les trois livres imprimés en 1588, comi
le constater sur son exemplaire conservé à Bordeaux. La transc
annotations en marge, de ses biffures et surcharges indique
minutieux, dont on ne peut se faire une idée qu'en consultant
ses deux reproductions par phototypie ou typographie, ou bie:
F. Strowski où sont clairement transcrits les autographes que M
pressés dans les marges. Mais le travail de l'écrivain ne transpa
dans les autres éditions : les seules corrections retenues par Ville
Thibaudet intéressent surtout la connaissance de la pensée. Les h
de l'écriture, notamment entre la version latine et la traduction
des citations, les corrections des citations imprimées, sont report
l'édition municipale de Strowski, mais la révision complèt
ponctuation à laquelle se livre Montaigne sur le texte de 1588 (
inaccessible au commun des lecteurs. Les éditeurs ont généralem
pour référence "les commodités des lecteurs", suivant le principe
par Strowski : "la ponctuation est certes curieuse et significativ
tellement éloignée de notre usage (que) nous avons cru devoir en

contrainte logique ou grammaticale. Il est donc essentiel de connaître et de préserver ces lectures de Montaigne qui donnent aux citations le support d'une voix et qui constituent en fait de multiples actes de présence du lecteur et acteur de ses lectures que l'auteur des *Essais* n'a jamais cessé d'être.

On constate avec étonnement dans le texte de 1588, que les points dont Montaigne recommande à son éditeur d'user abondamment, sont supprimés de sa main pour être remplacés par une virgule ou par deux points. Ainsi le passage suivant est ponctué d'un point en 1588, qui est corrigé en une virgule dans l'exemplaire de Bordeaux :

Texte imprimé de 1588 :	*Correction manuscrite :*
J'esleve mon courage à l'encontre des inconveniens, les yeux je ne puis.	J'esleve mon courage à l'encontre des inconveniens, les yeux je ne puis,

Sensus, o superi sensus
(Les sens, ô les sens tout
puissants) (iii. 9. 954 b)

(Exemplaire de Bordeaux (Reproduction Typographique, vol. 3 pp. 153-154))

Toutes les éditions des *Essais* suivent la lecture de 1595 qui est conforme à celle de 1588, où l'exclamation latine est placée entre deux silences marqués par des points. Ces mots sont alors comme gravés dans une matière inerte, porteurs d'une plainte anonyme. Mais, lorsqu'elle est rattachée par la virgule à la phrase confidentielle qui précède, la formule sans vie prend la force d'un témoignage personnel. Réinsérés dans le discours, les mots latins sont récités plutôt que cités, car cette interprétation personnelle d'un mot sans doute proverbial, fait entendre un souffle que Montaigne tient donc à faire passer et à contenir dans ses phrases.

L'attention que Montaigne portait au rythme apparaît dans cette autre recommandation de l'Avant-Propos, concernant "la prose latine grecque ou autre estrangiere" et les "vers" (ce dernier mot remplaçant le mot raturé d'"allégation"). Les vers doivent être mis "à part" et être "placés selon leur nature" ; "pour les pentamètres saphiques, les demi-vers doivent avoir leurs comancemans au bout de la ligne", "la fin sur la fin"[3]. Comme dans son exemplaire, "il y a mille fautes en tout cela", Montaigne rappelle, à l'occasion, dans le texte, que l'imprimeur doit les mettre "plus en ça"[4]. Quant au travail même de l'insertion, de l'"incrustation" des citations, il demeure ignoré de l'ensemble des lecteurs modernes auxquels on présente toujours un portrait de Montaigne fidèle à la pose qu'il aime à se donner : il écrivait à la cavalière, parlant au papier comme au premier venu (iii. 1, 790 b). Villey, tout en reconnaissant que "ses ratures suffisent assurément à prouver qu'il se souciait de la forme beaucoup plus qu'il ne voulait bien le dire", refusait donc de reconnaître l'artiste dans les hésitations révélées par le manuscrit : " il faut même avouer", ajoute Villey, " qu'il est de ceux qui hésitent fort peu"[5]. On peut voir cependant Montaigne peser ses mots, hésiter entre une majuscule et une minuscule, changer un mot introducteur de la citation pour un synonyme aux couleurs mieux assorties à celles du texte latin : *irrémédiable* est changé en *indigestible* devant le *coquat* (cuit), dont la métaphore culinaire est ainsi filée dans le texte français :

---

[3] Les vers saphiques ayant un nombre fixe de onze syllabes, Montaigne veut parler sans doute du second demi- vers de cinq syllabes qui termine la strophe saphique, appelé plus couramment aujourd'hui, vers adonique ; voir par exemple, *Essais* (i. 42, 261a), citation d'Horace, *Odes*, xvi, 9.

[4] Ainsi à côté du premier vers de la citation de Perse (i. 26, 158 b).

[5] *Les Sources et l'Evolution des 'Essais'* (Paris : Hachette, 1933), T.2, p. 534.

Y a il quelque pensée locale qui vous
ulcere, extraordinaire, (b)irremediable(c)indigestible ?
Quae te nunc coquat et vexet sub pectore fixa
(qui, fichée en ton cœur, te consume et te ronge) (iii. 9, 987 b)
(Reprod. Typogr., vol. 3, p. 185)

Montaigne ne retient pas toutes les citations latines qui se présentent sous
sa plume, il hésite entre la version française et le latin avant de laisser à
Cicéron ou à Sénèque leurs propres mots. On relève dans les additions
manuscrites de nombreuses biffures de la traduction ou de la paraphrase
du texte latin ; en voici deux exemples (où le passage biffé par Montaigne
est mis entre parenthèses) :

(*Abscinduntur facilius animo quam temperantur.*
On les arrache plus aisément de l'âme qu'on ne les bride.)
Abscinduntur facilius animo quam temperantur. (iii. 10, 1019c)
(Reprod. Typogr., vol. 3, p. 214)
*Si cum hac exceptione detur sapientia ut illam
inclusam teneam nec enuntiem, rejiciam.* (Si la sagesse dict
Seneque m'estoit octroiee si que j'eusse à la taire et tenir close,
j'y renoncerois la rejetterois refuserois.) (iii. 9, 986c) (Reprod.
Typogr., vol. 3, p. 203)

Dans ces deux cas on peut supposer que Montaigne a supprimé une
traduction qui était trop littérale ; en effet on le voit dans le troisième
exemple, ci-dessous, hésiter entre deux versions françaises de la même
citation, pour conserver finalement plutôt que la traduction, une
transposition sentencieuse qui confirme la citation latine en présentant sa
contrepartie :

(*Qui sibi amicus est, scito hunc amicum omnibus esse*. Qui est
ami a soi l'est à un chacun.) Qui vit aucunement à autruy ne vit
guere à soi. *Qui sibi amicus est, scito hunc amicum omnibus
esse*. (Reprod. Typogr., vol. 3, p. 184)

Le soin qui préside au choix du lieu d'insertion se manifeste dans le
déplacement d'une citation à plusieurs chapitres d'intervalle. Ainsi la
sentence de Sénèque qui formule l'idéal d'un parler mâle et vigoureux,

> *Non est ornamentum virile concinnitas*
> (L'élégance n'est pas une parure virile) (i. 40, 251c)

a fait son chemin dans les marges de l'exemplaire de Bordeaux, avant de
se fixer à la fin d'une réflexion sur la langue des *Essais* ; elle faisait
d'abord suite à une autre sentence latine, qui est la contrepartie de celle de
Sénèque et que Montaigne avait ajoutée quatorze chapitres plus tôt :

> *Haec demum sapiet dictio, quae feriet*
> (L'expression est bonne si elle frappe)
> *Non est ornamentum virile concinnitas*
> (i. 25, 171) (Reprod. Typogr., vol. I, p. 64)

Dans sa dernière occurrence, au chapitre 40, la citation est délibérément
mise à la clausule : repoussée au fur et à mesure que Montaigne prolonge
son addition (la citation biffée est entre parenthèses) :

> Pour en ranger davantage, je n'en entasse que les testes (*non est
> ornamentum virile concinnitas...* Revenant à la vertu parliere, je
> ne trouve *Non est ornamentum virile concinnitas*) pas grand
> chose entre ne sçavoir dire que mal, ou ne sçavoir rien que bien
> dire. *Non est ornamentum virile concinnitas.* (i. 40, 251)
> (Reprod. Typogr., vol. I, p. 104).

On observe d'autres déplacements qui révèlent des correspondances internes du texte, entre lesquelles la citation baladeuse tend un fil : son parcours dans le texte projette la trace frayée dans la mémoire inventive de l'auteur. Ainsi appelée par des passages divers et espacés des *Essais*, la formule en se déplaçant indique les variations et les reprises d'une même pensée à plusieurs chapitres d'intervalle, selon un enchaînement conforme à ce qu'en dit Montaigne : "mes idées se suivent, mais c'est de loing, et se regardent, mais d'une veue oblique" (iii, 9, 994 b).

Les citations pourvoient donc Montaigne d'un supplément important d'expressions qui trouvent place dans les éditions de 1588 et de 1595. Seules pièces mobiles dans le filet du texte, elles révèlent aussi le jeu de cette écriture que l'on croit donc à tort purement accumulative. Convoquées d'abord par l'auteur, ces formules de provenance étrangère arrêtent ensuite Montaigne dans sa lecture, comme elles arrêteront ses propres lecteurs. L'appel de la citation se prolonge : le texte cité convoque à son tour les lecteurs auprès des auteurs ou des exemples que Montaigne allègue ; conformément à la définition latine du verbe "alléguer" donnée par Robert Estienne dans son *Dictionnaire français-latin* de 1539 :

> Quelles exemples (sic) me allègues tu pour tes defenses :
> *Ad quae exempla me revocas* ?
> Tu m'allègues Democrite :
> *me ad Democritum vocas*

L'allégation renvoie le destinataire auprès d'une autorité (Démocrite), ou d'une preuve, sous forme d' exemples : elle convoque donc, non pas le texte ou l'auteur de l'allégation, mais le destinataire. Un espace d'interlocution est donc projeté à partir de cette relation où l'allocuteur s'adresse à son allocutaire par l'intermédiaire d'une allégation, pour le convoquer ainsi en présence d'un tiers. L'allégation tient lieu de référence, à la troisième personne, commune aux deux premières personnes de l'allocution[6].

2. EDITEURS-LECTEURS" DE BONNE FOI"

"C'est icy un livre de bonne foy, lecteur". Dans cette déclaration liminaire où Montaigne engage sa parole, il fait, en tant qu' auteur, une promesse qui, pour être tenue, pose des conditions au destinataire : "je suis la matière de mon livre", dit-il à son lecteur, mais si le sujet lui semble "si frivole et si vain", celui-ci ne doit pas s'engager dans une lecture qu'il est moralement tenu de faire avec une "bonne foi" égale à celle de l'auteur. Montaigne stipule les conditions d'un pacte de lecture dans la *bona fides* dont le sens contractuel est impliqué par l' origine juridique de cette expression[7].

Ces destinataires que Montaigne évoque dans son avant-propos, sous les noms de "parents et amis" ont-ils répondu à l'attente du destinateur, l'auteur des *Essais* ? Peut-être, si l'on croit à la bonne foi de Marie de Gournay qui aurait été la légataire d'un exemplaire des *Essais* de 1595. La bonne foi des éditeurs n'était pas remise en cause, jusqu'à ce que fût retrouvé, à la fin du XVIIIe siècle, le fameux exemplaire autographe. Or, de sa confrontation avec l'édition de 1595, il ressortait que Marie de Gournay n'aurait pas rempli scrupuleusement ses devoirs de légataire, à moins qu'elle n'ait disposé d'un autre exemplaire. C'est cette dernière thèse qui fut accréditée par le premier éditeur de l'exemplaire de

---

[6] *Cf.* Appendice III.

[7] La "bonne foi" constituait dans le droit romain, la base de certains accords, que l'on retrouve dans le "gentleman's agreement" ; *cf.* Cicéron, *De Off.* iii. 15. 1. Il faut surtout souligner le "pacte de lecture" qui est posé implicitement dans cet avis au lecteur ; *cf.* Philippe Lejeune, *Le pacte autobiographique* (Paris : Seuil, 1975).

Bordeaux, Naigeon, qui, plus circonspect ou imaginatif que la plupart des éditeurs modernes, ne conclut pas automatiquement aux infidélités ou aux trahisons des responsables de l'édition de 1595. Gournay n'était pourtant pas incapable de forgeries : n'avait-elle pas voulu faire passer sa version corrigée d'une Harangue de Ronsard pour une révision de l'auteur[8] ? Cependant, plutôt que de soupçonner les auteurs de la seule édition qui ait eu cours jusqu'alors, Naigeon proposa la thèse des deux exemplaires[9]. L'édition de 1595 continua donc de faire autorité, malgré l'édition de Naigeon (1802, reprise par Duval en 1820), qui se fondait sur l'exemplaire de Bordeaux. Les *Essais* lus par Marie de Gournay furent à la base de la "Vulgate" du XIXe siècle, l'édition de Victor Leclerc. Pendant trois siècles on a donc lu Montaigne surtout dans la version donnée par sa "fille". Mais, à partir de 1904, lorsque l'Imprimerie Nationale a entrepris de donner une reproduction de l'exemplaire de Bordeaux plus fidèle que celle de Naigeon, toutes les éditions modernes se fondent sur le seul autographe qui ait été conservé. En l'absence d'une histoire détaillée des éditions des *Essais*, la force du document prévaut alors sur la continuité d'une tradition de lecture, qu'hésitait cependant à condamner le premier éditeur de l'exemplaire de Bordeaux.

Sans doute les éditions qui se sont succédé depuis la Reproduction Typographique, procurent-elles le seul texte des dernières additions qui soit authentifiable. Plus proche, peut-être, d'un prétendu

---

[8] En 1624, M. de Gournay dédie à Louis XIII, sous le titre de *Remerciement au Roi*, sa propre version de la "Harangue du Duc de Guise aux soldats de Metz" en prétendant dans sa lettre dédicace qu'on lui avait donné un manuscrit contenant environ vingt poèmes de Ronsard "corrigés de sa dernière main", parmi lesquels cette version de la "Harangue", que Ronsard, quant à lui, avait fort peu retouchée ; *cf.* Marjorie H. Ilsley, *A Daughter of the Renaissance* (Mouton : The Hague, 1963), p. 137.

[9] Thèse soutenue encore récemment sur la base de la vraisemblance : Montaigne aurait fait une autre copie, plus lisible, que, par prudence il aurait remise à Gournay. D. Maskell, *op. cit.*, p. 25.

"vrai" Montaigne, le texte qui est soumis aux lecteurs du XXe siècle n'est cependant pas celui qu'ont lu Pascal, Bayle et Voltaire, et qui, pour n'avoir pas de répondant documentaire, n'en offre pas moins un Montaigne convaincant. En fondant l'authenticité du texte sur l'autographe, les éditeurs dont la "bonne foi" était fidèle aux principes du positivisme, tranchaient, sans plus, une question que Naigeon, disciple des philosophes du XVIIIe siècle, posait en d'autres termes : pour lui, le choix ne s'imposait pas entre le document autorial et la tradition de lecture, il ne s'agissait guère d'exclure, au nom du texte original retrouvé, l'exemplaire qui avait servi de base aux lectures de Marie de Gournay. Sans doute, selon Naigeon, les corrections et additions autographes rendent-elles "absolument inutiles (les éditions qui précèdent) pour ceux qui sont curieux d'avoir l'ouvrage d'un auteur célèbre (tel qu'il est sorti de ses mains" (p. vi)). Mais Naigeon ne fait pas table rase de la grande édition léguée par le XVIIIe siècle, que Coste avait fondée sur le seul texte de 1595. Au contraire, il tient compte de l'ancien comme du nouveau "testament" faisant coexister la version reçue avec la version d'origine "telle qu'elle est sortie des mains" de son créateur. Naigeon fournit en quelque sorte des *Essais* de transition, fidèles à la fois aux instructions de l'auteur (il est le seul éditeur à reproduire l'Avis de Montaigne à l'imprimeur), comme à ces premiers lecteurs de 1595 dont il ne met pas en doute la bonne foi. On pourrait donc prêter à Naigeon la réponse que son émule, A. Duval, a donnée à la déclaration liminaire de Montaigne : "C'est ici un livre de bonne foi, disait (Montaigne) en offrant son ouvrage au public ; je désire qu'on en puisse dire autant du commentaire" (p. viii) Cette formule, imitée donc de celle de l'avis au lecteur de 1580 a la force d'un acte de souscription au contrat proposé par Montaigne. Le lecteur-éditeur, co-signataire du pacte de lecture *in bona fide* s'engage à reproduire le texte dans le respect de l'intention de Montaigne[10]. Mais, auteur à son tour, Duval se croit appelé à répondre à l'attente de ses propres lecteurs en leur facilitant l'accès aux *Essais*. La lecture-récriture qui résulte de son effort se justifie donc par l'existence, puis par la prise de conscience d'un écart, d'un anneau manquant entre Montaigne et le lecteur ; c'est aux notes et aux éclaircissements de toute sorte de fournir ce complément intermédiaire de la communication sous la forme d'un supplément textuel. La part de préciosité et de jeu qui commande sans doute la parodie à laquelle se livre Duval à la fin de sa préface n'en est pas moins indicatrice du rôle qu'il a conscience de jouer. A titre de "copiste", l'éditeur, en général, dispose d'une marge d'action considérablement plus restreinte que celle de l'exégète ou du critique, mais il est soumis, comme lui, au même dilemme : doit-il représenter les lecteurs et par conséquent une tradition de lecture ou respecter ce qu'il croit, "en toute bonne foi" être l'intention de l'auteur ? Quel équilibre doit-il assurer entre la compétence (ou l'insuffisance) de son public et la performance de l'auteur qu'il s'engage à représenter ? Ne risque-t-il pas de faire prévaloir sa propre interprétation aux détriments de l'œuvre, s'arrêtant au seuil qui sépare le lecteur-intellecteur de l'auteur-inventeur ? Le cas des éditions des *Essais* offre un témoignage de ce dilemme du lecteur, "acteur" du texte qu'il reproduit. Ce cas de conscience professionnelle devient même une affaire de famille, lorsque la "fille d'alliance" de Montaigne se sent contrainte de trahir le texte de son "second père".

---

[10] Nous pensons à M. de Gournay qui réclame pour elle seule le droit d'éditer les *Essais* que lui confère une connaissance des intentions de leur auteur : "il n'appartiendrait jamais à nul après moi, d'y mettre la main a même intention, d'autant que nul n'y apporteroit ni même révérence ou retenue, ni même aveu de l'Auteur, ni même zèle, ni peut-être une si particulière connaissance du livre". (Préface à l'édition de 1635), éd. P. Coste, 1725, T. l, pp. xliii-xliv ; 1779, T. 9. pp. 187-188.

CHAPITRE II

LES TRADUCTIONS DES CITATIONS

Le dilemme de l'interprète a été exposé, et peut-être vécu, par Marie de Gournay, lorsqu'elle eut cédé à la demande des imprimeurs qui voulaient mettre les *Essais* au goût du jour. Portée, dans son culte passionné de Montaigne, à respecter la lettre et surtout la langue de son livre, mais tenue à défendre sa responsabilité de légataire en assurant la survie des *Essais*, Gournay fait éclater ses plaintes dans la préface de la version la plus remaniée, celle de 1635 ; elle renvoie son lecteur au "bon vieil exemplaire" de 1595, établissant ainsi une discrimination entre les lecteurs des *Essais*. Au lecteur ordinaire revient la présente édition modernisée de 1635, mais au "lecteur amoureux de ce divin ouvrage... les seules impressions de l'Angelier depuis la mort de l'autheur", dit-elle, "t'en peuvent mettre en possession : notamment celle in folio dont je vis toutes les espreuves" ; elle ne condamne pas toutefois l'édition de 1635 qui est encore son ouvrage, "la sœur germaine de l'édition de 1595" [11].

Les différences marquées entre l'édition de 1635, dédiée à Richelieu, le tuteur du français dans son nouvel usage, et celle de 1588, témoignent d'une évolution de la langue, mais aussi de l'"insuffisance" des nouveaux lecteurs. Le soin que l'on avait mis en 1588 à diversifier la typographie au gré des langues citées, l'édition de 1635 l'observe encore, mais en marquant en même temps le reflux de la culture gréco-latine chez ces "insuffisants lecteurs" pour qui Montaigne avait refusé de donner la source et la traduction de ses "allégations". Ce supplément que l'on exige

---

[11] *Cf.* Anne Uildriks, *Les idées littéraires de Mlle de Gournay* (Groningen, s. d.) 206-207.

de Gournay, dès l'édition de 1611, puis en 1617 atteste, à son sens, "la bestise d'une part du monde", moins pour son ignorance du latin que pour sa tendance erronée à concevoir la citation comme une autorité, et à croire "beaucoup mieux la vérité sous la barbe chenue des vieus siècles et sous un nom d'antique et pompeuse vogue". En prêtant une autorité aux textes cités, le lecteur perd de vue la présence de l'auteur qui filtre leur message, car il "leur a parfois donné un tour de main de sa façon, ou bien en a meslé deux ou trois ensemble. "L'identification et la traduction des sources de Montaigne ne compenseront pas, par ailleurs, le manque de familiarité avec les lettres classiques, "veu qu'un lecteur qui cognoist ces passages-là, n'est pas plus prest de demesler bien à point l'ouvrage auquel ils sont enchassez, que celuy qui ne les cognoist pas, s'il n'est pas ferré à glace"[12]. C'est donc moins pour le bénéfice du lecteur que pour l'illustration de la langue française, et de son propre nom à elle, que Gournay voulut bien tourner en français quelque mille deux-cents passages latins[13].

Les résistances de Marie de Gournay ne sont pourtant pas le fait d'un purisme ou d'un respect superstitieux du livre de son père, car elle cherche à trouver dans sa traduction des citations un compromis entre leur sens originel et celui que Montaigne leur a donné par son "application", comme si elle voulait "répondre à la double exigence, de l'auteur qu'elle défend d'avoir mal cité, et des lecteurs désireux de connaître le sens

---

[12] Préface de 1635 ; *cf.* Appendice II.

[13] "Lecteur, nous te donnons les *Essais*, réparez de nouveau de la version de leur latin, faicte de telle sorte que tu jugeras qu'elle peut servir, non seulement à la pertinente interprétation de son sujet, ains encore à l'enrichissement de notre langue. Nous les ornons aussi d'une ample Préface ; bien que la Demoiselle dont elle vienne ne l'eust escrite que pour la joindre à ses propres oeuvres comme de coustume : ne pouvant quoy qu'on luy die, être induite à l'estimer digne de paroistre en face de cet ouvrage". Les imprimeurs au lecteur, *Essais* (Paris : Michel Nivelle, 1617), p. aij.

premier de ces "autorités". La pluralité des traductions que propose Gournay au cours de ses éditions successives, de 1611 à 1635, illustre la polysémie des citations des *Essais*, ainsi que l'impuissance du français à traduire "cette nuée et moisson d'autheurs latins", "la cresme et la fleur choisie à dessein... de l'ouvrage des plus excellents écrivains et plus élegans et riches de langage"[14]. La traduction risque de figer certains mots dont seul le signifié le plus abstrait peut passer dans une autre langue ; ainsi les mots de Virgile que Montaigne "rumine", dont il déguste la saveur en les articulant : ce *"rejicit"*, "et cette noble *circunfusa* mère du gentil *infusus* ", perdent en français leur lien quasi organique qui unit leurs signifiants selon la figure étymologique : *circum-/in-/fus(us/a)* (iii. 5, 872b), qu'aucune traduction n'a pu conserver. Gournay ne traduit pas les trois derniers vers de Virgile où apparaît *infusus*, annulant ainsi la correspondance voulue par Montaigne, entre les vers de Virgile *(circunfusa*, p. 872) et ceux de Lucrèce (*infusus*, p. 849). Coste ne la garde pas non plus : *infusus* est traduit par "répandu", *circunfusa* par "livrée à ses embrassements". Il semble en effet que le français ne puisse rendre cette "génération" étymologique de deux mots latins dont on conçoit qu'ils enchantent Montaigne par leur adéquation cratylienne à la réalité qu'ils représentent : la "fusion" des corps dont l'un est *"in"* et l'autre *"circum"*, l'union sexuelle étant surdéterminée, dans le commentaire que Montaigne en donne, par un fantasme masculin de régression prénatale dans le sein de la "mère" qui engendre "le gentil *infusus* " qu'elle porte en elle, en lui étant *"circunfusa"*. Le français lui faisant défaut, Montaigne cite le latin qui est donc ici intraduisible. La citation qui pallie une insuffisance du français intronise alors le bilinguisme comme outil expressif qui appartient dès lors à l'appareil signifiant du texte. La traduction, si elle était substituée au texte latin,

---

[14] *Cf.* Appendice II.

enfreindrait la fonction complémentaire de la langue et des vers que Montaigne utilise afin d'exprimer certains aspects de sa philosophie "naturaliste", qui honorent les plaisirs les plus sensuels. Le latin lui sert à communiquer la part la plus instinctive de l'être, les émotions les plus intimes, comme, par exemple, la surprise douloureuse qui lui fait retrouver l'usage oral de sa langue naturelle et paternelle :

> Le langage latin m'est comme naturel, je l'entens mieux que le françois, mais il y a quarante ans que je ne m'en suis du tout poinct servy à parler, ny à escrire : si est-ce que à des extremes et soudaines esmotions où je suis tombé deux ou trois fois en ma vie, et l'une, voyent mon pere tout sain se renverser sur moy, pasmé, j'ay tousjours eslancé du fond des entrailles les premieres paroles latines : (c) nature se sourdant et s'exprimant à force, à l'encontre d'un long usage. (iii. 12, 8IO-8II b)

Le latin, cette voix secrète des *Essais*, qui s'est voilée avec le temps pour Montaigne lui-même et encore plus pour ses lecteurs, perd dans la traduction sa couleur propre et sa saveur, faute de pouvoir y être "ruminée" dans la chair de sa substance signifiante. Traduite, la parole latine devient une "parole gelée", dont la signification, ne pouvant circuler dans les mots français en usage, reste prise, figée dans les citations devenues la langue morte des *Essais*. La partie la moins "lisible" des *Essais* a donc invité d'abord le lecteur "suffisant" à leur donner sa voix de traducteur.

La fille de Montaigne fut la première en France à "violer le sépulcre" des *Essais* en les modernisant ; elle n'avait pas été toutefois la première à traduire les passages latins des *Essais*, puisque la version anglaise de Florio (1603) la devançait en fournissant la traduction en vers de la poésie et les sources des citations. Cependant, en satisfaisant la curiosité des lecteurs, les éditions de 1617 et 1635 ne portent pas atteinte à l'intégrité du texte bien que l'on constate l'avancée des traductions, de la fin du volume où elles sont rangées en 1617, jusqu'à la fin de chaque chapitre en 1635, puis à la juxtaposition marginale dans l'édition Christophe Journel de 1659, où la montée des traductions s'étend à l'italien. Insérée dans le texte à la suite de la citation comme dans la traduction de Florio, ou refoulée dans les marges, la traduction des citations, cette addition posthume aux *Essais*, témoigne de la relation qui engage le lecteur- intellecteur dans une copie partielle du texte. Les passages en langue morte des *Essais*, ces moments de silence où Montaigne semble se mettre à l'écoute des autres, deviennent la propriété et, peu s'en faut, la parole d'autres lecteurs qui, par la traduction qu'ils en font, immiscent leur voix dans les *Essais*. Par son intervention, le lecteur suffisant, en tant que traducteur, rétablit la continuité du sens pour le lecteur "insuffisant" en latin et en italien, et, de ce fait, poursuit la rédaction des *Essais*.

Le "poids surnuméraire" des citations, que Montaigne attache à son livre afin de le valoriser, est bien destiné à attirer le lecteur, à "l'appâter" : on peut voir en effet un emblème du processus citationnel dans le passage suivant :

> (b) Et j'ay veu des gardoirs assez où les poissons accourent pour manger, à certain cry de ceux qui les traitent :
> (a) *nomen habent et ad magistri*
> *Vocem quisque sui venit CITATUS*
> (Ils ont un nom et chacun d'eux vient à la voix du maître qui l'appelle) (ii. 12, 468)

Le mot *citatus* est employé ici dans son sens premier de "appelé", "convoqué" ; ces "gardoirs" où les fruits de la pêche sont mis en réserve pour être consommés, ces viviers sont conçus sur le même modèle que le "*penus litterarius*", la collection de citations que les maîtres du jeune Montaigne devaient lui avoir appris à se constituer, selon un procédé scolaire dont Montaigne se défend pourtant d'user :

> Je m'en vay escorniflant par cy par là des livres les sentences qui me plaisent, non pour les garder, car je n'ay point de gardoires, mais pour les transporter en cettuy-cy, où, à vray dire, elles ne sont non plus miennes qu'en leur première place. (i, 25, 136 c)

Montaigne verse donc directement dans son livre les sentences qu'il lit ailleurs ; ce sont les *Essais* qui deviennent alors, en un sens, une "gardoire" où ses lecteurs iront puiser à leur tour. Montaigne attire dans "ce séminaire de belles sentences", les lecteurs auxquels il offre des pièces de choix. En convoquant ainsi les auteurs qu'il lit et ceux qui le liront, Montaigne instaure par ses propres silences remplis de voix étrangères, une communication entre les auteurs latins et les lecteurs des *Essais*.

CHAPITRE III

MONTAIGNE LECTEUR DE MAUVAISE FOI

(LES SOURCES DES CITATIONS)

Dans son avant-propos, Montaigne promet de se mettre à nu autant que la décence le lui permettait, car, à l'égard des auteurs qu'il tient dans sa manche sans leur laisser montrer leur identité, il n'est tenu par aucun contrat de reconnaissance : il les démarque, avec une telle désinvolture que l'on pourrait l'accuser de plagiat s'il ne les traduisait pas. Montaigne attendait là ses lecteurs pour les prendre au piège de leur suffisance : "je veux", dit-il, qu'ils donnent une nazarde à Plutarque sur mon nez" (ii. 10, 414 a) ; il peut aussi leur donner une leçon de cette docte négligence qu'il pratique lui-même, irritant leur désir de connaissance en omettant les sources de ses citations : "Qui voudroit sçavoir d'où sont les vers et exemples que j'ay icy entassez, me mettrait en peine de les luy dire" (ii. 17, 651b). Il allègue, il est vrai, son défaut de mémoire, lui qui est" si excellent en oubliance". Certains lecteurs doutèrent de la sincérité de cet aveu, mais s'il faut en croire le témoignage de M. de Gournay, Montaigne citait rarement de mémoire : il tirait bien, comme il l'avoue, directement de ses lectures, les glanes qu'il insérait dans son livre sur le champ[15]. Gournay ne mentionne pas le *Journal de Voyage* qui, par l'absence de toute citation, tend à confirmer que les *Essais* sont un texte

---

[15] M. de Gournay répond à Baudius, qui mettait en doute le peu de mémoire que Montaigne reconnaît avoir : "mon mesme Pere escrivant sans aucune provision de ces choses, et lisant aux intervalles de sa composition les descouvroit de hazard çà et là dans les Livres : et puis assortissoit chaque piece en sa place". Préface de 1635, Hildriks, *op. cit.*, p. 193. *Cf.* Brody, *Lectures de Montaigne*, p. 23.

écrit dans la "librairie" où "sans peine et sans suffisance, ayant mille livres autour de lui en ce lieu où il écrit", Montaigne avoue : "j'emprunteray présentement s'il me plaist... de quoy esmailler le traicté de la phisionomie"(iii. 12, 1033b). Les *Essais* sont donc en grande partie une "bibliothèque" pour reprendre le terme qui désignait un genre d'anthologies critiques. Mais les pages qu'il en arrache pour les "attacher" à son propre livre ne perdent pas leur identité d'origine puisque ses éditeurs, de Coste à Villey, ont pu satisfaire au désir que Montaigne exprimait au chapitre "Des livres" :

> J'aymeray quelqu'un qui me sçache deplumer, je dy par clarté de jugement et par la seule distinction de la force et beauté des propos. (ii. 10, 408c)

Car, pour lui, ajoute-t-il, il sait bien reconnaître "ces fleurs, trop riches" pour avoir été portées par son propre terroir, mais il demeure court à les trier, "à faute de mémoire". Qu'il soit négligent, oublieux, ou délibérément dissimulateur, il n'importe pas ici de juger de la bonne ou de la mauvaise foi de Montaigne. N'ayant pas la prétention d'enseigner, il n'a pas à recourir à des autorités pour soutenir ses opinions. Il ne glose pas non plus, dans son commentaire irrespectueux du genre[16], il se donne un droit d'auteur-tuteur sur ces emprunts qu'il actualise tout en les démarquant. Montaigne s'est donc refusé à annoter les *Essais*, à se conformer à un usage pourtant généralement répandu parmi les auteurs de *Leçons* et d'autres œuvres mêlées. Voilà sans doute pourquoi les éditeurs ont parfois hésité : fallait-il respecter la négligence de Montaigne en la mettant au compte d'une volonté délibérée, ou bien céder à la demande

---

[16] *Cf.* M. Charles, "Montaigne et le commentaire irrespectueux", *L'Arbre et la Source* (Paris : Seuil, 1984) ; A. Tournon, *Montaigne : la glose et l'essai* (Lyon : Presses Univ., 1983).

d'ordre et de clarté des lecteurs ? Rares sont d'ailleurs les éditeurs qui, s'en remettant à la compétence du suffisant lecteur laissent les autres dans l'ignorance, conformément aux intentions mêmes de l'auteur. Seul Bastien en 1783, offre une édition des *Essais* "aux personnes instruites" (I, vi), à ceux que Coste dans son édition de Londres de 1724, appelait ironiquement les "virtuoses" ; sans être nommé, Coste pouvait se reconnaître dans la préface de Bastien, comme l'un de ces éditeurs qui veulent trop se faire valoir en accompagnant leur texte d'un copieux appareil d'annotations.

Coste, le premier à annoter les *Essais* dans ses éditions qui se succèdent pendant la première moitié du XVIIIe siècle (1724, 1725, 1739 et 1745) visait un vaste public auquel il voulait rendre Montaigne "aussi aisé à entendre que *La Princesse de Clèves*"(I, XXXIX). Avec l'identification des emprunts et lectures de Montaigne qu'il reproduit en bas de page, Coste rend possible la première lecture savante, comparative et intertextuelle des *Essais*. Il faut attendre la thèse de Villey pour que l'érudition léguée par Coste soit vérifiée et complétée, dans *Les Sources et l'Evolution des 'Essais'* (1908). La contrepartie toutefois de ce supplément de compétence offert par Coste est qu'il tend à désintégrer le texte en pièces rapportées à leur origine, et à attribuer une valeur de fait à la technique d'écriture rhapsodique, que Montaigne lui-même réclamait pour sienne. Les éditions de Coste et de Villey justifient en un sens les critiques sévères des doctes qui prétendaient, selon Charles Sorel, que le meilleur de Montaigne "vient de quelques anciens Autheurs et que si on luy avait ôté ce qu'il raconte de sa vie et de ses humeurs et les passages qu'il cite, le reste de son livre ne serait presque rien"[17]. Aux lecteurs de Coste et de Villey, Montaigne pourrait apparaître comme ce "hardy ignorant" enfariné de lectures, dont se moquait J. Scaliger (selon Sorel, *Bibl.*, p. 69) et dont

---

[17] *Bibliothèque française* (Paris, 1664), p. 69.

Malebranche devait dénoncer le pédantisme. Tel n'est pas cependant le dessein de ces éditions savantes, qui compensent l'effet potentiellement négatif de leur lecture étiologique par des commentaires, sous forme de notes, préfaces, jugements, éloges, où l'unité et la nouveauté des *Essais* se trouvent récupérés ; ces suppléments apportés par les éditions de Coste et de Villey, constituent une glose méliorative du livre de Montaigne, glose qui élève la cohérence prégnante de la lecture à un niveau proprement dit métatextuel[18].

Les passages latins que Coste confrontait aux transpositions souvent hâtives qu'en avait donné Montaigne, passent, deux siècles plus tard pour des matières premières, les sources vives des *Essais*. C'est justement la recherche d'une origine qui oriente la thèse de Villey, qui voulait :

> retrouver entre plusieurs textes possibles, le texte même dont Montaigne s'était inspiré. Il fallait, entre plusieurs sources possibles, choisir laquelle est la vraie, savoir si Montaigne l'a connue chez son auteur ou dans un ouvrage de seconde main, s'il fait usage d'une traduction qui peut altérer le récit et de laquelle ; autant que possible de quelle édition il s'est servi et les ressources d'information qu'il y trouvait. (Ed. Municipale, T. VI, p. vi).

L'avers positif de ce sens aigu des conditionnements matériels de l'écriture est livré dans l'abondante et inestimable collection de textes et de

---

[18] Entre sa première édition de 1724 et la dernière de 1745 (souvent réimprimée), Coste a réuni les matériaux paratextuels suivants : la Préface de M. de Gournay, la Vie de Montaigne, ses épitaphes, neuf lettres, les sonnets de La Boétie, des jugements relatifs aux *Essais* ; cf. M. Dréano, *La renommée de Montaigne en France au XVIIIe siècle* (Angers : éd., de l'Ouest, 1952), pp. 128-129, 189.

références réunis dans le quatrième tome de l'édition municipale ainsi que dans le premier volume des *Sources*. Mais le revers de cette entreprise positiviste est de simplifier le processus putatif de création en restreignant le jeu complexe de l'intertextualité à un mécanisme de simple causalité ou, pire encore, à la notion de "source" ou de "dette". La recherche d'une origine unique et déterminante tend à se faire aux dépens de ces textes de seconde main, compilations et florilèges pour lesquels Villey ne cache pas son dédain : "je n'ai retenu à dessein que ceux de ces rapprochements qui étaient instructifs : il importait de ne pas étouffer le texte source, quand il est connu, sous un amas de citations oiseuses" (p. vii)[19]. Villey tend à dégager l'œuvre maîtresse que sont les *Essais* du courant littéraire duquel ils participent, en privilégiant parmi les sources les textes d'auteur sur les compilations et les œuvres mêlées. On sait en quelle estime Montaigne lui même tenait les "faiseurs de livres", bien qu'il recoure assez souvent aux anthologies de sentences grecques de Stobée et de Crispin, ou à tel recueil de Priapea auquel il emprunte des vers plus hardis que ceux de Virgile. Il faudrait distinguer, avec Montaigne, entre les compilations vulgaires et les anthologies que sont encore des textes d'auteur : le "laborieux tissu" de citations que Juste Lipse a "inventé" (tel est le mot de Lipse), sur le sujet des *Politiques* et auquel Montaigne est redevable pour une quarantaine des siennes (Villey, *S. E.*, I, p. 180) n'appartient pas à la catégorie des basses œuvres compilatoires, non plus que les collections d'adages, d'apophtegmes ou de paraboles réunies par Erasme. De nos jours, on porte des jugements plus justes et nuancés sur ce courant littéraire où puisent les *Essais*. C'est dans la rhétorique de la lecture que Terence Cave, par exemple, retrouve l' exercice du choix et la visée pragmatique

---

[19] Le préjugé de Villey à l'égard des florilèges se révèle encore dans la note quelque peu condescendante qu'il consacre au rapprochement des *Adages* d'Erasme et des *Essais* en tant que genre littéraire, que lui avait suggéré un ami : "les *Adages* auront peut-être une influence sur le développement ultérieur du genre", (*S. E.*, I, p. 3).

qui sont communs à Montaigne et aux compendiaires : ils sélectionnent des passages susceptibles de se renouveler dans le réemploi qui les adapte à des contextes modernes[20]. Les *Florilèges* et les *Leçons* présentent sous une forme plus rudimentaire et schématique le même caractère que les œuvres mêlées de Plutarque, les recueils d'histoires de Pline, de Valère-Maxime, les notes de lecture d'un Aulu-Gelle, tous auteurs que fréquente et qu'estime Montaigne autant qu'Horace et que Sénèque (lequel, comme Cicéron, avait déjà entendu ailleurs les leçons qu'il donnait à lire à son correspondant). On pourrait distinguer alors les compilations de "faiseurs", les auteurs d'œuvres mêlées, des "facteurs" créateurs de livres, selon la nature de la matière recueillie et la qualité du destinataire. C'est ainsi que les *Autorités tirées de Sénèque* et traduites en français par le père Grosnet (1534) visent un public bien défini par le choix, le classement des sentences de Sénèque et leur rapprochement de paroles de l'Evangile. Ce prêtre veut pourvoir ses confrères d'ornements susceptibles de donner à leur prédication un ton humaniste. De même, un gentilhomme de province, Pressac, donne des extraits des *Epîtres* de Sénèque (1582) qu'il traduit en français à l'usage sans doute de ses proches, au nombre desquels se trouve son beau-frère : Michel de Montaigne. Il serait cependant invraisemblable que Montaigne ne lise pas Sénèque dans le texte : non point parce qu'il le cite en latin, mais parce qu'il le traduit lui-même en français. Car les sentences reproduites sans transformation apparente peuvent être venues d'ailleurs que de leur texte d'origine : les vers de Pacuvius et d'Ennius rapportés par Montaigne ont été cités par Cicéron qui a aussi traduit certains vers d'Homère que devait retenir Augustin et celui-ci cite aussi certains vers de Virgile que l'on

---

[20] Terence Cave, "Problems of Reading in the *Essais* of Montaigne", *Essays in memory of Richard Sayce* (Oxford, 1982).

retrouve dans les *Essais*[21]. Les bons mots circulent et suscitent une invention autre que verbale : la créativité par l'usage, que Villey confondait avec la répétition "oiseuse" lorsque l'expression ne portait pas la marque visible d'une invention personnelle.

Une réforme de la notion de sources n'est plus à réclamer à l'heure qu'il est, étant donné que l'intertextualité a considérablement assoupli les rigueurs de la science historique. Mais le concept structuraliste n'est pas plus apte que sa version positiviste, à rendre compte de la propriété pragmatique de ces "mots" qui sont insérés dans des contextes infiniment divers où, à l'instar d' outres vides ils se remplissent de sens. La fascination qu'exerçaient sur Erasme les adages et les apophtegmes a dû être partagée jusqu'à un certain point par Montaigne, comme par nombre de leurs contemporains[22]. Aussi est-ce sur

---

[21] La citation des *Essais* qui a sans doute le passé le plus riche est une traduction latine de deux vers de l'*Odyssée* (XVIII, 136-137) : *Tales sunt hominum mentes, quali pater ipse /Juppiter auctifero lumine terras* (L'esprit des hommes change et ressemble sur terre Aux mobiles rayons dont le dieu la féconde) (ii, i, 333 a) (ii, 12, 564 a). Selon Coste ces deux vers se trouvent dans les *Fragmenta Poetarum*, (éd. Gronov, X, 4291) ; Saint Augustin les cite dans la *Cité de Dieu* (V, 8 et non pas 28, comme l'indique Villey), mais avec *auctiferas* (éd. Labriolle). Augustin aurait repris cette citation de Cicéron, dans les fragments du *De Fato*, aujourd'hui perdus. On retrouve ces deux vers d'Homère dans trois oeuvres de Sextus Empiricus (*Adversus Logicos* I ; les *Hypotyposes* III et *Adversus Astrologos* V. 4). Cependant Montaigne doit citer Homère d'après Augustin, car il mentionne, comme lui, Cicéron : "comme dict ce vers grec en Cicero" (ii, 12, 564 a) ; *Illi quoque versus Homerici huic sententiae suffragantur, quos Cicero in Latinum vertit* (*Civ. Dei*, V, 802).

[22] Les adages cités dans les *Essais* sont soit des formules devenues stéréotypées et passées dans l'usage français : *Mus in pice* (iii, 13, 1068 b), un adage grec qui correspond au titre de l'essai "Des boyteux" : *arista cholos oiphei* (iii, 11, 1033 b) (c'est le boiteux qui le fait le mieux (l'amour)), le soulier de Theramenez, bon à tous pieds (iii, 11, 1034 b) est expliqué par Erasme sous le titre *Cothurno versatilior* (No. 1094) ; dans l'Apologie (ii, 12, 495 a) Montaigne reproduit des vers d'Horace cités par Erasme dans l'adage *Fortunata stultitia* (No. 2981). Mais M. Mann Phillips montre que Montaigne est retourné au texte

le modèle des *Adages*, ce répertoire de l'usage des bons mots, que l'on devrait compléter les "sources" des *Essais*. On évoquerait ainsi le potentiel sémantique de certaines citations, surtout des formules brèves, qui est actualisé par leurs occurrences et leurs usages dans divers contextes dont l'inventaire serait à faire. Il suffit déjà de reconnaître que la citation se prête à une manipulation, à un usage pragmatique, pour saisir la portée non triviale de ces déclarations méprisantes de Montaigne à l'égard des "ravaudeurs, gens que je ne feuillette guère" (iii. 12, 1056 b), déclaration qu'il renouvelle par ailleurs en nous assurant que ses allégations viennent "de main riche et honorable" (ii. 17, 651 b) et que "l'authorité y concourre quant et la raison" (*ibid*). Car si Montaigne recherchait la seule autorité, il lui suffirait justement de puiser chez les "ravaudeurs", dans les anthologies grecques de Stobée, de Crispin, qui recèlent en effet les sentences des meilleurs auteurs, ou bien encore dans les recueils de bons mots du mime Publilius Syrus qu'il lui arrive aussi de citer. Les éditeurs ont conclu, sans chercher plus loin, que Montaigne a pris ses citations directement chez les grands auteurs. Mais est-ce à dire qu'il les a relevées, sélectionnées lui-même ? Cite-t-il les auteurs mêmes des passages qu'il reproduit, ou les auteurs qui les ont déjà cités ? Sans doute Montaigne prélève-t-il lui-même de nombreux fragments : on retiendra pour preuve, entre autres, une sentence de Quinte-Curce qu'il a soulignée dans son propre exemplaire de l'*Histoire d'Alexandre*[23]. Mais s'il est vrai que Montaigne fait sa propre sélection, on sait que nombre de sentences sont déjà des citations codées par l'usage, qu'il a donc pu prendre de seconde

---

d'Horace après la lecture de l'adage. "Erasme et Montaigne", I, *Colloquia Erasmiana Turoniensia* (Paris : Vrin, 1972) I, 479-503.

[23] *Festinatio tarda est* (iii. 10, 985 b), variante de l'adage *festina lente*, est souligné dans l'exemplaire de Quinte-Curce que Montaigne a annoté (IX, 9, 12). *Cf.* R. Dezeimeris, "Annotations inédites de M. de Montaigne sur le *De rebus gestis Alexandri Magni* de Quinte Curce, " *RHLF* (28) 1921, 533.

main chez les grands auteurs : "Tel allégue Platon et Homère qui ne les veid onques. Et moy ay prins des lieux assez ailleurs qu'en leur source" (iii. 12, 1056 b). Qu'importe alors de connaître le texte qui, de rencontre, a fourni un bon mot ; il suffit de savoir que l'usager, le citateur de qui on l'a pris, était un bon auteur, qui donnait donc la garantie du sens à une expression que les "ravaudeurs", eux, ne savent pas mettre en valeur. En citant Ennius, à la suite de Cicéron, Montaigne imite ce dernier, mais on peut voir qu'il le cite aussi, que c'est l'auteur des mots *ex quo Ennius* qui est cité, sans être nommé, comme un premier usager du mot d'Ennius :

> *ex quo Ennius : Nequicquam sapere sapientem qui ipse sibi prodesse non quiret (De Off., III, 15)*(D'où ce mot d'Ennius : Vaine est la sagesse du sage qui ne saurait servir qu'à lui-même.)(i. 25, 138 c)

Cette curieuse encoignure de la citation dans un premier contexte, crée un effet de profondeur, différent de celui de la mise en abyme, car au lieu d'un agencement spéculaire, l'enchâssement de la mention d'Ennius opère une transition entre la citation de Montaigne et celle de Cicéron qui ajoute aux vers d'Ennius le poids de son usage. Montaigne ne rejette donc pas l'autorité, mais il la conçoit moins comme une origine, puisqu'il ne nomme pas Cicéron, qu'il ne la fonde sur une tradition et une communauté d'usagers. Aussi la recherche de la source des citations ne doit-elle pas négliger celle de leur actualisation, de leur recréation par l'usage, ainsi que Montaigne invite à le faire, en alléguant l'autorité de ces "mains" d'où elles sont sorties et dont il laisse voir le bout du doigt par la mention du mot "en coin" de Cicéron citant Ennius.

Les présupposés déterministes de la quête des sources n'ont pas permis à Villey de distinguer entre les modalités respectives de l'emprunt et de la reproduction. Les citations sont ainsi confondues avec les démarquages et autres "réminiscences" textuelles, elles ne servent qu'à tracer le parcours d'une évolution intellectuelle, fortement tributaire des rencontres livresques. Or, comme l'observe judicieusement G. Pire, l'influence est proportionnelle au degré d'assimilation ; la reproduction littérale, détachée du texte de Montaigne par la citation serait donc une forme de greffe, correspondant à une lecture hâtive et superficielle du texte d'origine. Pire suppose donc que certaines citations "proviennent non pas des textes originaux, mais de recueils de sentences"[24]. Mais la distinction que Pire établissait entre les "passages traduits textuellement, les allusions et les réminiscences" de Sénèque risque, en voulant compenser la confusion méthodologique des "sources", de verser dans l'excès inverse, en posant que "beaucoup de citations littérales sont sans importance". Même lorsqu'elle est abordée par le biais d'une psycho-philosophie de l'écriture, dans le *Cornucopian Text* de T. Cave (p. 190), la citation passe pour un corps étranger qui est, comme tout autre texte emprunté par Montaigne, tout à la fois un objet de désir et une menace d'aliénation : dans un autre code analytique, la relation de la citation au texte des *Essais* se ramène à la notion ancienne d'influence.

Dans une étude plus récente, Cave pose ce problème dans les termes qui en révèlent toute la difficulté lorsque l'on cherche à expliquer, par une cause externe à l'écriture, pourquoi une forme d'emprunt est choisie plutôt qu'une autre. "Montaigne", dit Cave, "aurait bien pu incorporer dans son discours des traductions et des paraphrases des écrivains qu'il désirait alléguer". En adoptant la perspective de ces lecteurs qui voudraient encore réduire la littérature à un comportement individuel en lui trouvant des raisons dans la biographie de l'auteur, Cave donne une réponse plausible : le temps, la maladie, peuvent avoir forcé Montaigne à

---

[24] G. Pire, "De l'influence de Sénèque sur les *Essais* de Montaigne", *Les Etudes Classiques* 22 (1954), 270-286.

s'en tenir à une solution provisoire[25]. Mais la citation excusée, en somme, pour raison de santé, est tout aussi désinvolte que la citation "réclame" ajoutée en effet, au dire de Montaigne, pour inviter le lecteur à acheter une nouvelle édition des *Essais* "enrichis d'un poids surnuméraire". La raison alléguée par Montaigne indiquerait en tout cas qu'il a cité en toute conscience et délibérément, décision confirmée par l'édition de 1588 qu'il a lui-même revue et à laquelle il a ajouté un nombre élevé de citations, comme dans l'exemplaire de Bordeaux où les biffures de traductions laissent à la prose latine un statut définitif et un droit d'accès au texte à part égale avec la prose française des additions post 1588. Mais toute explication de la fantaisie citationnelle des *Essais*, qu'elle soit donnée par Montaigne ou par ses exégètes, laisse insatisfait, lorsqu'elle s'attache à réduire l'écriture à une cause subjective, que celle-ci soit analysée selon une psychologie des profondeurs ou selon une psychologie mécaniste, comme dans la thèse de Villey qui retraçait l'évolution de Montaigne comme une suite de réponses à des lectures marquantes.

L'établissement d'une carte des déplacements livresques de Montaigne donne une finalité à la recherche des sources en offrant une synthèse des résultats de l'analyse : les éléments livrés par la fouille archéologique du texte servent à sa reconstruction. Villey devait donc établir de quel texte précis provenaient les emprunts, afin de définir un cadre de références fixes au milieu desquelles l'auteur des *Essais* aurait fait, plume en main, son parcours de lecteur. Si les textes- sources sont privilégiés sur les textes de seconde main, c'est afin de fonder la relation intertextuelle sur une influence intellectuelle que seuls les grands auteurs seraient susceptibles d'exercer. Comme Montaigne est considéré avant tout comme un moraliste et un penseur, même les poètes qu'il cite passent pour avoir contribué à la formation de sa pensée. La recherche des

---

[25] "Problems of Reading in the *Essais*", *op. cit.*, p. 145.

influences empêche d'observer le mode d'affluence et la fonction rhétorique des apports étrangers[26]. Réduisant donc la transformation intertextuelle au plus court trajet de l'influence, un éditeur comme Villey restitue une relation à sens unique, venant des auteurs et allant vers Montaigne, sans admettre que l'acte scriptuaire puisse être perçu, ainsi qu'il pourrait l'être dans le cas d'une citation, comme une résistance à l'influence, un rejet de l'imitation, ne serait-ce que par la distance que l'auteur instaure entre lui et ses "autorités".

Dans son édition des *Essais*, Coste entretient avec Montaigne une sorte de dialogue : les notes, où sont déjà rapportées une très grande partie des "sources", sont conçues à l'intention d'un lecteur plus curieux de s'immiscer dans le "commerce" de Montaigne avec les textes, que de déterminer la filiation de ses idées. Non content en effet de trouver la source latine de nombreux passages des *Essais*, Coste parfois développe un point rapidement évoqué, ou bien fait un commentaire critique, se prenant au jeu de la récriture qui donne alors aux *Essais* la continuation espérée par Montaigne, lequel livrait à son lecteur un texte "sans fin" pour qu'il en tire d'"infinis *essais*"[27]. Quant aux citations, elles reçoivent un

---

[26] Comme le remarquait C. Clark, en 1978, "It is surprising that, since Villey's time, so little critical attention has been paid to the sheer amount of borrowed material in the *Essais*. Perhaps, the very thoroughness and scale of Villey's work has discouraged later scholars from approaching the subject again", *The Web of Metaphor*, p. 37. Il reste cependant encore suffisamment de "sources" à découvrir, et non des moindres, comme le début du *De Anima* reconnu par M. S. Screech, sans la première phrase de l'essai III. 13, "Commonplaces of law, proverbial wisdom and philosophy", *Classical Influences on European Culture, A. D. 500 - 1700*, éd. R. R. Bolgar (Cambridge, 1976), 127-134. Un renouveau d'intérêt pour les intertextes des *Essais* se dessine, avec Robert D. Cottrell, "Une source possible, de Montaigne : Le traité du Ris de Laurent Joubert", *BSAM*, No. 9-10, 1982, 73-80 ; M. Tetel, "Montaigne et le Tasse", *CAIEF*, 33, mai 1981, 81-98.

[27] A propos des définitions philosophiques dont Montaigne prétend qu'elles se payent de mot et épuiseraient tout le Calepin (le Robert de l'époque, en latin), Coste mentionne Locke qui "a fait voir démonstrativement que nous n'avons aucune idée claire

traitement particulier qui ne se retrouve que dans l'édition de Florio (1603) : fait unique dans l'histoire des *Essais*, les éditions de Coste impriment dans le même caractère italique, les citations latines de prose et, dans le texte français, certains discours au style direct. Ces paroles françaises italicisées sont souvent des "citations cachées", comme il ressort des notes de Coste qui est le seul éditeur à mettre ainsi sur un même pied les traductions françaises des citations latines et l'original latin. Dans le texte même de l'essai on lit :

> Possidonius... pensoit bien faire la figue à la douleur pour s'escrier contre elle : *Tu as beau faire, si ne diray-je pas que tu sois mal.* (i, 14)

et dans la note :

> *Nihil agis, dolor : quamvis sis molestus numquam te esse confitebor malum.* (Cic. *Tusc. Quaest.*, L. II, c. 25.)

D'autres paroles françaises au style direct n'ayant pas de répondant latin, sont soulignées apparemment pour leur seule force sententieuse ou spirituelle :

> Il y a plaisir à entendre dire de soy : *Voyla bien de la force, voyla bien de la patience.* (iii. 13)

---

et précise de ce que nous appelons substance. " (iii. 13 ; vol. 9, p. 330, N. 7). Le rapprochement de ces deux philosophes s'était déjà fait dans la traduction que Coste avait donnée en 1708 du livre de Locke, *De l'éducation des enfants* : là c'était Montaigne qui était mis en bordure du texte : "Le tour vif et original qui manque à ma traduction, écrivait Coste, il le trouvera toujours dans Montaigne. Si je n'eusse craint de trop grossir ce volume je l'aurois orné de quantité d'autres pensées de cet auteur tout à fait conformes à celles de Mr. Locke... " (Préface, p. xxix-xxx).

Ce conte mérite de me divertir. Quelqu'un, en certaine eschole
Grecque, parloit haut comme moy "le maistre des cérémonies
luy manda qu'il parlast plus bas : Qu'il m'envoye, fit-il, le ton
auquel *il veut que je parle.* L'autre luy répliqua : *Qu'il prinst son
ton des oreilles de celuy à qui il parloit...* C'estoit bien dit (iii. 13)

Il était d'usage déjà au XVIe siècle, chez certains éditeurs, de
souligner ainsi les sentences, notamment dans les poèmes dramatiques ;
chez Florio, cet usage subsiste encore[28]. Mais l'édition de Coste, par son
homogénéisation typographique du discours direct et de la prose latine
donne, pour ainsi dire, de la voix aux citations qui, sans cet artifice,
pourraient être conçues comme un facteur de bilinguisme. C'était en effet
la diversité linguistique qui était marquée dans les éditions françaises des
Essais revues par Montaigne et par M. de Gournay. Il s'agit moins pour
Coste de mettre l'accent sur la bigarrure linguistique, le babélisme, que de
faire entendre les voix plurielles mises par Montaigne au diapason de la
sienne propre : la présentation matérielle des annotations et commentaires
efface en effet la différence entre les textes latins traduits par Montaigne et
la version française des citations étrangères suppléée par Coste[29].

---

[28] Les passages italicisés par Florio ne correspondent pas à ceux que souligne Coste.
Le traducteur-éditeur anglais attire ainsi l'attention non seulement sur les bons mots de
personnages historiques mais sur les noms propres, en italique donc, comme les sentences
qui ne sont pas forcément énoncées au style direct. Dans le passage qui suit, les mots
d'Alexandre s'enchaînent directement au vers de Lucain, par la vertu de l'italique :

  As Alexander said, that
  *the end of his travell, was to travel /Nil actum credens cum quid superesset
  agendum /Who thought that nought was done, /When aught remain'd undone.*
  (iii. 13, 662)

[29] Pré-textes et meta-textes se retrouvent également mêlés dans le Tome IV de
l'édition municipale, composé par Villey ; mais ils sont replacés dans une perspective
historique par la chronologie de la rédaction putative de l'essai, qui conclut la glose de
chaque essai.

Alors que la lecture de Villey, fondée sur une interprétation diachronique, devait assigner à Montaigne sa place dans un temps passé soigneusement mesuré, celle de Coste valorisait, en le prolongeant, l'entretien ininterrompu avec le monde classique, qui avait servi à Montaigne à faire son livre et, du coup, à rendre à sa propre parole sa véritable sonorité. Chez Coste, les archaïsmes de Montaigne sont traduits ainsi que les citations, mais les textes dont il a nourri ses *Essais* sont encore suffisamment présents aux lecteurs pour que l'éditeur puisse jouer le rôle d'un critique, animateur d'une discussion des mérites comparés de trois époques qu'il met en présence : l'antiquité, l'âge de Montaigne, et le XVIIIe siècle. Interprétant les *Essais* pour ses contemporains, Coste fait de son édition un espace d'interlocution entre ses lecteurs à lui et les auteurs anciens qu'il représente tour à tour pour laisser à Montaigne le dernier mot de l'arbitre. Cette édition que l'on pourrait donc qualifier de "dialogique" pour l'opposer à la tendance monologique des éditions plus récentes, met en vedette la présence de Montaigne, qu'elle réussit, sans nul doute à imposer parmi les lecteurs éclairés du XVIIIe siècle. A en croire d'ailleurs Naigeon, l'éditeur qui succède à Coste, "ce que Montaigne a pensé et écrit n'a été entendu et senti qu'au XVIIIe siècle".

CHAPITRE IV

L'INTELLECTEUR DANS LE TEXTE

1. EDITIONS - RECONSTRUCTIONS

Déroutés par le désordre de cette œuvre mêlée, certains lecteurs, ne se contentant pas de constater avec Guez de Balzac, que Montaigne "sait bien ce qu'il dit... mais ne sait pas toujours ce qu'il va dire"[30], s'efforcent de prêter à la composition des chapitres une cohérence dont ils ressentent vivement le manque. Ces reconstructions de Montaigne qui visent à circonscrire les "digressions", c'est-à-dire les écarts, les sauts et gambades d'une écriture poétique, s'essaient à retrouver un enchaînement logique, à ordonner la profusion de la matière ou à justifier l'incohérence par l'évolution. Duval, dans son édition de 1820, préface chaque chapitre des *Essais* de sommaires qui dégagent les principaux sujets abordés en leur attribuant une articulation logique. Cette indication d'une structure profonde qui chapeaute l'essai, fait ressortir l'acte manqué de Montaigne, les débordements et les failles de son texte, son incapacité à suivre un ordre apodictique. "Ces sommaires", proclame Duval, " sont... propres à rendre l'étude des *Essais* plus facile et plus instructive". Montaigne n'est pas encore intronisé par l'enseignement public mais il va trôner parmi les "sept sages" français, dans la "galerie de Moralistes" que Duval édifie pour permettre de "suivre toute l'histoire de la science de la morale en France". Choisis dans un juste milieu idéologique pour n'être "odieux ni

---

[30] Guez de Balzac, "De Montaigne et de ses écrits" et "Qu'au temps de Montaigne notre langue était encore rude" dans les *Entretiens* (1657), éd. B. Beugnot (Paris : Didier, 1972), vol. 1, p. 290. Pour l'historique de ce lieu commun critique, voir J. Brody, "Réception des Essais", *Lectures de Montaigne*, p. 22.

au dévôt ni au philosophe," ces sages comprennent, à la suite de Montaigne, La Rochefoucauld, La Bruyère, Vauvenargues, Duclos, mais non pas les extrémistes : Bossuet et Diderot, avec une exception pour Pascal dont Duval déplore seulement qu'il ait été trop "timoré" devant la divinité. De la comparaison des opinions de ces peintres des mœurs, des passions, et de l'esprit de la société à diverses époques, on pourra trouver selon Duval, la vérité qui conduit à la vertu et au bonheur. C'est pour faciliter ces rapprochements que Duval dresse une "table analytique et raisonnée" qui est particulièrement nécessaire pour tenir compte des vicissitudes de la composition des *Essais* :

> Si jamais auteur eut besoin du secours d'une Table à la fois alphabétique et analytique, c'est sans contredit notre philosophe gascon, dont les idées excellentes et les pensées ingénieuses sont jetées le plus souvent au hasard et sans ordre. (VI, p. 351)

Ce répertoire des sujets devait compléter un tableau systématique de la philosophie de Montaigne, établi à partir des sommaires des chapitres individuels, classés avec méthode "et d'après un plan" (I, p. xxxvii) que Duval n'a pas donné. La forme de cette édition manifeste néanmoins une volonté de rectifier les défaillances de la composition et les dangers de la philosophie de Montaigne, grâce à un paratexte qui pèse comme un metatexte sur chaque essai.

    A la reconstruction fondée sur la raison a succédé, un siècle plus tard, dans l'édition de Villey l'explication des mêmes faiblesses par le recours aux influences et à l'évolution. Les sommaires de Duval sont remplacés par des notices historiques qui assignent une date probable à la rédaction de la première strate de l'essai. En effet depuis l'édition municipale de Strowski au début du siècle, l'accent mis sur l'évolution de Montaigne a des répercussions dans l'édition des *Essais* dont le texte est présenté dans ses deux ou trois couches successives à travers une coupe archéologique[31]. La première édition génétique de Strowski stratifie le texte en deux couches : celle de la dernière édition parue du vivant de Montaigne (1588) et celle des additions de l'exemplaire de Bordeaux. L'italique réservée aux additions *post* 1588 et, à titre égal aux citations, a pour effet de rendre homogène le mélange de prose française et latine, caractéristique des dernières additions et tient lieu, en quelque sorte, de fac-similé de l'écriture autographique, à la différence près qu'elle distingue par des guillemets les citations, que Montaigne écrivait comme le français, sans même les isoler par un signe de ponctuation. Mais la simulation de la partie manuscrite de l'exemplaire de Bordeaux par la typographie oblique est aussi une mise à l'index qui fait peser le soupçon de l'inachèvement, de la moindre légitimité, sur l'ensemble de ce texte que Montaigne n'a pas vu publié ; ce préjugé défavorable porte aussi bien sur tous les aspects de ces additions, notamment, par conséquent sur la recrudescence des citations en prose qui, malgré les guillemets distantiateurs, impartit aux *Essais* une bigarrure linguistique que les puristes pourraient condamner comme un sabir franco-latin. Quelle qu'en soit l'interprétation, la signalisation diachronique généralement adoptée

---

[31] Editions fondées sur celle de 1588, qui marquent par l'italique, les additions de l'Exemplaire de Bordeaux :
1906-1933 Strowski, Gebelin, Villey. (Bordeaux : F.Pech) (édition municipale) .
1927 Strowski (Paris : éd. Chroniques des Lettres Françaises)
1952 S. de Sacy
1957 P. Michel (Paris : le Club du Meilleur Livre)
Editions fondées sur l'exemplaire de Bordeaux, qui n'indiquent pas dans le texte, les strates chronologiques de la rédaction :
1802 Naigeon (Paris : F. Didot)
1820 A. Duval (Paris : Chassériau)
1962 M. Rat (Paris : Garnier)
1965 P. Michel (Paris : Livre de poche)

par les éditeurs modernes, impose une lecture différentielle et invite à interpréter les syncopes de la rédaction des *Essais*. La thèse de l'évolution n'est plus guère suivie mais le processus d'accrétion textuelle ainsi mis en relief, attire l'attention sur la variation et l'abondance de l'écriture[32].

Le parcours des éditions des *Essais* suit une évolution commune à celles des textes anciens : les interventions du lecteur se multiplient au fur et à mesure que le texte en s'éloignant s'opacifie. Fouillé par l'intellecteur qui dépose dans les notes marginales sa contribution à l'intelligence des formes désaffectées de la langue, ou des "sources" auxquelles a puisées Montaigne, le texte retrouve son unité dans le commentaire qui grossit les éditions sous la forme de deux genres conventionnels d'appendice, l'un exégétique et l'autre critique : la *Préface* et *l'Eloge*. La préface de M. de Gournay, qui est reproduite dans toutes les éditions des XVIIe et XVIIIe siècles, est remplacée par celle de chaque éditeur à partir de Naigeon (1802). Le genre rhétorique de *l'Eloge* est cultivé dans les concours d'éloquence organisés par les Académies : en 1774 à Bordeaux, en 1810, le sujet proposé par l'Académie Française est l'*Eloge de Montaigne*. L'abbé Talbert qui remporte le prix voit son discours ajouté à la réédition de Coste en 1779. L'*Eloge* de Villemain où ce professeur de rhétorique a su montrer que "la diction élégante et pure qui distingue en général le discours de Montaigne est le fruit de l'étude et du goût", complète une édition des *Essais* en 1825. Le genre du discours critique et encomiastique de l'Eloge, transformé par l'introduction de l'histoire dans la tradition rhétorique, produit à la fin du XIXe siècle, l'étude universitaire sous forme d'un commentaire, détaché de l'édition, comme dans la seconde partie des *Sources et de l'Evolution des* Essais. Toute "copie" soussignée par le

---

[32] F. Rigolot dans sa lecture de l'essai "Du jeune Caton" distingue trois stades dans la prise de conscience du travail poétique qui correspondent aux trois strates du texte. "Le texte de l'essai : Montaigne en marge", *Le Texte de la Renaissance* (Droz, 1982), p. 232.

lecteur-auteur de seconde main, suppose donc une glose exégétique et critique, explicitée dans les genres convenus et les lieux paratextuels réservés à la publication scientifique.

Les grandes éditions savantes de Coste et de Villey ont révélé, en les déposant en marge, les sources du texte original de Montaigne, qui apparaît alors, dans la perspective intertextuelle ainsi ménagée par ces éditeurs, comme une forme de "copie". Mais la découverte des emprunts de Montaigne, loin de le faire passer pour un plagiaire ou un compilateur, n'a diminué en rien la considération qu'on lui portait et le succès de son livre, attestés justement par les nombreuses et coûteuses éditions qui se succèdent, du XVIIIe et du début du XXe siècle. Montaigne passe pour un grand auteur, tenu, malgré la connaissance de ses nombreux modèles, pour l'inventeur d'un discours éminemment personnel ; pour défendre son prestige d'auteur, on doit donc pouvoir soutenir que ses "redites", loin d'être une limite, constituent au contraire un élément indispensable à l'expression de son individualité. On a fait appel à une raison historique : Villey était à même de juger les *Essais* comme "un de ces livres qui poussent de profondes racines dans leur milieu"[33]. La transcription d'autres auteurs était d'usage au XVIe siècle, mais Montaigne réussit à les intégrer à l'ensemble de son discours, notamment par la traduction. L'écriture de Montaigne relève d'une pratique qui est commune à Amyot et, toutes réserves faites à l'égard des genres, à Ronsard : la limite entre la traduction et l'imitation étant assez floue, Montaigne fait, en prose, un travail analogue à celui du Prince des poètes. L'invention passe par la traduction et l'adaptation de modèles antiques, ou contemporains, dans les *Essais*, qui doivent des exemples aussi aux historiens français. La "cornucopia" et la "Muse gallo-romaine" transmuent la copie en œuvre

---

[33] *Montaigne devant la postérité*, p. 3.

d'auteur[34], à laquelle le concept romantique de l'originalité convient sans doute assez mal. Montaigne est un "grand ordinaire"[35] dont la "grandeur" se mesure en étendue, plutôt qu'en élévation solitaire. Le polylogue emprunte deux voix principales : latine et française, dont la première, lorsqu'elle n'est pas citée, se trouve masquée par la seconde ; les *Essais* sont proprement "équivoques", et à ce titre, moralement suspects pour certains groupes de lecteurs qui ont cherché à les réduire à l'univocité.

2. TRADUCTIONS DES *ESSAIS*

Le français des *Essais*, quelque quarante ans après leur publication semblait déjà archaïque au point que Malherbe aurait dit qu'il le fallait traduire[36]. Même apocryphe, cette boutade signale non seulement une évolution de la langue mais aussi l'affermissement d'une norme linguistique élaborée en partie contre un style que Gournay persistait à défendre. Les concessions qu'elle avait dû faire en 1635 suffisaient sans doute aux régents de l'Académie qui comptaient Montaigne au nombre des meilleurs écrivains du siècle précédent. Mais certains lecteurs, quelques années plus tard, trouvaient bon de "l'adoucir et de l'ajuster" en retranchant de "petites comparaisons et des superfluités qui ne font rien au sens" : Plassac-Méré, joignant l'exemple aux conseils, envoie à Mitton une traduction de l'essai "De la vanité des paroles", (i, 51), qu'il récrit en supprimant les métaphores et en articulant les clauses simples des *Essais* en une période complexe. La version de Plassac transpose en style

---

[34] T. Cave, *The Cornucopian Text*. Dorothy G. Coleman, *The Greco-Roman Muse* (Cambridge, 1979).

[35] A. Thibaudet, "Portraits français de Montaigne", *NRF*, 235 (1933), 646.

[36] Bib. Nat., Nouv. Acqu., Fr. 4333 Anon. (vers 1670) *in* Alan M. Boase, *The Fortunes of Montaigne (1580-1669)* (London : Methuen, 1935), p. 109.

cicéronien le parler brusque et sénéquien de Montaigne, polissant les aspérités, bref, en le toilettant pour que "le plus grand esprit des Anciens" puisse briller dans la société mondaine du XVIIe siècle, sans choquer ce qui, pour lui tout au moins constituait le goût régnant de son époque. Une seule comparaison entre la traduction et l'original permettra d'apprécier le sens de la démarche de Plassac :

Montaigne :	*Plassac* :
Un rhétoricien du temps passé disoit que son mestier estoit, de choses petites les faire paroistre grandes. C'est un cordonnier qui sçait faire de grands souliers à un petit pied. On luy eut faict donner le fouet à Sparte de faire profession d'une art piperesse et mensongere. (i. 51)	Cet orateur du temps passé qui dit que son mestier estoit de faire paroistre les choses grandes petites et les petites grandes n'eust été bien reçu en Lacédémone, où le peuple déclaroit la guerre au mensonge et à toute sorte de piperie[37].

Plassac supprime le proverbe et lie les trois phrases de Montaigne en une seule période, afin de moderniser le style des *Essais* qui garderont ainsi leur actualité.

La traduction projetée au siècle suivant par l'abbé Trublet ne part pas du même désir d'actualiser un ouvrage dont Bayle s'autorisait pour ébranler les croyances établies ; le plan qu'il propose en 1733 aux lecteurs du *Mercure* est dicté par l'intention de "corriger Montaigne jusqu'à un certain point, de mettre un peu plus de suite dans ses idées et de les arranger d'une manière, sinon plus naturelle, au moins plus raisonnable". Les bons offices du traducteur iront même jusqu'à "ajouter" lorsqu'il croira "pouvoir le faire utilement ou agréablement pour le lecteur". Mais

---

[37] *Cf.* A.M. Boase, *op. cit.*, p. 304.

ceux dont le zélé abbé se voulait le serviteur n'étaient pas des gens à prendre la plume pour le défendre et répondre à ses détracteurs qui réussirent à le faire renoncer à son projet, sans pouvoir toutefois le convaincre que Montaigne n'écrivait pas "en Gaulois" et que ses "grâces sont également partagées entre le sentiment et la diction, toute vieillie qu'elle est"[38]. Cependant les corrections de l'abbé ne se limitaient pas à l'expression ; sa manière "raisonnable" de récrire les *Essais*, répondait à une tactique que devaient observer les montaignistes bien pensants à venir, surtout sous la Restauration ; elle consistait, en supprimant les passages "dangereux", à rendre Montaigne inoffensif pour l'ordre moral et à priver ainsi les libre penseurs d'une autorité garante de leurs propres audaces. C'est ainsi que Bayle pouvait se réclamer des *Essais* contre les censeurs de son *Dictionnaire* : Montaigne, disait-il, était beaucoup plus dangereux et cependant toutes les Facultés de Théologie l'avaient laissé passer sans le censurer[39] ; Ce qui n'est pas tout à fait exact.

La Première édition expurgée des *Essais*, due sans doute aux soins du calviniste Simon Goulart, date de 1595[40]. Outre le passage liminaire de l'Apologie, où Montaigne ne mâche pas ses mots contre "les nouvelletez de Luther... ce commencement de maladie", dont son père "savait qu'il déclinerait aisément en un exécrable athéisme", plusieurs citations de Manilius justifiant l'astrologie sont supprimées ; les planches d'anatomie que Montaigne emprunte à Lucrèce pour illustrer certaines

---

[38] *Cf.* M. Dréano, *op. cit.*, pp. 120,125.

[39] Les Facultés de Théologie "laissèrent passer toutes les maximes de cet auteur qui, sans suivre aucun système, aucune méthode, aucun ordre, entassoit et faufiloit tout ce qui lui était présenté par sa mémoire" Bayle, *Dictionnaire*, III,3136, Eclaircissemens.

[40] Lyon, F. le Febvre, 1595. Pour les citations supprimées voir Appendice IV. Autres éditions expurgées, mais cette fois par les Catholiques : éd. Aimé Martin, collection *Moralistes de la Jeunesse*, 1811 (réimpr. 1812, 1823) ; édition épurée par l'abbé Musart, Société de St. Victor (Paris, Lyon : Périsse, 1847). *Cf.* Donald M. Frame, *Montaigne in France 1812-1852* (New York : Columbia Univ. Press, 1940), p. 78, 209.

fonctions communes aux hommes et aux animaux, n'échappent pas non
plus à la censure, que continueront d'exercer les traducteurs des citations,
dans les éditions des XVIIIe et XIXe siècles, soit "en laissant dormir les
libertins sous le voile de la langue étrangère", pour reprendre la formule
de Gournay, soit en donnant une paraphrase plus ou moins allusive. A
notre époque, les citations retrouvent dans les traductions la franchise que
se permettaient les poètes latins, mais que Montaigne, le premier, s'était
abstenu de donner. On serait donc tenté de voir dans le recours au latin et
à la citation une forme de permissivité qui atteste par contrecoup la
prudence avec laquelle Montaigne exerce une auto-censure sur son texte
français, en le châtiant des crudités que se permettait un Rabelais. Mais,
quelle que soit la motivation de Montaigne, la censure du français et le
bilinguisme qui en résulte ont pour effet de réserver la matière la plus
obscène aux passages latins, que l'on aurait donc tort de tenir pour des
superfluités ornementales. Au contraire, ces intermèdes favorisent une
connivence avec les lecteurs avertis, les lectrices en l'occurrence,
notamment celle à qui est destinée l'Apologie et la plus directe des
épigrammes de Martial qu'elle contient : *Quod futuit Glaphyram
Antonius...* (ii. 12, 475a) ; Montaigne, pour toute excuse, déclare
répondre à l'invitation de sa destinataire[41] : "j'use en liberté de conscience
de mon latin avec le congé que vous m'en avez donné" (*ibid.*). Expression
de la sexualité, la citation(cette valeur ajoutée par l'auteur à son
livre)fonctionne comme un substitut (mercantile) du commerce amoureux.
Mais, plus trivialement, on verra ici confirmée la valeur allocutive et
allusive de la citation qui convoque une destinataire choisie à un rendez-
vous dans un "lieu commun" de la poésie latine. Cette échappée galante au

---

[41] Selon Norton, il s'agirait de Catherine de Bourbon, soeur du futur Henri IV, qui
avait de nombreux prétendants à la cour de Nérac ; *cf. Studies in Montaigne* (New York :
Macmillan, 1904), p. 52. Mais selon A. Nicolaï, *Les Belles amies de Montaigne* (Paris :
Dumas,1950), il s'agirait de Marguerite de Navarre.

milieu d'un commentaire théologique introduit une licence que Gournay pouvait prendre pour un "libertinage" ne méritant pas d'être mis au jour par la traduction. En dépit de toute sa piété filiale, Gournay censure les *Essais*, par la mise au secret de citations trop osées et par la traduction des passages latins qui, sans obéir nécessairement à des normes morales, ouvre la voie aux réductions des *Essais*.

Le vieillissement d'une langue suit un processus de sédimentation inverse, en quelque sorte, de la "déconstruction" qui, en brisant la cohérence du signe lui donne un nouvel essor. De même, c'est à une "reconstruction" de la langue des *Essais* qu'aboutit leur traduction en français moderne. La richesse du lexique et des métaphores ne pouvant être transposées dans une langue à cet égard appauvrie, tout un pan du texte, le plus coloré et le plus dense, est frappé d'archaïsme, "reconstruit", dans la mesure où il devient lettre morte, comme un monument linguistique désaffecté par l'usage. On trouve un exemple hyperbolique de cette tendance dans la traduction intégrale des *Essais* en français moderne publiée en 1907 par le général Michaud. Le texte original est fourni en regard par l'auteur, qui tient cette juxtaposition "comme tellement juste et indispensable, que nous nous ferions un véritable scrupule de consentir aujourd'hui et plus tard à ce que cette traduction, dont du reste elle permet de juger de la fidélité, soit publiée séparément"(p. iii). Ainsi se trouve résolu le débat qui, au XVIIIe siècle, avait opposé l'abbé Trublet et les amateurs des *Essais* et qui, au XIXe siècle devait se poursuivre, à plusieurs années d'intervalle, entre Naigeon et Guillaume Guizot. Pour le premier, "le projet de récrire les *Essais* dans notre langue peut passer comme tant d'autres idées par la tête d'un ignorant et d'un sot mais n'entrera jamais dans celle d'un lecteur judicieux, instruit et d'un goût délicat et sûr". Quant à Guizot, auteur d'un *Montaigne* resté à l'état de fragments, il envisageait la traduction comme indispensable : "pour bien saisir les idées de Montaigne et les juger à leur valeur, il faut se résigner à un travail déplaisant : il faut les dépouiller de leur forme ancienne et originale et les traduire en langage d'aujourd'hui". C'est ainsi, pour en revenir à l'effort de Michaud, qu'afin d'être intelligible et profitable aux lecteurs, "moins nombreux qu'autrefois à être inoccupés", les métaphores vives des *Essais* doivent être rendues par des métaphores figées dans leur sens abstrait ; ainsi "l'âme ébranlée et émue" (emportée par le "branle", par une secousse extérieure), se banalise en "âme troublée et agitée" où se perd l'opposition de l'intériorité et du dehors[42]. En comparant la traduction moderne aux corrections de nature surtout syntaxique de l'édition Gournay, la démonstration est faite, si besoin est, que la "pensée" de Montaigne, inscrite dans le lexique et plus spécifiquement dans les tropes qui s'attachent au signifiant, est plus imaginative qu'intellectuelle, plus sensible qu'abstraite, poétique en ce qu'elle travaille le signe qu'elle ébranle, met en mouvement, par des métaphores neuves.

La reconstruction des *Essais* qui est de nature linguistique dans les traductions, d'ordre moral et religieux dans l'édition expurgée, s'est vue tôt formalisée dans un genre littéraire : celui des *Pensées* et des *Esprits*. Ces réductions du texte procèdent, comme la censure, par élagage, mais la motivation idéologique qui commande la sélection est dissimulée par la forme littéraire de l'extrait. Les genres de la réduction, institutionnalisés par l'édition, inversent la valeur attachée à l'édition expurgée qui, de corrective, devient méliorative.

---

[42] *Essais*, i.4 : "que l'ame esbranlee et esmeue se perde en soy-mesme, si on ne luy donne prinse". Michaud : " de même aussi, il semble que l'âme troublée et agitée, s'égare quand un but lui fait défaut ; " (pp. 40-43)

CHAPITRE V

REDUCTIONS

Le genre des *Esprits*, qui fait fortune dans la première moitié du XVIIIe siècle, pose un jalon dans l'histoire des anthologies dont voici quelques titres génériques : au XVIe siècle, les *Sentences tirées de...*, au début du XVIIIe siècle, les *Pensées*, contemporaines des *Ana*, et, à partir de la IIIe République, les *Extraits* et *Morceaux choisis* à usage scolaire. Ces ouvrages de vulgarisation et d'enseignement visent des lecteurs pressés ou des esprits que l'on tient à former tout en les protégeant, ceux des élèves et des femmes. Présentée sous le titre pompeux de *Pages immortelles de...*, la "sélection" de l'œuvre des classiques préfacée par de grands écrivains contemporains, devait, avant la dernière guerre, allécher un vaste public, tandis que la collection moderne de *L'homme et l'œuvre* s'adresse aux étudiants et aux amateurs, dans un esprit qui se réclame de l'objectivité et du sérieux universitaire. Cependant toute réduction dessine un profil de l'œuvre où se projettent des normes idéologiques coïncidant souvent avec les exigences commerciales, pudiquement voilées aux âges classiques sous le désir de plaire.

Discrédités dans le public auquel ils s'adressaient, les premiers morceaux choisis des *Essais* recevaient les éloges des partis intéressés à la censure de Montaigne : les Jésuites, par exemple, louaient les *Pensées de Montaigne propres à former les mœurs et le jugement,* d'Artaud (1700) qui expurgeait les *Essais* du "mal qu'ils contenaient, en n'en gardant que les bonnes choses". Un siècle plus tard, sous la Restauration, Montaigne recevait un brevet de catholicité, une fois réduit et chapitré par Laurentie (1829).

Même sous le couvert anodin de l'adaptation comme *L'Esprit de Montaigne* par Sercy (1677), qui veut simplement "fournir une aide à ceux qui ne donnent à la lecture que les instants qu'ils consacrent à l'amusement", ou à ces "lecteurs pressés et impatients" visés par les *Extraits* de Saucerotte (1886), une sélection s'opère aux dépens des pages "grivoises", "grossières", qui interdisaient la lecture des *Essais* à un public féminin ou autrement réputé pudique. Ces abrégés retracent donc les horizons d'attente d'une classe de lecteurs que l'éditeur prétend représenter. Mais ces versions réduites, qui ne dissimulent pas toujours qu'elles sont des éditions expurgées, répondent à des normes conservatrices perceptibles dans la sélection des topiques moraux sous lesquels sont rangés les extraits du texte ainsi remanié. Excisés de ce qui n'est pas jugé digne d'être mémorisé, ou de ce qui n'est pas propre au "vrai" Montaigne, les *Essais* ainsi réduits à leur "esprit", dessinent un espace idéologique homogène qui tient à l'écart, jusqu'à la fin du XIXe siècle, à deux exceptions près, les passages en langue étrangère des *Essais*.

1. LES *ESPRITS DE MONTAIGNE*

La première réduction des *Essais* qui en sélectionne et range les extraits par topiques, est publiée en 1753 par le financier Pesselier, qui taquinait la Muse et qui osa, au dire de Grimm, "porter ses mains sacrilèges sur les *Essais*". (*Corr.*, I, 314). Le recueil n'eut aucun succès malgré les bonnes intentions de Pesselier qui "voulait servir cet auteur dont la réputation était l'une des mieux établies et qui pourtant était un des moins lus", en présentant l'essentiel des *Essais* élagués de leurs "digressions continuelles qui ne laissent dans les discours de Montaigne aucun ordre, aucune liaison, de ses fréquentes citations qui font que ce qui est de lui se trouve comme noyé dans ce qu'il emprunte d'autres écrivains"[43].

À ceux qui accusent Montaigne d'impiété, il veut montrer que son scepticisme, ne touchant qu'aux "sciences purement humaines", respecte la religion et la morale. C'est donc dans un esprit de conciliation, qui ne va pas sans une intention récupératrice, que Pesselier répartit les passages retenus en trente-deux chapitres dont les intitulés esquissent le profil d'un archilecteur désireux de savoir, à moindre frais, ce que Montaigne pensait de "la religion, de la prière, de l'homme, de la société, des femmes, de l'amour et du mariage, de l'amour paternel et des devoirs des pères, de l'éducation, des voyages..."

On retrouve même, au chapitre IX, les anciens *loci communes* sur le "vice et la vertu". Les critiques sévères de Grimm sont assez méritées car le désordre des *Essais* auquel prétend remédier Pesselier par une sélection de passages traitant du même sujet, est en fait exacerbé par la juxtaposition de fragments disparates : les énoncés autobiographiques se mêlent sans enchaînement possible à des sentences, des exemples et des développements d'ordre plus général. L'absence d'unité formelle distingue cet *Esprit* des collections d'apophtegmes qui étaient en vogue au XVIe siècle.

Ce type de réduction procède donc au découpage et à l'arrangement de fragments sélectionnés selon une éthique d'obédience religieuse : l'*Esprit de Montaigne* est un recueil de lieux communs qui n'ont d'autre liaison que leur contenu thématique. Cela étant, il faudrait s'attendre à ce que les citations ne fussent pas retenues dans ce genre de recueils dont l'objet est de dégager l'essence mentale et idéologique de

---

[43] *L'Esprit de Montaigne* ou les Maximes, Pensées et Réflexions de cet Auteur, rédigées par ordre de Matières (Londres, 1783) ; il y eut deux autres éditions en 1753 et en 1767. Dans son introduction, Pesselier ne fait que reprendre ici la préface de *L'Esprit des Essais de Montaigne*, de Sercy (1677).

celui qui est, par définition, le producteur et propriétaire de ses énoncés. Dans la tradition du genre, le plus récent *Répertoire des idées de Montaigne* (1965) établi par Eva Marcu, n'a pas retenu ce qu'elle appelle fort judicieusement, les "vers et les exemples livresques", "comme ne constituant pas, à proprement parler, la pensée de Montaigne" (p. viii).

Marcu ne fait en cela que respecter les conventions du genre de compilation qu'elle pratique. Les seules citations qui subsistent, parce qu'elles sont intégrées dans la phrase, Marcu les traduit directement en français, afin de les restituer à la langue et à la diction de Montaigne, et, de là, de les intégrer à sa pensée à lui ; ce faisant, elle viole manifestement le statut de ces passages que l'auteur des *Essais* aurait aussi bien pu traduire, ainsi qu'il le fait assez souvent par ailleurs. Le répertoire de pensées en quoi consiste le genre des *Esprits* repose donc sur une confusion déroutante entre les idées et les mots. Les compilateurs font comme si un auteur s'appropriait une idée du seul fait qu'il l'énonce.

Il aurait donc été plus exact au lieu de parler des "idées" ou de l'"esprit" de Montaigne, de spécifier que l'on s'attachait à ses propres mots et à ceux qui peuvent passer pour être de son invention. A la suite de Pesselier, poursuivant la réforme de Montaigne aussi loin que l'exigeait la Restauration, Laurentie porte en 1829 l'*Esprit de Montaigne* sur l'autel rédempteur de la catholicité[44]. La (bonne) foi de ce lecteur se manifeste au prix du décapage des couleurs antiques et païennes qui restaient attachées aux noms propres et aux exemples qu'avait conservés l'*Esprit* de Pesselier ; cette réduction, en supprimant l'un des "deux hommes qu'il y a dans Montaigne", lui ôte son masque équivoque : "nous avons gardé ce qui a dû être seulement inspiré par le christianisme, " affirme Laurentie," le

---

[44] Autre réduction catholique des *Essais* : *Le Christianisme de Montaigne*, ou Pensées de ce grand homme sur la religion, par l'abbé Jean Labouderie (1819) ; *cf.* D. Frame, *Montaigne in France (1812-1852)*, 77-78.

Grec du Portique a disparu... Tout Montaigne y est renfermé ; non point Montaigne échappé des écoles d'Athènes, mais Montaigne français et chrétien (pp. 7-8, 10-11). Naturellement, les citations sont omises, parce qu'injustifiées en raison du genre même de l'*Esprit* et de la matière toute païenne dont elles sont chargées. La fonction ambiguë des *Esprits* est ici encore manifeste : on châtie Montaigne pour le réhabiliter.

Montaigne brûlant les autels de la foi, ou prosterné à leur pied, alimente le conflit des interprètes, initié par Port-Royal qui, ayant dénoncé dans la *Logique* (1662, 1666)le caractère impie des *Essais*, suscita la première apologie de Montaigne : la *Réponse à plusieurs injures et railleries écrites contre M. de Montaigne* (1667), composée par un "bourgeois de Paris", Bérenger, qui restitue la citation exacte des *Essais* en face de celle qu'Arnaud a mutilée tendancieusement[45]. Entraîné par son zèle apologétique, Bérenger rassemble quelque cinq-cents passages des *Essais*, qui, n'étant rangés selon aucun ordre apparent, témoignent d'un parcours individuel dans le livre de Montaigne, ce que feront aussi, mais à des fins toute personnelles, les amateurs de *La moelle de Montaigne* (1912) et des *Pilules apéritives à l'extrait de Montaigne* (1908). La rhétorique de ce type de lecture ne répond pas toujours à une finalité didactique.

Mais le genre des *Esprits*, codifié par sa fonction d'utilité publique, procède toujours par la projection de l'index analytique sur le texte découpé suivant ce patron où la composante gnomique est prédominante et où la spécificité de Montaigne se réduit à la forme de son expression ; c'est en ce sens que l'"esprit" de Montaigne ressortit à sa parole, ou, pour reprendre la distinction de J. Brody entre la "pensée" et le "penser" de Montaigne, c'est la pensée, qui n'a de personnel que son vêtement langagier, que retiennent les *Esprits* ; ce faisant, ils sacrifient le

---

[45] *Cf.* A. Boase,*The Fortunes of Montaigne* , pp. 411-413.

penser de Montaigne, qui est attaché à la texture et au déploiement d'un discours où les paroles empruntées s'accordent aux propres mots de Montaigne.

2. LA CAUSERIE DE MONTAIGNE

Le Montaigne sérieux, philosophe et moraliste, que la science moderne se targue d'avoir récupéré des débris de l'histoire, a donc été construit à partir de plusieurs siècles de réductions, toutes destinées à combattre les séductions d'un entretien que seuls pouvaient goûter les lecteurs les plus lettrés des siècles passés. La vulgarisation des *Essais*, portée à son comble par l'enseignement académique moderne s'est fondé, dès ses débuts, sur leur contenu didactique au détriment de leur forme, irrécupérable pour tout enseignement moralisateur mais qui faisait les délices des belles amies posthumes de Montaigne : madame de Sévigné, madame de Lafayette qui aurait aimé avoir pour voisin un causeur aussi aimable[46]. "Au seuil du dix-septième siècle", écrit Brody, "il était toujours possible, peut-être normal, de trouver en Montaigne surtout un écrivain" (p. 21). Au XVIIIe siècle, l'intérêt philosophique des *Essais* n'exclut pas, au contraire, le plaisir que l'on prend à la causerie de Montaigne comme à celle de Bayle, à son esthétique de la négligence, cultivée, entre autres par Diderot qui défend "un aussi grand penseur, un aussi grand écrivain", dont "l'ouvrage... est la pierre de touche d'un bon esprit"[47].

---

[46] "Ce serait plaisir d'avoir un voisin comme lui, disait Mme de La Fayette. Montaigne est notre voisin à tous : on n'en sait jamais trop sur son voisin". Sainte-Beuve, *Nouveaux Lundis* (24 mars, 1862).

[47] Diderot, *Essais sur les règnes de Claude et de Néron*,III,235. *Encyclopédie*, Art. "Pyrrhonisme."

On voit alors les "sectateurs passionnés" de Montaigne pourfendre les Trublet et les Pesselier dont les réductions ne pouvaient que dissiper ce qui constituait pour eux le charme propre aux *Essais* : le "langage naïf et énergique", les "figures" qui y sont plus abondantes, selon un auteur anonyme de 1769, dans ces chapitres où Montaigne "semble converser au coin de son feu, que dans les discours d'apparat les plus étudiés, les plus fleuris"[48]. L'allure libre et les digressions qui ennuient les destinataires supposés de Pesselier font au contraire les délices de lecteurs qui pouvaient souscrire à ce qu'écrivait le marquis d'Argens : "on a dit de Montaigne et de Bayle que ces auteurs faisaient conversation avec leurs lecteurs"[49].

Au titre de cet art de conférer, le marquis reconnaît, en des termes proches de ceux de Gournay dans la préface de 1635, l'apport des citations, "les plus beaux traits des Anciens", dont Montaigne a enrichi son entretien : "son ouvrage est une table d'or dans laquelle on a enchâssé des diamans de Virgile, d'Horace, de Plutarque, de Sénèque, etc..."[50]. Cet éloge des citations répond à la critique de Malebranche qui n'y voyait qu'un trait de pédantisme, comme si Montaigne avait cru que les citations "dussent servir de raisons démonstratives".

La citation d'autorité, probante et pédante, est clairement distinguée par le marquis d'Argens, de la citation esthétique qui crée dans le texte un effet de perspective : "Montaigne n'a rapporté les passages de différents auteurs qu'il a cités, que pour donner le plaisir et la satisfaction au lecteur de voir d'un seul coup d'œil la pensée qu'il lui offre et celle de l'auteur qu'il imite"[51]. Cette réflexion place le lecteur au point d'horizon de la perspective sur laquelle le texte est construit. Dans cette transposition

---

[48] *Journal des Beaux-Arts*, 5 (1769) 272.
[49] *Timée de Locres*, Discours préliminaire (1795) 4.
[50] Marquis d'Argens, *Nouveaux Mémoires* (1745) 210.
[51] *Id., La Philosophie du bon sens,*(1755), I, p. 27, 29.

plastique de la relation allocutive que Montaigne entretient avec son lecteur, celui-ci est mis directement en cause, institué comme le juge arbitre de l'art avec lequel Montaigne détourne les paroles des auteurs avec lesquels il rivalise, pour enrichir son propre discours.

Cet art de la causerie familière, se retrouvait dans un genre littéraire qui se situe dans la tradition des œuvres mêlées et autres compilations : les *Ana*, d'hommes célèbres du XVIIe siècle. Ces propos décousus qui, selon les auteurs, vont du potin mondain à l'essai érudit, se rattachent aux *Essais*, "véritables *Montaignana*" selon l'auteur des *Huetiana* (1722)[52]. Ces *Ana* de Montaigne que seraient les *Essais*, présentés comme "un recueil de ses pensées", ne se distingueraient pas en cela des *Esprits*. Mais outre que les *Ana* procèdent par accumulation et non par réduction et qu'ils sont rangés "sans ordre et sans liaison", la nature des "pensées" diffère de celle qui est retenue dans les *Esprits*. Le terme vague de "pensée" désigne ici aussi bien les bons mots, aphorismes ou apophtegmes que les anecdotes, réflexions critiques ou dissertations savantes. Le mélange des traits gnomiques et de récits, qui s'effectue sans ordre apparent mais avec une négligence peut-être recherchée, produit l'effet d'un entretien vivant et familier, par les hasards de son déroulement, instaurant ainsi la présence d'un causeur, ou, pour reprendre le terme de Montaigne, de quelqu'un qui "récite".

---

[52] *Huetiana*, (1722), 14.

CHAPITRE VI

QUELQUES FONCTIONS DES CITATIONS
D'APRES
L'ESPRIT (DES 'ESSAIS') DE MONTAIGNE

Les premiers extraits des *Essais* qui suivent l'ordre du texte ont été publiés en 1677 par Sercy, sous le titre d'*Esprit des 'Essais' de Montaigne* ; leur éditeur s'adresse à un public dont le jugement n'est plus à former car il ne prétend qu'à faire "une très agréable réduction" des *Essais*, dans laquelle Montaigne "paraît dans toute la force et la vivacité de son esprit". Sans donc entrer dans le parti des censeurs, il va corriger les fautes que "la plupart des lecteurs" jugent considérables : " ces digressions continuelles qui ne laissent dans le discours aucun ordre, aucune liaison : ses fréquentes citations qui font que ce qui est de lui se trouve comme noyé dans ce qu'il emprunte d' autres écrivains, ses répétitions qui allongent considérablement son ouvrage, son style enfin, qui n'est pas toujours à la portée de tout le monde" (Préface). Au nombre de ces digressions fastidieuses on compte l'Apologie (réduite à dix-huit pages), les développements philosophiques et l'autoportrait ; ainsi l' "esprit" sérieux et les confidences insignifiantes sont épargnées aux lecteurs qui ne cherchent que le divertissement. Etant donné le dessein avoué de l'éditeur de les supprimer, le lecteur de cette "aimable réduction" doit donc considérer les cinquante citations qui y sont reproduites, comme les éléments nécessaires aux récits anecdotiques, ou comme des traits d'esprit propres à charmer et à divertir.

Des citations conservées par Sercy, certaines sont nécessaires à la grammaticalité et à la complétude de la phrase qui les intègre dans le récit :

Et semble que la fortune quelquefois guette à point nommé le
dernier jour de nostre vie, pour montrer sa puissance de
renverser en un moment ce qu'elle avoit basty en longues
années : et nous fait crier après Labérius : *Nimirum hac die una
plus vixi, mihi quam vivendum fuit.* (J'ai donc vécu aujourd'hui
un jour de plus que j'aurais dû vivre) (i. 19, 79 a)

Complément du verbe "crier," la sentence devient une parole rapportée au
style direct, énoncée par un "nous" qui associe le narrateur et son lecteur
au personnage historique de Labérius. L'intégration se fait donc à la fois
dans le récit où la citation est un mot historique, et dans le discours du
narrateur-acteur qui manifeste sa propre présence aux côtés de son
destinataire. L'insertion dans le récit est plus nette lorsque la citation est
placée dans la bouche d'un actant, comme ce conseiller qui, au sortir de
l'audience où il avait "desgorgé une battelée de paragraphes", va satisfaire
tout ensemble dans le lieu dit "le pissoir du Palais", à ses fonctions
naturelles et à ses obligations pieuses. Il y rend grâces à Dieu de la gloire
qu'il croit s'être acquise par l'étalage de ses citations savantes, en
"marmotant entre les dents" :

Non nobis, Domine, non nobis, sed nomini tuo da gloriam (non
point à nous, Seigneur, non point à nous, mais à ton nom que
la gloire en soit donnée) (iii. 10, 1022 b)

Ce ridicule personnage applique un verset tiré des *Psaumes* (CXIII, 1) à
une situation dont Montaigne nous a prévenus qu'elle n'avait rien de
glorieux. Mais ce qui est le plus remarquable à l'égard de l'art de la
citation, c'est ici son incrustation parfaite dans le récit où elle est
dramatisée.

Montaigne estimait sans doute que les psaumes étaient assez
connus pour qu'il soit inutile d'en donner une traduction. Il n'en est pas

de même dans l'exemple suivant où les mêmes mots sont rapportés dans les deux langues des *Essais*, énoncés à chaque fois par Arria, l'épouse de Cecina Paetus qui, pour donner à son mari le courage de mourir, se frappa la première et, lui tendant son poignard :

> elle le luy presenta, finissant quant et quant sa vie avec cette noble, généreuse et immortelle parole : *Paete non dolet.* Elle n'eust loisir que de dire ces trois paroles d'une si belle substance : "Tiens, Paetus, il ne m'a point faict mal. " (ii. 25, 747 a)

A première lecture, on peut être surpris de l'inconsistance d'un texte qui présente huit ou neuf mots français comme "trois" paroles ; mais la transformation des trois paroles latines en un énoncé de plus de trois mots français est opérée par l'intermédiaire de la "si belle substance" qui, opposée à la parole, se comprend comme le sens profond, signifié en français, mais distinct de la voix signifiante, qui ne fait que l'énoncer, en latin. Le redoublement français de la citation recouvre en fait un partage entre la voix latine qui donne au signifiant sa matérialité et le texte français qui est transparent au signifié. La parole latine n'est pas doublée par une voix française, mais élucidée par le narrateur qui reprend la scène historique sous la forme d'un récit, marié à un commentaire moral. La mention des trois mots latins est nécessaire à la consistance de la phrase : il se peut que Sercy ait été assez soigneux dans sa réduction pour préférer être inconséquent avec lui-même en maintenant une citation plutôt que d'altérer le texte. En répondant au désir supposé de lecteurs que les citations sont censées ennuyer, Sercy pouvait s'autoriser des contraintes textuelles pour en maintenir certaines, mais il n'était pas tenu de garder les sentences détachables et, de surcroît, chargées d'un contenu qui, sans être

ennuyeux, n'est guère plaisant comme c'est le cas de ces sentences
morales :

> *Numquam simpliciter fortuna indulget*
> (La Fortune n'accorde jamais ses faveurs toutes pures) (iii. 9,
> 987 b)
> *Nulla placida quies est, nisi quam ratio composuit*
> (Il n'est point de véritable repos que celuy que la raison nous
> procure) (ii. 9, 987 c)

Comme exceptionnellement, Sercy a donné en note la traduction française
de ces deux citations, où la substance didactique apparaît alors dans toute
sa rigueur, on peut le soupçonner de vouloir mêler l'utile à l'agréable en
fournissant ou en rappelant à ses lecteurs des formules aisément
mémorisables au nombre desquelles on relève encore celles-ci :

> *Mulier tam bene olet, ubi non olet*
> (La plus parfaicte senteur d'une femme c'est ne sentir à rien)(i.
> 14, 314 a)
> *Spem pretio non emo*
> (Je n'achète pas l'espérance argent comptant)(ii. 17, 645 b)
> *Cuncta ferit dum cuncta timet*
> (Craignant tout, il frappe tout) (ii. 27, 699 b)

Ces sentences présentent, il est vrai, plus d'agrément formel que de
substance morale. Il en est certaines, passées dans l'usage commun de
l'écriture humaniste, que Montaigne avait pu trouver déjà répertoriées
dans les collections de formules brèves, comme "le rocher de Tantale",
rapporté dans les *Adages* d'Erasme :

quae quasi saxom Tantalo semper impendet
(qui le menace toujours comme le rocher de Tantale) (i. 20, 83 c)

ou bien comme ces deux vers de l'*Art Poétique* d'Horace, reproduits dans les *Leçons* de Rhodiginius :

velut aegri somnia, vanae
Finguntur species
(Ils se forgent des chimères, vrais songes de malades) (i. 8, 32a)

Sercy a par ailleurs gardé des sentences, en clausule d'un bref essai (i. 22, 107 a), ou en épigraphe (i. 18, 75 a) qui, n'étant pas nécessaires à la grammaticalité ni porteuses d'un enseignement moral, attestent, puisqu'elles sont conservées, la survivance d'un certain goût "renaissant" pour les ornements rhétoriques.

La sélection de Sercy témoigne donc dans son ensemble, de certaines fonctions éducatives et divertissantes des citations des *Essais*, lorsque l'éditeur n'est pas simplement tenu de les conserver comme partie constitutive de la phrase et du texte. En dépit de son intention déclarée d'en élaguer sa sélection, son choix citationnel justifie assez la fonction qu'il lui impartit : rendre les *Essais* plaisants aux amateurs de causerie où les fortes paroles et les traits d'esprit assaisonnent des anecdotes savoureuses d'où l'enseignement n'est pas absent. Montaigne n'est pas présenté comme un penseur, mais comme un conteur dont la présence se manifeste dans son expression et dans son choix d'exemples, épurés de ce qui est jugé être sans esprit : les réflexions philosophiques et les confessions personnelles. Loin d'être plaquées sur le texte, certaines citations relèvent de l'art même de la "récitation" de Montaigne.

LE DERNIER *ESPRIT DE MONTAIGNE*

Dans le dernier *Esprit de Montaigne* (1886), dû aux soins du Docteur C. Saucerotte, les pensées philosophiques et morales, qui sont seules à être retenues, sont disposées selon un plan original de l'éditeur, qui enserre des passages parfois assez longs dans un commentaire contenant des citations latines tirées des *Essais* aussi bien que d'autres auteurs : c'est donc un *Esprit* fort mêlé[53].

Le commentaire dissimule, selon l'usage, l'émondage sous le couvert du respect : "admirateur respectueux du génie", l'auteur veut donner aux femmes "qui étaient privées de cette lecture", des *Essais* épurés de ces "vilaines taches" laissées par la grossièreté d'un siècle trop jeune encore pour avoir du goût, "ce fruit des civilisations plus avancées", "comme dit M. Nisard". Si l'on se rappelle à ce propos que Montaigne écrivait pour des femmes qui lui donnaient même licence d' "user un peu librement de son latin", qu'il fut défendu et diffusé par sa "fille d'alliance", féministe avant l'heure, qu'il enchantait des précieuses qui n'étaient pas ridicules, on peut apprécier tout ce qu'il y a d'ironique dans cette croyance aux "progrès" de la civilisation au XIXe siècle. La pureté du langage et des mœurs se confond dans cet *Esprit* attardé à la fin du XIXe siècle, avec ce que Saucerotte nomme, d'après Grimm, "la quintessence", ou "l'élixir" de la pensée de Montaigne ; c'est à cette fin qu'il sacrifie "l'excès des mots", en toute connaissance de la cause philosophique dont la prolifération verbale de Montaigne serait le symptôme : "la nonchalance du doute". Car, "qui n'a rien à prouver ne

---

[53] Cet *Esprit* s'annonce à son public comme un "choix des meilleurs chapitres et des plus beaux passages des *Essais*, disposés dans un ordre méthodique avec notes et commentaires, par le Docteur C. Saucerotte, chevalier de la Légion d'honneur ; Officier de l'Instruction publique ; ancien Professeur de philosophie, de l'Académie de Médecine, etc., ouvrage posthume publié par sa famille."

pense guère à ranger ni à presser son discours". En reconstruisant les
Essais avec l'esprit systématique qui leur fait défaut, l'*Esprit* de Saucerotte
met en œuvre un programme de formation qui fait de Montaigne un digne
serviteur de la Troisième République. Mais il est bien entendu que, par
une juste rétribution du service rendu à la société, Montaigne se retrouve
tel qu'en lui-même... il n'a pas osé être. Car, une fois châtié et ramené
aux convenances du style, à la rectitude du jugement, il atteint à son être
essentiel, qui se reconnaît à "ses pensées personnelles et non à celle des
auteurs qui lui servent de cortège".

Dans l'opération de réduction et de mise à l'étiage du style
abondant de Montaigne, ses citations subissent, elles aussi, l'excision
nécessaire à la concision, comme, par exemple, dans le passage suivant :

> *Et eripitur persona, manet res*
> (Le masque arraché, la réalité reste) (*Esprit*, p. 406)

> il faut montrer ce qu'il y a de bon dans le fond du pot,
> *Nam verae voces tum demum pectore ab imo*
> *Ejiciuntur ET ERIPITUR PERSONA, MANET RES*
> (Car alors seulement des paroles sincères Sortent du cœur et, le
> masque arraché, la réalité reste) (Lucr., III, 57) (I. 19, 8O a)

Montaigne ne détache pas, comme le fait Saucerotte, la sentence contenue
dans le vers de Lucrèce, qu'il enchaîne à sa phrase insérende par le
premier mot latin, *Nam* (car). Au contraire de l'*Esprit des 'Essais'* où
Sercy respectait la contexture des passages citationnels, cet *Esprit de
Montaigne*, qui, selon la tradition du genre, privilégie les passages
mémorables, ne retient des citations que leur partie sentencieuse, là où
Montaigne, tout en effectuant déjà, une réduction considérable, gardait
l'étoffe contextuelle originale ; qu'on en juge par ce passage où Lucain
développe l'allégorie du chêne imposant mais fragile :

> *Qualis frugifero quercus sublimis in agro*
> *Exuvias veteres populi, sacrataque gestans*
> *Dona ducum ; NEC JAM VALIDIS RADICIBUS HAERENS*
> *PONDERE FIXA SUO EST ; nudosque per aera ramos*
> *Effundens, trunco, non frondibus, efficit umbram*
> *At quamvis primo nutet casura sub Euro*
> *Tot circum silvae firmo se robore tollant,*
> *Sola tamen colitur. (Phars.*, I. 136-143)

Montaigne ne garde que deux vers qu'il insère dans sa réflexion sur le corps social :

> Tout ce qui branle ne tombe pas. La contexture d'un si grand corps (l'Etat) tient à plus d'un clou. Il tient mesme par son antiquité comme les vieux bastimens, ausquels l'age a desrobé le pied, sans crouste et sans cyment, qui pourtant vivent et se soustiennent en leur propre poids.
>
> *nec jam validis radicibus haerens,*
> *Pondere tuta suo est.*
> (Il ne tient plus au sol par de fortes racines, mais par son propre poids)(iii. 9, 960-961 b)

La formule à laquelle Saucerotte réduit la citation ("il tient par son propre poids") fait bien écho aux derniers mots de Montaigne : "en leur propre poids", mais affaiblit la portée de la citation dont le premier vers est comme filé dans la métaphore de "l'âge qui a dérobé le pied", et dans la maxime "tout ce qui branle ne tombe pas".

Il est remarquable de voir comment Saucerotte éloigne encore les citations de leur contexte en les faisant passer du texte de Montaigne dans sa propre glose, où elles servent d'expression commune à Montaigne et à son commentateur ; on peut ainsi lire en note :

Montaigne se sert aussi de quelques exemples pour peindre "cette morne, muette et sourde stupidité qui nous transit, lorsque les accidents nous accablent surpassants nostre portée", ET DONT SENEQUE A DIT :
> *Curae leves loquuntur, graves stupent*
> (Les douleurs légères parlent, les grandes sont muettes)
> (Sén., *Hipp.*) (p. 44)

Dans les *Essais* le vers sentencieux n'est pas introduit par la formule métalinguistique propre à l'allégation d'auteur : "et dont Sénèque a dit", mais il est précédé d'une paraphrase :

> Toutes passions qui se laissent digérer ne sont que médiocres,
> *Curae leves...* (i. 2, 13 a)

Montaigne emploie bien par ailleurs des insérendes métalinguistiques : "comme dict ce vers grec" (i. 25, 140 a), "comme dict Caesar" (i. 53, 310 a), mais il n'use jamais de la formule "dont X a dit... " qui introduit un commentaire[54]. Il convient aussi de noter ce fait encore plus remarquable qui ressort de la comparaison entre l'usage de Montaigne et celui de son "copiste" : la citation n'est jamais reportée dans le passé par le temps du verbe introducteur ("dont Sénèque *a dit*") qui est toujours au présent ("comme dict"), sauf lorsque la citation est dramatisée. Montaigne allègue bien les auteurs latins, il use abondamment de la citation d'autorité, en latin ou en français, mais sans introduire, à la façon du commentateur, la distantiation de l'écart chronologique et du commentaire metatextuel qui sont réunis dans la formule de Saucerotte : "et dont Sénèque a dit... "

---

[54] Le relatif "dont" n'est employé que très rarement dans les *Essais*: huit fois, dans les trois couches du texte.

Dans cet *Esprit de Montaigne*, l'intellecteur se situe toujours au niveau métatextuel qui est indiqué par la mention d'un nom d'auteur, même lorsque l'éditeur rapproche les citations latines de textes français dont elles sont les intertextes, comme par exemple dans la note de Saucerotte à la maxime :

> *Calamitosus est animus futuri anxius*
> C'est se rendre malheureux que de s'inquiéter de l'avenir (Sén., *Epit.* 83). Rousseau reproduit cette pensée sans en citer la source : "la prévoyance qui nous porte sans cesse au delà de nous et souvent nous place où nous n'arriverons point, voilà la source de toutes nos misères. " (*Emile*, II) (p. 80)

Le parallèle Montaigne-Rousseau souligne moins la dette inavouée de Jean-Jacques aux *Essais*, qu'il ne sert à faire dévier la critique de l'insouciance, de Montaigne à Rousseau : c'est en effet au passage de Rousseau qu'est opposée une citation qui réfute un fatalisme, impliqué pourtant par Montaigne :

> ... voilà la source de toutes nos misères (*Emile*, II). Cela ne peut-il pas se dire avec plus de raison de l'imprévoyance ? Est-il nécessaire, d'ailleurs, de faire ressortir le caractère décourageant qu'auraient, prises à la lettre, des idées aussi voisines du fatalisme ? "Notre bonheur, dit Grimm, réfutant J. J., n'est-il pas souvent tout entier dans nos espérances ?" (p. 80)

Dans les notes à son commentaire, qui constituent une espèce de sous-commentaire, Saucerotte est encore plus libre d'interpréter et de discuter la pensée de Montaigne ; la citation y est décidément argumentative et probante, et, lorsqu'elle est empruntée aux *Essais*, sa fonction se limite à étayer, ou à corriger une pensée de Montaigne, comme celle-ci, sur la justice :

"Les exécutions mesmes de la iustice, pour raisonnables qu'elles soient, je ne puis les voir d'une veue ferme. Lorsque l'occasion m'a convié aux condemnations criminelles, j'ay plus tost manqué à la iustice. " (ii. 11, 430 a)

Montaigne semble oublier ici cette pensée de Martial qu'il a citée ailleurs :

Cui nemo est malus, quis bonus esse potest ?
Qui peut être bon aux yeux de celui pour qui il n'y a pas de méchant ?

C'est donc indirectement, et par le biais de ses propres citations, que Montaigne est amendé lorsque ses idées débordent le cadre moral dans lequel son éditeur trouve bon d'ajuster son portrait.

Un autre procédé de cadrage interprétatif consiste à amplifier ses "autorités" latines en y ajoutant des parallèles tirés d'autres œuvres littéraires. A propos de la citation : *Conentur sibi res, non se submittere rebus* (i. 39, 244 a), on lit sous la plume de Saucerotte :

"S'asservir les choses et ne pas se laisser gouverner par elles " (Horace). Quand Montaigne nous blâme "d'aller d'un extrême à l'autre sans sçavoir conserver une assiette moyenne", il nous fait souvenir de ces vers de Cléante, dans *Tartuffe* :

Eh bien ne voilà pas de vos emportements :
Vous ne gardez en rien les doux tempéraments ;
Dans la droite raison jamais n'entre le vôtre,
Et toujours d'un excès vous vous jetez dans l'autre. (p. 71)

Si le rapprochement de Molière et d'Horace se justifie comme une réminiscence intertextuelle, la fréquence et le choix des correspondants français évoqués par Saucerotte trahissent chez lui une volonté d'oblitérer l'héritage antique par une surcharge d'auteurs français, soigneusement choisis dans la tradition laïque et libérale dont Molière et Voltaire sont les figures de proue[55]. La stratégie qui décentre les *Essais* de leur noyau latin pour orienter leur message vers leur postérité nationale, laisse présupposer un mépris profond pour la partie sous-littéraire des *Essais* (citations, anecdotes, exemples empruntés aux compilateurs) c'est-à-dire pour tout ce qui n'est pas la partie "originale et immortelle" des *Essais*. Cette même présomption d'universalité s'inscrit par ailleurs dans une tradition intellectuelle précise, tout à fait particulière : celle qui se construit au milieu du XIXe siècle autour d'un faisceau de couplages instaurés parmi les "grandes classiques" (Racine-Corneille, La Bruyère-La Rochefoucauld, Rousseau-Voltaire) propres à valoriser d'une manière ou d'une autre l'une des attitudes contreposées. Rousseau doit beaucoup à Montaigne, mais il n'avoue pas ses sources, c'est donc un "faux Montaigne" ; on retrouve chez Molière et Voltaire les idées, par là même, "immortelles" d'un Montaigne qu'ils cautionnent. L'*Esprit* de Saucerotte fait émerger de ses commentaires, des dialogues intertextuels, sous forme de citations de Montaigne et d'autres auteurs. Mais ce dialogisme reste gouverné par une interprétation moralisante et réductrice de Montaigne. Il est vrai qu'il ne s'agit pas de faire de l'esprit dans cet *Esprit*, mais de prendre Montaigne au sérieux, de le rendre sérieux, convenable et utile à ces lecteurs "pressés" par les obligations de la société industrielle, qui trouveront dans ce vademecum montaignien une autorité plutôt qu'un auteur.

Ce dernier *Esprit*, qui se rapproche des *Extraits* par la longueur des passages retenus et par l'introduction de citations, indique l'orientation d'un nouveau discours critique fondé sur la prise de conscience historique de la littérature en tant que lieu de développement de certains courants intellectuels à travers les âges. En replaçant Montaigne dans son siècle et

---

[55] Pour d'autres exemples de rapprochement avec Molière et Voltaire, voir pp. 159, 195, 239.

en le relativisant, on explique son scepticisme, sa grossièreté "gauloise" et
"rabelaisienne, " de même qu'on rationalise ses emprunts à l'antiquité
gréco-romaine. Une fois circonstanciés, datés et mis à distance les aspects
inutilisables car archaïques de son livre, on met la partie "immortelle"
(c'est-à-dire moliéresque ou voltairienne) de la pensée de Montaigne au
service de l'édification d'une conscience nationale. Les réductions des
Essais avaient jusqu'alors toujours procédé par dichotomie, en distinguant
"le bon grain de l'ivraie" ; mais au manichéisme du partage entre
l'emprunté et l'authentique, le rapporté et le personnel, s'ajoute une
partition entre l'historique et l'éternel, entre les éléments accessoires
enlisés dans leur temps et l'essence actualisable de la pensée de
Montaigne, récupérée et mise au diapason de la marche de la civilisation.

Parmi les scories et déchets déposés par son temps dans le livre de
Montaigne, les citations ont été doublement rapportées aux accidents de
l'histoire : directement comme une complaisance envers la mode, la
"fantaisie du siècle" ; indirectement, comme une expression scripturale de
la réserve et de la dissimulation sceptique dans laquelle Montaigne avait dû
se réfugier étant donné la barbarie de son temps. Montaigne fournissait de
lui-même l'argument de la fantaisie du siècle qu'il dit avoir été amené à
suivre, sur les "enhortemens d'autruy"[56]. Cette explication facile et
plausible entraîne la conviction de ces époques où la citation n'est plus
comprise comme un élément constitutif du texte, mais comme un
ornement : en 1774, dans son *Eloge de Montaigne*, l'abbé Talbert les
présente comme un tribut payé au "mauvais goût du siècle", opinion qui
subsistait encore au moment où Gide, préfaçant les "pages immortelles"
qu'il avait choisies dans les *Essais*, en écarte le déjà dit qui pourrait porter

---

[56] "Certes j'ay donné à l'opinion publique que ces paremens empruntez
m'accompaignent (c) je m'en charge de plus fort tous les jours... sur la fantaisie du siècle
et enhortemens d'autruy." (III, 12, 1055).

ombrage à l'originalité de l'écrivain, pour ne retenir que la pâte de ce "pudding compact d'auteurs grecs et latins" (pp. 8-9). L'étalage de l'érudition n'était pas particulier à Montaigne, "en ce temps où la culture grecque et romaine portait encore à la tête" ; aussi Gide est-il consistant avec sa conception du génie en ne conservant aucune citation dans ses pages choisies. Au contraire, comme nous allons le voir au chapitre suivant, la place accordée par la critique universitaire aux empreintes laissées par le siècle, relativise le contenu épistémique des *Essais*, enrichit la lecture de considérations historiques et étend les limites de la censure. La forme des *Extraits* qui se contente d'élaguer sans réorganiser, correspond à ce changement d'attitude.

CHAPITRE VII

MONTAIGNE À L'ECOLE

Dans les *Esprits des 'Essais'*, le travail d'élagage qui portait sur les digressions philosophiques et autobiographiques, appliquait la censure classique à l'égocentrisme de Montaigne. La renaissance et le culte de l'individu que devait célébrer la *Société des Amis de Montaigne*, se faisait jour dès les premiers *Extraits* de Fauron (1883) qui paraissaient après que Sainte-Beuve eut redécouvert la richesse de "cet homme de cabinet qui avait en lui l'étoffe de plusieurs hommes". Fauron, membre de l'enseignement comme les auteurs d'autres extraits à venir (Réaume, Radouant, Villey), destine sa sélection aux élèves des Lycées, leur donnant en exemple Montaigne, "cet écolier de génie" qui était si à l'aise dans la compagnie des hommes illustres de l'antiquité, qu'en les citant à tout instant, il fournissait aux collégiens d'"admirables leçons de traduction" par son "langage à demi-latin" (p. v). L'enseignement de la rhétorique et les pages de Sainte-Beuve (qui, avec d'autres écrivains des années 1830-50 voyait en Montaigne un maître du style) ont pu rendre Fauron attentif à l'expression de la pensée de Montaigne qui avait été réduite jusqu'alors aux lieux communs. Les ciseaux ne tranchent plus dans le vif du discours de peur de rompre ce "lien ténu, le mot qui fait le pont entre les idées" : à l'inverse des amateurs d'universaux, ce philologue pense que "c'est ce mot", essentiel à l'enchaînement, "qu'on peut être tenté de rechercher". Pour la première fois donc dans l'histoire des réductions, la langue et le style prennent l'avantage sur la pensée, l'élocution prévaut sur les topiques. Aussi Fauron rejette-t-il la méthode réductive des *Esprits* qui regroupe les fragments autour d'une idée générale, car "elle fait apparaître les contradictions plus apparentes que réelles de la pensée de Montaigne". Son amputation se refuse à "reproduire chaque chapitre en élaguant le superflu, ce qui rompt l'enchaînement du texte".

Fauron est donc le premier lecteur professionnel qui souligne les passages jusqu'alors jugés insignifiants. La "méditation sur la dent" (iii, 13, 1101b) restera un morceau d'anthologie dans les *Extraits* suivants, pour ressurgir un siècle plus tard dans les *Lectures* philologiques de J. Brody, qui voit dans ce passage "un exemple frappant de la manière dont une rupture dans le contenu et le sujet constitue en fait un élément puissant de continuité au niveau du langage et du thème" (p. 55). L'intérêt porté au langage laissait au second plan le défaut de composition auquel avait tenté de remédier Duval au début du siècle. Il suffisait dès lors de constater que "Montaigne compose peu" et que, "toutefois, dans l'intérieur de ses chapitres, les idées se suivent et s'enchaînent". Sans aller jusqu'à chercher dans l'opacité métaphorique de la langue, les raisons de cette liaison, la démarche de Fauron et l'accent qu'il met sur la notion du "style" orientent l'analyse en dehors du champ topical de l'"esprit" vers un domaine sémantique où les objets même les moins pertinents pour l'idéologie sont jugés dignes d'être relevés parce qu'ils contribuent au sens : "il est utile que l'on sache comment Montaigne en vient, par exemple, dans un essai intitulé 'De l'expérience', à parler de ses dents, et à traiter des Cannibales dans un essai ayant pour titre 'Des Coches'". Mais c'est encore un parcours logique qui retrace l'enchaînement des idées embrouillé par les interventions anecdotiques : "la perte d'une dent l'avertit que la vieillesse est l'apprentissage de la mort". Ces résumés donnent donc encore au contenu la priorité sur le "lien ténu" des mots.

Après la parution de la thèse de Villey en 1908, les *Extraits* prennent une orientation nettement personnaliste, marquée par le titre *Montaigne*, adopté par Radouant (1914) et par Villey dans son recueil de morceaux choisis (1912). L'individu et le personnage historique sont représentés comme des parties constituantes du sujet qui se serait donné pour tâche principale dans les *Essais* de faire son propre portrait intellectuel et moral. Les Montaignologues antiquaires, dont le plus actif fut sans doute le Dr. Payen dans la première moitié du XIXe siècle, se rapprochent, en esprit du moins, des universitaires (le Dr. Armaingaud, président de la Société des Amis de Montaigne fait campagne pour une nouvelle édition des *Essais*). Les éditeurs chargés de présenter Montaigne aux membres de l'Instruction publique, opèrent une heureuse synthèse des approches jusqu'alors distinguées par les genres littéraires : la "Vie de Montaigne", le "Caractère de Montaigne". L'activité politique et la vie privée dont témoignaient les *Lettres* et le *Journal de Voyage,* toutes pièces qui étaient présentées dans les appendices et les avant-textes des éditions précédentes, fusionnent avec l'*Eloge* et la réduction dans un portrait global de Montaigne : l'homme et le penseur.

Dans son *Montaigne* (1912) où Villey rassemble des textes choisis et commentés, les *Essais* sont modelés selon le profil évolutionniste qu'il avait élaboré dans sa thèse, dont les grandes lignes sont esquissées au début de cet abrégé. Les passages prélevés dans la séquence du texte, sont regroupés à l'intérieur de deux grandes parties : "Montaigne", "les *Essais*". L'ontologie du discours critique distingue en fait la dimension universelle des *Essais*, du portrait de l'individu historique : cette division permet de relativiser les inconséquences d'une pensée qui était soumise à des influences auxquelles Montaigne, en tant qu' individu ou en tant que lecteur et écrivain était fort sensible. Le stoïcisme, puis le scepticisme, loin d'être des données subjectives ne sont que des stades transitoires d'une évolution qui arrive enfin à se fixer dans la dernière phase où s'affirment une philosophie naturaliste (plutôt qu'épicurienne) et le credo d'un "honnête homme". Les contradictions du texte (que, dans la perspective de Villey devait résoudre l'étude archéologique des *Essais*) ne sont donc que provisoires. Contrairement à la thèse, avancée, entre autres, par Saucerotte, qui envisageait l'évolution de Montaigne après 1588 comme une digression à partir de la version la plus personnelle et la plus originale des *Essais*, Villey voit dans leur rédaction successive une progression de Montaigne vers l'indépendance intellectuelle et la pleine affirmation de son moi après qu'il a surmonté la crise sceptique qui atteint son apogée dans l'Apologie, en faussant compagnie à Sextus-Empiricus et au pyrrhonisme.

La tentation de Montaigne dans l'ordre de la pensée se retrouve dans son style : sa nature versatile et influençable lui fait suivre la mode des autorités et allégations. Mais le grand coupable, c'est "la fantaisie du siècle", car s'il affecte le mépris de la science, il tient beaucoup à ce qu'on l'estime savant, et il faut bien plaire à un public qui est habitué à l'étalage des autorités anciennes. Ce souci de plaire tourne à la vanité lorsque Montaigne prend au sérieux son personnage d'auteur en cherchant à se conformer au goût du siècle ; cette interprétation psychologique se trouve pleinement justifiée par les déclarations de Montaigne :

> (b) Comme quelqu'un pourroit dire de moy que j'ay seulement faict icy un amas de fleurs estrangeres, n'y ayant fourny du mien que le filet à les lier. Certes j'ay donné à l'opinion publique que ces parements empruntez m'accompaignent... (c) Je m'en charge de plus fort tous les jours outre ma proposition et ma forme premiere, sur la fantasie du siecle et enhortemens d'autruy. S'il me messied à moy, comme je le croy, n'importe : il peut estre utile à quelque autre. (iii. 12, 1055)

On pourrait en effet voir là une vanité d'auteur plus forte que le dessein premier et essentiel de "parler tout fin seul" :

> (b) Mais je n'entends pas qu'ils me couvrent, et qu'ils me cachent : c'est le rebours de mon dessein, qui ne veux faire montre que du mien, et de ce qui est mien par nature ; et si je m'en fusse creu, à tout hazard, j'eusse parlé tout fin seul (*ibid.*)

Mais Montaigne avoue par ailleurs, qu'il n'y a pas de contradiction entre la forme première où il parle seul et les éditions suivantes enrichies de citations ;

> Mon livre est toujours un sauf qu'à mesure qu'on se met à le renouveller, afin que l'acheteur ne s'en aille pas les mains du tout vuides, je me donne loy d'y attacher... quelque embleme supernuméraire. Ce ne sont que surpoids qui ne condemnent point la premiere forme, mais donnent quelque prix particulier à chacune des suivantes par une petite subtilité ambitieuse (iii. 9, 964 c)

C'est cette "petite subtilité ambitieuse" qui n'a reçu son dû ni de Villey, ni de Metszchies[57], pas plus que cet autre passage où Montaigne s'explique sur la nature et la fonction de ses "allégations" aussi clairement qu'il peut, car elles doivent garder leur "subtilité" allusive :

> (c) Ny elles (mes histoires) ny mes allegations ne servent pas toujours simplement d'exemple, d'authorité ou d'ornement. Je ne les regarde pas seulement par l'usage que j'en tire. Elles portent souvent, hors de mon propos, la semence d'une matiere plus riche et plus hardie, et sonnent à gauche, un ton plus délicat et pour moy qui n'en veux exprimer d'avantage, et pour ceux qui recontreront mon air. (i. 45, 251)

Dans ce passage qui se termine par la citation chère à Montaigne : *Non est ornamentum virile concinnitas* (l'élégance n' est pas une parure virile), Montaigne fait une différence très nette entre les "vertus parlieres" (le langage et les grâces du style) et la "matiere", c'est-à-dire "le sens"

---

[57] M. Metszchies, *Zitat und Ziterkunst in Montaigne's 'Essais'*, (Paris : Minard, 1966),pp. 39-52.

auquel seul il prétend que le lecteur doive prêter attention. Mais c'est peut-être là encore une "vanité d'auteur" qui se fait fort de valoir plus par sa pensée que par son art de conter. Quoiqu'il en soit des interprétations que Montaigne nous donne de son livre et de ses motivations, il faut prendre garde à son avertissement : ses allégations "sonnent à gauche" à qui veut les entendre. Il les fait donc servir à son propos en les détournant de leur sens : "je tors (plus) volontiers une bonne sentence pour la coudre sur moy... " (i. 25, 171).

Il n'est pas exclu que l'on puisse s'exprimer verbalement sans rien "dire", si par "dire" on entend la production d'un dit personnel, éventuellement original. "Je ne dis les autres sinon pour d'autant plus me dire" (i. 26, 148 c) : ce paradoxe de Montaigne n' est embarrassant qu'aussi longtemps que l'on ne fait pas entrer dans la notion d'auteur, le travail de reproduction, l'acte de "copie" qui fait de lui un "acteur". Mais cette duplicité de l'énonciation pourrait encore trahir le sceptique dans le portrait de l'honnête homme que Villey parachevait au terme d'une longue tradition. Déjà le côté "artiste", qui se découvre dans les dernières additions surtout, a de quoi inquiéter : "il abuse des antithèses et des pointes sous l'influence de Sénèque" (p. 537), il fait des corrections et des additions qui ont "considérablement exagéré le désordre des *Essais* jusqu'à en faire une gêne grave", car elles les "ont entrecoupés d'une masse d'allégations et d'authorités qui alourdissent la pensée et qui risquent d'en cacher l'originalité " (p. 544). On est donc surpris de retrouver Montaigne, que l'on croyait parvenu, au terme de son évolution, à la pleine possession de lui-même, aussi dépendant de ses lectures que dans les premiers essais. Ce paradoxe, sur lequel Villey termine son livre, est gênant, mais reste sans réponse. C'est qu'en effet tout l'édifice de la thèse, qui repose sur cette faille, est menacé de ruine à moins que l'on puisse montrer que la dépendance de Montaigne à l'égard des textes qu'il reproduit d'une manière ou d'une autre, est de nature différente selon qu'il les emprunte ou qu'il les cite. En effet, au moyen d'un travail de reproduction, qui est un acte de parole ou d'écriture, Montaigne sait faire avec les mots et les énoncés dont l'origine importe peu, une œuvre qui est à prendre comme une pratique dont l'invention réside dans l'usage de toutes les ressources de l'énonciation, notamment dans la citation qui consiste à produire du sens, sans devoir produire pour autant des énoncés : "c'est autant par le bénéfice de son application", c'est-à-dire de son usage des emprunts, "que par le bénéfice de son invention ", que Montaigne entreprend de s'égaler à ses larrecins (i. 26, 147c). Grâce au matériau érudit que Villey, à la suite de Coste, a rassemblé, il reste à passer de ce premier stade de défrichement de l'hypotexte au second niveau d'analyse, celui des modes de la copie et de l'usage des "larrecins".

CONCLUSION

Dès les premières éditions, relues et revues par Montaigne, les citations signalent un lieu d'intervention du lecteur : Montaigne les déplace, les traduit, les paraphrase, en ajoute, sans pourtant jamais en retrancher du texte imprimé. A partir du moment où Gournay est appelée à traduire systématiquement les citations et à indiquer leur sources, c'est par un acte public, avec de fortes implications commerciales, que ces citations sont dénoncées et reçues comme un écart, voire une déviance par rapport aux normes stylistiques du français littéraire. Face à cet état de choses, l'édition Coste en propose une interprétation rhétorique, en rapprochant par la typographie les citations de prose du discours direct. Par la suite, au cours des XVIIIe et XIXe siècles, une série de lectures logiques les tiennent soit pour des ornements, soit pour des autorités, tandis que, avec Villey, l'explication génétique des *Essais* confond les citations avec les autres emprunts, comme autant de sources ou d'influences.

Dans ces lectures qui passent pour de simples copies des *Essais*, la traduction des citations souligne la censure, à tout le moins la limitation que Montaigne lui-même imposait à sa langue, en confiant au latin des réalités auxquelles la pudeur présumée de son public immédiat répugnait. Car la doublure linguistique n'est que l'une des manifestations de la censure idéologique qui se glisse sous le couvert de toute réduction du texte intégral. Ce que l'on présente au XVIIIe siècle et dans la première *moitié* du XIXe, comme l'*Esprit de Montaigne*, est une collection de citations-clé du texte français, arrangées selon un répertoire de topiques moraux qui excluent toute expression étrangère à la langue et à la pensée de ce "vrai" Montaigne que l'on cherche à identifier et à fixer en une essence consistante avec l'idéologie conservatrice. Dans les *Extraits* qui, à la différence des *Esprits*, suivent l'ordre du texte en prélevant des passages qui excèdent la longueur des maximes, la visée des lecteursréducteurs se modifie : le récit et la matière historique, puis l'autoportrait, le particularisme de Montaigne sont représentés, avec les marques laissées dans son texte par la "fantaisie du siècle, " les citations.

Avec l'historicisation des *Essais*, la censure morale s'assouplit assez pour reconnaître en effet un intérêt documentaire aux aspects même les moins recevables. Les déficiences sceptiques de la pensée de Montaigne, qui se trahissent dans son style, abondant et décousu, sont excusées par la "barbarie" de son temps, dont il se protège en se réfugiant dans l'abstentionnisme et la duplicité. Mais le "vrai" Montaigne est celui qui, selon Villey, s'il eût été moins vaniteux, aurait résisté aux influences environnantes et livresques. ce qu'il a fait d'ailleurs, en se ressaisissant après une crise sceptique, sans aller pourtant jusqu'à produire une expression authentiquement et totalement sienne, puisque les citations ne cessent de se multiplier dans les dernières additions. Le portrait de Montaigne, brossé par Villey, fait la synthèse des interprétations normatives qui s'étaient manifestées dans les copies annotées, commentées ou réduites. Les emprunts visibles que sont les citations sont tenues par les interprètes dogmatiques pour un signe d'aliénation linguistique ou un parasitage de l'identité intellectuelle de Montaigne. La volonté, chez des générations de lecteurs, d'écarter l'apport des auteurs allégués dans les pages des *Essais* ressortit, quelle qu'en soit la motivation immédiate, à la perception d'un facteur de trouble. Le bilinguisme, le polylogue, la duplicité de l'énonciation, gênent les lecteurs qui supposent que tout énoncé engage l'adhésion de son auteur et que les *Essais* représentent donc un sujet responsable de ses déclarations et sincère dans son portrait. L'identité de Montaigne est jugée problématique en raison des variations de ses énoncés qui vont jusqu'à se contredire. La pratique citationnelle, lorsqu'elle n'est pas interprétée comme une fonction argumentative, met en péril une conception de la parole authentique et de la pensée personnelle.

DEUXIEME PARTIE

COPIES D'AUTEURS

L'esprit des *Essais* tient moins à la pensée de Montaigne qu'à son mode de penser qui trame la contexture d'un discours où, selon M. de Gournay, "les emprunts sont si dextrement adaptés au bénéfice de l'application" que les enrichissements dont Montaigne le rehausse, qu'ils soient de son crû ou d'un terroir étranger, "contrepèsent ordinairement le bénéfice de l'invention"[1]. Pour les lecteurs avertis du XVIIe siècle, ce que J. P. Camus appelle "le mode de citer sans citer" de Montaigne concourt à l'invention d'une œuvre littéraire appréciée comme telle[2].

Afin de confirmer le jugement des derniers lecteurs qui aient pu reconnaître l'invention de Montaigne dans son art de l'emprunt, on pourrait imaginer, à titre d'expérience, une récriture libre des *Essais* qui en reprendrait la substance pour se l'approprier ou pour la remettre en question. Le sort réservé aux citations serait révélateur de leur degré d'intégration dans le texte de Montaigne. Des imitations des *Essais* nous ne retiendrons que les deux exemples les plus notoires : la *Sagesse* de Charron, à titre de reprise des idées de Montaigne, et certaines *Pensées* de Pascal qui, pour les remettre en question, pourraient passer, selon la terminologie de G. Genette, pour leur parodie sérieuse[3]. Les œuvres de ce genre qui sont présentées comme une production originale de leur auteur, quoiqu'elles soient, à bien des égards, des "copies", seront désignées comme des "copies d'auteur".

---

[1] *Cf.* Appendice II.

[2] Jean-Pierre Camus, *Agathonphile*, éd. P. Sage (Genève : Droz, 1952), p. 427. *Cf.* J. Brody, *Lectures de Montaigne*, p. 25.

[3] G. Genette, *Palimpsestes*, pp. 35-36. La parodie sérieuse, ou transposition, effectue une transformation sémantique qui n'implique pas nécessairement une transformation stylistique.

CHAPITRE I

CHARRON, LE "PERPETUEL COPISTE DE MONTAIGNE"

Le plagiat (dont la connotation péjorative n'est pas à prendre en compte ici, non plus que celle qui est attachée au démarquage) est un emprunt non déclaré, mais encore littéral, une espèce de ce que nous désignons comme copie d'auteur. Montaigne parle de "larrecins" (traduction exacte du terme *klopè*, réservé par la langue grecque au plagiat). Mais la pratique du démarquage, fréquente encore au XVIe siècle, malgré la diffusion des textes par l'imprimerie, n'était pas entachée de l'opprobre qui défend un droit d'auteur institué postérieurement. Déjà le terme de "copiste" a sous la plume de Gournay le ton du mépris lorsqu'elle l'applique à l'auteur de la *Sagesse* ; mais le succès des *Essais* ne porte aucunement atteinte à celui de Charron auprès des mêmes lecteurs du XVIIe siècle : Pascal trouve Montaigne confus et Charron ennuyeux, mais sans établir d'autre comparaison entre les deux auteurs qu'il a lus avec une égale attention, si ce n'est avec le même intérêt.

Des passages entiers des *Essais* se retrouvent donc dans la *Sagesse*, surtout dans les deux premiers livres[4]. Mais la composition de l'ouvrage ne doit rien aux *Essais* dont la forme ouverte est systématiquement close par Charron.[5] Ordonnée à une fin didactique, la *Sagesse* indique par son titre même l'aboutissement téléologique de la quête de Montaigne : dans le sens philosophique, comme au sens familier, Charron "achève" Montaigne, mène à son terme la logique du scepticisme

---

[4] Pierre Charron, *De la Sagesse*, éd. A. Duval, Collection des moralistes français (Paris : Chasssériau, 1820). Voir aussi Floyd Gray, "Reflections on Charron's Debt to Montaigne", *French Review*, XXXV (1962), 377-382.

[5] *Cf.* Renée Kogel, *Pierre Charron* (Genève : Droz, 1972).

humaniste, remanie les *Essais* en les évacuant de la présence de leur auteur. Celui que Gournay traitait donc de "perpétuel copiste de Montaigne", (Préface, p. 282), ne mentionne nulle part, ni dans le texte, ni dans la préface, le nom de son modèle, il transcrit les passages qui décrivent en l'analysant "l'humaine condition" (Livre I), mais il étouffe ce que le style de Montaigne peut avoir de trop coloré, modifie la syntaxe, modernise certains termes, et surtout ordonne ses emprunts à l'intérieur d'une construction originale dont l'organisation systématique est dégagée sans difficulté par Duval, son premier éditeur moderne, dans les sommaires de chaque chapitre. On reconnaît les expressions de Montaigne, ses citations latines, mais Charron y ajoute d'autres passages, empruntés ailleurs, tirés des mêmes auteurs : Sénèque, les Ecritures, La Boétie. Il déplace parfois les citations hors de leur contexte montaignien : les vers de Virgile qui, dans l'essai "De la tristesse" illustrent la surprise (*Diriguit visu in medio*) sont placés dans la *Sagesse* au chapitre "Tristesse", à la suite de l'exemple de la douleur de Niobé, emprunté au même essai (i. 2) :

Montaigne (i. 2, 12)... les poètes feignent *cette miserable mère Niobé*, ayant premièrement sept fils, et puis de suite, autant de filles, surchargée de pertes, avoir esté en fin transmuée en rochier, *diriguisse malis*, (*Mét.*, VI, 304) pour exprimer cette morne, muette stupidité qui nous transit, lors que les accidens nous accablent surpassans nostre portée. De vray, l'effort d'un desplaisir, pour estre *extreme*, doit estonner toute l'âme, et lui empescher la liberté de ses actions : comme il nous advient à *la chaude alarme* d'une bien mauvaise

Charron (I, xxxii, 195-196) Elle (la tristesse) a ses degrés. La grande et *extrême*, ou bien qui n'est pas du tout telle de soi, mais qui est arrivée subitement par surprinse et *chaude alarme*, saisit, transit, rend *perclus de mouvement* et sentiment comme une pierre, à l'instar de *cette misérable mère Niobé* : *Diriguit visu in medio*...

nouvelle, de nous sentir *saisis, transis*
et comme *perclus de* tout *mouvement...*
La surprise d'un plaisir inespéré nous
étonne de même,*Ut me conspexit*
venientem... Diriguit visu in medio...
(*AEn.*, III. 306)

La substitution, opérée par Charron, des vers de Virgile à ceux d'Ovide,
est facilitée par la récurrence du même verbe (*diriguisse* Ovide ; *diriguit*,
Virgile) dans les deux citations de l'essai. Le déplacement que Charron
opère entre les deux passages latins, est révélateur d'un procédé
citationnel de Montaigne car la confusion du copiste repose sur une
variation itérative du modèle qui se trouve ainsi mise en valeur dans son
"plagiat", mais elle trahit aussi la maladresse de Charron qui ne semble
pas s'être soucié de l'application correcte des citations ; en effet, si les
premiers vers de Virgile (*Diriguit visu... reliquit* (elle devint immobile à
sa vue, toute sa chaleur l'abandonne) conviennent aussi bien à
Andromaque, surprise à la vue d'Enée aux bords du Scamandre, qu'à
Niobé accablée de douleur, le vers suivant de l'*Enéide* (*longo vix tandem*
tempore fatur (la voix ne lui revient que très longtemps après)) que
Charron applique à Niobé va contre le sens même de la métamorphose ;
réduite au mutisme des pierres, Niobé ne peut en effet retrouver la parole
dont Andromaque peut recouvrer l'usage. La négligence stylistique de
Charron est à mettre au compte d'une finalité différente de celle que
poursuit Montaigne. Le didactisme du traité de *sagesse* ne s'embarrasse
pas des raffinements de l'écriture. Les citations ne doivent pas être lues à
partir du contexte, mais reçues comme des textes surajoutés qui renforcent
le message. Les matières que Charron emprunte à Montaigne prennent une
tournure toute contraire à celle des *Essais* où l'auteur se refusait à
enseigner sinon par extrême indirection : "je n'enseigne point, je raconte".
Ainsi les expressions par lesquelles Montaigne présente la tristesse : "cette

passion couarde, basse et lâche", sont renforcées dans la *Sagesse* par les mises en garde du prêcheur contre une affection qui "ôte tout ce qu'il y a de mâle et généreux et vous donne toutes les contenances et infirmités des femmes" (I, p. 190), passion qu'il faut donc "apprendre à haïr et fuir". Visant à persuader, Charron use de techniques dont l'efficacité est reconnue en matière de direction des consciences : le mode coercitif de l'énonciation ("il faut") et la répétition de sentences mémorables comme *Summum jus, summa injuria* [6] (le droit le plus rigoureux est la plus rigoureuse injustice), cliché délavé par l'usage dont Montaigne s'était abstenu, lui préférant une sentence plus neuve : *Ex senatus consultis et plebiscitis scelera exercentur* (Il est des crimes qui se commettent à l'instigation du sénat et des plébiscites) (iii. 1, 796). Dans la *Sagesse*, la reprise purement didactique du dicton, n'assure aucune liaison textuelle entre les chapitres dont l'enchaînement se fait de manière plus explicite : la fin du chapitre "Tristesse" (I, xxxii) renvoie aux "Advis et remèdes particuliers contre ce mal (qui) sont au liv. III, chap. xxix" (I, p. 196). La seule citation à être reprise deux fois dans les *Essais* (le fameux distique de l'*Odyssée* (XVIII, 135) traduit par Cicéron) est répétée aussi dans la *Sagesse* :

> *Tales sunt hominum mentes quali pater ipse*
> *Juppitei auctifero lustravit LAMPADE terras* (I. xv, 124-125)

Charron ne retient que la variante *lampade* sans toutefois le justifier, comme le fait Montaigne, par l'insérende qui rappelle l'origine grecque de ces vers :

> L'air même et la sérénité du ciel nous apporte quelque mutation, comme dict ce vers Grec en Cicero,

---

[6] *Sagesse*, I. xxxix, 252 ; I. xli, 300.

> *Tales sunt hominum mentes quali pater ipse*
> *Juppiter auctifero lustravit LAMPADE terras*
> Ce ne sont pas seulement les fièvres, les breuvages et les grands
> accidents qui renversent nostre jugement ; les moindres choses
> du monde le tournevirent. (ii. 12, 564 a)

Ici ces vers sont évoqués à propos de la faiblesse du jugement ; ailleurs ils illustrent l'incontinence de la volonté :

> (a)Chaque jour nouvelle fantaisie, et se meuvent nos humeurs
> avec les mouvements du temps,
> *Tales sunt hominum mentes........* .
> .... *LUMINE....*
> (c) Nous flottons entre divers avis : nous ne voulons rien
> librement, rien absolument, rien constamment. (ii. 1, 333)

L'interprétation sensiblement différente que Montaigne donne à *mentes* dans les deux contextes (les humeurs (ii. 1), le jugement (ii. 12)) se retrouve dans les deux chapitres de la *Sagesse*. En I, xv, "De l'esprit humain...", Charron reprend le passage de l'Apologie (i) pour illustrer la "volubilité et flexibilité" de l'âme :

> Or cette grande volubilité et flexibilité vient de plusieurs causes ;
> de la perpétuelle altération et mouvement du corps, qui jamais
> n'est deux fois en la vie en même état ; des objets qui sont
> infinis, de l'air même et sérénité du ciel :
>
> *Tales sunt hominum mentes.........*

et de toutes choses externes ; internement, des secousses et branles que l'âme se donne elle-même par son agitation. (*Sagesse*, I, xv, 124-125)

L'analyse des influences qui dérèglent l'exercice de l'esprit est plus exacte et mieux ordonnée que celle de Montaigne, du moins ses articulations logiques sont-elles exprimées par les causes, réparties entre trois domaines : celui du "corps, " des "objets" et "choses externes", et de l'"âme" agitée "internement" par les passions. Au chapitre "Inconstance" (I, xl) Charron retient de l'essai correspondant "De l'inconstance de nos actions" (ii, 1), la mobilité des humeurs :

> Aussi nos esprits et nos humeurs se meuvent avec les mouvemens du temps.
> *Tales sunt hominum mentes*..........................
> *LAMPADE...*
> La vie est un mouvement inégal, irrégulier, multiforme.
> (*Sagesse*, I, xl, p. 272)

Charron marque une indépendance à l'égard du modèle en ne recopiant pas le *lumine*, préférant la consistance dans la citation, strictement identique dans les deux chapitres I, xv et I, xl de la *Sagesse*, où rien d'ailleurs ne justifierait la variante *lumine/lampade* que Montaigne y introduit. Les vers homériques cités dans les *Essais* sont conservés comme le support d'une interprétation que Montaigne reproduit comme sienne. Le sens que Montaigne donne à ce distique par une application personnelle est donc retenu dans la *Sagesse*, mais sans égard à l'invention stylistique de Montaigne qui se traduit dans la variation gréco-latine.

Ce bref et ponctuel sondage du "plagiat" des *Essais* a relevé des traits de la copie qui ne diffèrent pas de ceux que mettent en œuvre les réductions et extraits des *Essais* : démarquage, reconstruction, altérations du style, notamment des liaisons contextuelles des citations déplacées. Mais à la différence des copies de lecteurs qui rapportent leur transposition et leur commentaire au livre de référence et à son auteur, l'apport textuel de Charron n'est pas une glose des *Essais* ; bien au contraire, la disposition de son livre est ordonnée à des fins rhétoriques et philosophiques dont il assume la pleine responsabilité et qui diffèrent d'ailleurs de celles qui concernaient Montaigne. On reconnaît bien les *Essais* dans la *Sagesse*, mais Montaigne en est absent. Chez Charron, les *Essais* sont transposés, imités sans être mentionnés, discutés, contredits ou parodiés ainsi qu'ils le sont dans une autre copie d'auteur, celle qui ressort par exemple, de certaines *Pensées* de Pascal.

CHAPITRE II

LA COPIE DIALOGIQUE DE PASCAL

"Une édition des *Pensées* est une réédition partielle des *Essais*", constatait Brunschvicg qui n'a pas manqué d'annoter les *Pensées* de renvois à la double lecture que Pascal a pu faire de Montaigne : dans les *Essais* et dans leur imitation, la *Sagesse*.[7] Et pourtant c'est bien avec Montaigne et non pas avec l'"'ennuyeux Charron" que Pascal engage un dialogue des auteurs qui se moquent des recettes de l'éloquence pour pratiquer avec succès l'art de persuader[8].

On relève au nombre des correspondances d'expression entre les *Pensées* et les *Essais* quelque trente citations latines que Pascal doit à Montaigne[9] ; dix-sept sont mises en réserve et notées sans commentaire ; elles sont parfois accompagnées du nom de l'auteur, référence qui implique une vérification, effective en certains cas :

Id maxime decet quod est (sub) cuiusque suum maxime
(Sen) 588
(B. 363 ; L. 507 ; B. C. p. 50) (iii. 1, 795 c)

La référence à Sénèque donnée par l'édition des *Essais* (A. Courbé, 1652) est fausse, comme a pu le constater Pascal qui l'a rayée, sans toutefois

---

[7] Pascal, *Pensées*, L. Brunschvicg (Paris : Hachette, 1904), T. 1, p. lxx. Voir aussi L. Brunschvicg, *Descartes et Pascal lecteurs de Montaigne* (Neuchâtel : éd. de la Baconnière, 1945).

[8] "Les divisions de Charron qui attristent et ennuient" (L. 780 ; B. 62). Les éditions des *Pensées* sont désignées par L. (Lafuma), B. (Brunschvicg).

[9] *Cf.* Bernard Croquette, *Pascal et Montaigne, Etude des réminiscences des 'Essais' dans l'oeuvre de Pascal* (Genève : Droz, 1974), pp. 49-51 ; désigné par : B. C. .

remplacer Sénèque par Cicéron (*De Off.*, I, xxxi) ; il a simplement noté la page de son exemplaire des *Essais* où se trouve la citation : "588". Une autre source inexacte a été corrigée par Pascal, qui reconnaît le *De divinatione* de Cicéron, dans un passage attribué encore à tort à Sénèque :

> *Nihil tam absurde...* (Sen) *divin.*
> (B. 363 ; L. 507 ; B. C. p. 49)

Mais ce retour apparent au texte d'origine n'est pas effectué en vue d'une reproduction fidèle, au contraire. Pascal use encore plus librement que Montaigne du latin de Sénèque, de Tacite, de Cicéron ou d'Augustin, auquel il donne une tournure à la fois plus française et plus proche de son style à lui. Les corrections linguistiques substituent un terme latin étymon du mot français qui en est la traduction :

> *Ut olim FLAGITIIS sic nunc legibus laboramus* (*Essais*, iii, 13, 1066c)

> *Ut olim VITIIS sic nunc legibus laboramus* (*Pensées*, B. 294, L. 60)
> (Autrefois c'était des crimes que l'on souffrait, aujourd'hui c'est des lois que nous souffrons (Tacite, *Ann.*, III, xxv)

> *Ex senatusconsultis plebisQUEscitis SCELERA exercentur* (*Essais*, iii1, 796, c)

> *Ex senatusconsultis ET plebiscitis CRIMINA exercentur* (*Pensées*, B. 294, 363 ; L. 60, 507 ; B. C. 17, 49)
> (Il est des crimes commis à l'instigation des senatusconsultes et des plébiscites) (Sen., *Ep.*, xcv)

La conjonction suffixée -*que* est remplacée par le *et* latin, homonyme du "et" français ; à *flagitiis*, Pascal préfère *vitiis*, synonyme d'où est directement dérivé le français "vices". Ces formes de traduction, ou plus exactement de pré-traduction française, s'accompagnent d'un remaniement stylistique délibéré qui les démarque de leur griffe autoriale ; ainsi, dans la sentence suivante :

> *Modus quo corporibus adhaerent spiritus omnino mirus est nec comprehendi ab homine potest*
> (Le mode d'union du corps à l'âme est du tout admirable et dépasse l'intelligence de l'homme : et cette union est l'homme même.) (*Civ. Dei.*, XXI, x)

La présence d'Augustin se trahit par le *omnino mirus est* ("il est du tout admirable") que Montaigne a conservé (ii. 12, 539) mais qui est supprimé dans la version qu'en donne Pascal :

> *Modus quo corporibus adhaerent spiritus comprehendi ab homine non potest et hoc tamen homo est* (B. 72 ; L. 199 ; B. C. p. 41, 128).

Pascal transforme en vérité absolue ce qui est présenté comme une opinion par S. Augustin et par Montaigne qui le cite (ii. 12, 535) :

> *Quum veritatem qua liberatur inquirat, credatur ei expendire quod fallitur*
> (Comme il (le peuple) ne cherche la vérité que pour s'affranchir, soyons certains qu'il est de son intérerêt d'être trompé. (*Civ. Dei.*, IV, xxxi))

Pascal supprime en effet le *credatur* ("soyons certains") qui indiquait une opinion, et substitue "ignore" à "cherche" pour donner au jugement de S. Augustin la force d'une maxime :

Cum veritatem qua liberetur ignoret, expedit quod fallatur
(Comme il (le peuple) ignore la vérité qui lui permettrait de
s'affranchir, il est de son intérêt d'être trompé ("pipé"). (B.294 ;
L. 60 ; B. C. p. 19)

Cherchant toujours à donner plus de vigueur à l'expression, Pascal réduit
l'emphase cicéronienne par la suppression des redondances :

*Nihil hoc est turpius quam cognitioni et perceptioni assertionem
approbationemque praecurrere*
(Rien n'est plus honteux que de faire passer l'assertion et la
décision avant la perception et la connaissance) (*Essais*, iii. 13,
1075) (*Acad.*, I. 13, 45)

Par la suppression de l'un des doublets synonymiques *(cognitioni et
perceptioni, assertionem approbationemque)*, l'enflure cicéronienne est
réduite à l'atticisme dans la version des *Pensées* :

Nihil turpius quam cognitioni assertionem praecurrere (B. 364 ;
L. 508 ; B. C. p. 50)
(Rien n'est plus honteux que de faire passer l'assertion avant la
connaissance)

Le remaniement strictement stylistique des citations latines est donc
nettement plus marqué dans les *Pensées* que dans les *Essais*. La liberté de
l'accueil que Montaigne réserve aux voix diverses qu'il cite, ressort par
contraste avec le laminage qui unifie la diction franco-latine de Pascal.

La "gardoire" de citations que se constitue Pascal est faite dans un
esprit autre que celui qui préside à la mise en réserve d'exemples à toutes
fins utiles. Relevées sous une forme abrégée certaines sentences latines
des *Essais* sont reprises sous leur forme complète dans un développement

qui tire parti de leur contexte français ; la sentence notée avec ou sans page
de référence aux *Essais* est un guide de lecture et d'écriture ; l'esquisse
d'un développement peut en effet être composée de deux ou trois notes,
parmi lesquelles des citations :

> (De) Une lettre de la folie de la science humaine et de la
> philosophie
> Cette lettre avant le divertissement
> *Felix qui potuit*
> *Felix nihil admirari*
> 280 sortes de souverain bien dans Montaigne (B. C. p. 44)
> (B. 74, L. 408)

Dans la deuxième formule latine, deux citations sont condensées, qui
seront reprises et développées dans la pensée suivante :

> ... L'un dit que (l'homme) le souverain bien est en la vertu,
> l'autre le met en la volupté, l'autre en suivre la nature, l'autre en
> la vérité (et en la connaissance des choses) (*felix qui potuit*
> *rerum cognoscere causas*) l'autre en l'ignorance totale, l'autre en
> l'indolence, d'autres à résister aux apparences, l'autre à
> n'admirer rien (*nihil mirari prope res una quae possit facere et*
> *servare beatum*) et les braves Pyrrhoniens en leur ataraxie, doute
> et suspension perpétuelle. Et d'autres plus sages qu'on ne le
> peut trouver, non pas même par souhait. Nous voilà bien payés.
> (B. 73, L. 76) (B. C., p. 20)

Cette pensée résume un long développement de l'Apologie (ii. 12, 576-
578) où les deux citations sont données par Montaigne sous leur forme
métrique authentique : un distique d'Horace (*Nil admirari...*), et cinq vers
des *Géorgiques (Felix qui potuit...)* dont Pascal ne garde que le premier
hexamètre. Les citations qui dans les *Essais* sont des copies conformes,

sont réduites par Pascal à des formules sentencieuses qu'il a pu emprunter
à Charron, à moins qu'il ne les ait connues par ailleurs :

Essais :	*Scilicet ultima semper*
(I, xix, 78)	*Expectenda dies homini est, dicique BEATUS*
	ANTE OBITUM NEMO, supremaque funera
	debet
	(Ovid, *Met.*, I, 3)
Sagesse :	et ainsi a esté bien et sagement dict par Solon
(II, xi, 238)	à Crésus, *Ante obitum nemo beatus.*

Pensées :	Dira on que, pour avoir dit que la justice est
(B. 447 ; L. 804)	partie de la terre, les hommes
	aient connu le péché originel ? *Nemo ante*
	obitum beatus. Est-ce à dire qu'ils aient
	connu qu'à la mort la béatitude éternelle et
	essentielle commençait ? (B. C., p. 72)

Charron résume le début de l'essai "Qu'il ne faut juger de nostre heur
qu'après la mort", (i, 19) où les deux hexamètres et demi d'Ovide placés
en *incipit*, sont développés aussitôt par le récit d'Hérodote qui avait servi
de modèle intertextuel au poète latin : mais dans la *Sagesse* l'anecdote est
réduite à un apophtegme, au seul mot de Solon à Crésus. La formule
gnomique que Pascal a peut-être prise à la *Sagesse* est appliquée dans la
pensée à un texte original à l'égard de la tradition qui se perpétue avec
Montaigne et Charron. Mais Pascal ne s'écarte des *Essais* que pour être
plus près de Montaigne dont il développe la pensée en l'attirant vers la
sienne : "puisque l'on ne peut juger de notre heur qu'après la mort" avait-il
lu chez Montaigne, est-ce à dire, demande Pascal, que les anciens aient

impliqué que le seul bonheur commençait après la mort, dans la vie éternelle ?

Le dialogue qui se poursuit entre Montaigne et l'auteur des *Pensées* prend des formes explicites :

> Cela est admirable : on ne veut pas que j'honore un homme vêtu de (velours) brocatelle et suivi de sept ou 8 (sic) laquais. Et quoi! il me fera donner des étrivières si je ne le salue. Cet habit c'est une force..., *Montaigne est plaisant* de ne pas voir quelle différence il y a et d'admirer qu'on y en trouve et d'en demander la raison. De vrai *dit-il*, d'où vient, etc. (B. C., p. 26 ; B. 315, L. 89)

Montaigne, désigné ici à la troisième personne, est ailleurs pris à parti lorsque Pascal lui renvoie ses propres paroles en s'adressant à lui à la deuxième personne :

> Le sommeil est l'image de la mort, dites-vous ; et moi, je dis qu'il est plutôt l'image de la vie. (B. C., p. 78) (*Pensées inédites*, VI)

Cette réplique transpose, sur le mode dialogique, un passage des *Essais* en marge duquel Pascal avait écrit : "Sommeil, image de la mort". Réduite à la formule : "sommeil, image de la vie", la pensée serait une parodie des *Essais*. La relation interdiscursive qui est explicitée par le "dites-vous", donne à l'antiphrase (structurale et sémantique) une fonction d'échange d'auteur à auteur ; elle se retrouve, implicite dans les transpositions que Pascal inflige à certains passages latins des *Essais* : les altérations portent en effet sur les verbes à la première personne :

*Essais : Nihil itaque amplius nostrum est : quod nostrum DICO
artis est* (II, xii, 580 c) (Cic., *De fin.,* V, 59-60)
Pensées : ... *DICIMUS...* (B. C., p. 15)

Pascal remplace la première personne du singulier par sa forme plurielle,
transformation symptomatique de son aversion à l'égard de l'égocentrisme
et de son désir de généralisation. La même censure de l'*ego* s'observe
dans la mise entre parenthèses du pronom latin et du verbe qu'il régit :

Essais : EGO HOC JUDICO, si quando turpe non sit, tamen...
(II, xvi, 624)
Pensées : (Ego hoc judico) si quando... (L. 507 ; B. 363 ; B.
C., p. 50)

On pourrait naturellement considérer que c'est Cicéron, auteur de ces deux
sentences, qui est revu et corrigé par Pascal. Il n'en est rien, car
Montaigne a reconstruit la première phrase pour lui faire dire le contraire
de ce que Cicéron voulait dire ainsi qu'il apparaît dans la citation suivante,
où seuls les mots soulignés dans le texte original de Cicéron ont été
retenus par Montaigne :

Cicéron (*De Fin.,* V, 59-60)	*Sed virtutem ipsam natura inchoavit ; **nihil** **amplius.Itaque nostrum est quod nostrum** **dico artis est,** ad ea principia quae accepimus consequentia exquirere, quoad sit id quod volumus effectum.* (De la vertu même la nature a esquissé une ébauche, *pas davantage. C'est donc à nous, et quand je dis "nous", je veux dire la philosophie,* de donner une suite aux principes que nous avons reçus, jusqu'à ce que soit atteint le résultat voulu)

Pour Cicéron, l'"art", c'est-à-dire la philosophie, peut et doit poursuivre jusqu'à son terme, l'aspiration à la vertu que la nature a déposée en l'homme : l'art n'est donc pas un artifice opposé à la nature, il en est l'achèvement, c'est là d'ailleurs une définition d'Aristote. Pour Montaigne, et Pascal après lui, tout au contraire :

> Montaigne :   (b) Il est croyable qu'il y a des loix naturelles : comme il se void aux autres créatures, mais en nous, elles sont perdues, cette belle raison humaine s'ingérant partout de maistriser et commander, brouillant et confondant le visage des choses selon sa vanité et inconstance. (c)*Nihil itaque amplius nostrum est : quod nostrum DICO, artis est.* (Rien ne reste qui soit vraiment notre ; ce que J'APPELLE notre, est production de l'art.) (ii. 12, 580 c)

> Pascal   :   Il y a sans doute des lois naturelles, mais cette belle raison corrompue a tout corrompu. (Elle a tout examiné et gâté). *Nihil itaque amplius nostrum est : quod nostrum DICIMUS artis est.* (Rien ne reste qui soit vraiment notre ; ce que NOUS APPELONS notre, est production de l'art) (B. C., p. 15).

Montaigne exécute cette remarquable parodie avec une économie extrême de moyens, par simple découpage, transformation de la ponctuation et déplacement de *itaque*. Les mots sont bien de Cicéron mais l'invention est de Montaigne. C'est donc lui que cite Pascal, alors qu'il a pu vérifier la source donnée correctement par son édition. Les citations latines profanes des *Pensées* sont pour la plupart, des citations des *Essais*[10].

Pascal emprunte des phrases latines mais ne reproduit pas forcément leur sens : il "cite" lui aussi à la manière de Montaigne, en appliquant les mêmes mots à des situations différentes représentées dans le contexte. On trouve d'ailleurs dans les *Pensées* l'une des formulations les plus remarquables du processus d'invention sémantique par le jeu verbal de la citation : "Quand on joue à la paume, c'est une même balle dont joue l'un et l'autre, mais l'un la place mieux" (L. 25). Un exemple d'application de la même citation aux contextes des *Essais*, de la *Sagesse* et des *Pensées*, permet d'apprécier la polyvalence sémantique d'une formule qui pourrait passer pour un cliché : le fragment de l'*Odyssée* que Montaigne cite deux fois, ainsi que Charron d'après lui, se retrouve au début d'une pensée de Pascal :

> *Lustravit lampade terras.* Le temps et mon humeur ont peu de liaison. J'ai mes brouillards et mon beau temps au dedans de moi ; le bien et le mal de mes affaires mêmes y fait peu. Je m'efforce quelquefois de moi-même contre la fortune. La gloire de la dompter me la fait dompter gaiement, au lieu que je fais quelquefois le dégouté dans la bonne fortune. (B. C. 55 ; B. 107, L. 552)

Pascal contredit Charron aussi bien que Montaigne, mais c'est à ce dernier que son "je" s'adresse, ici comme ailleurs, dans les *Pensées* ; à travers Montaigne, c'est aux Stoïciens, à Cicéron, à S. Augustin qui avaient aussi usé de ce vers, que Pascal se trouve répondre indirectement. Les anciens s'étaient en effet servi de ces vers pour exprimer la puissance des destins.

---

[10] Pascal use aussi de quelques citations de sa propre réserve : l'adage *Ne quid nimis* (rien de trop)(B. 35 ; L. 647), *Plus poetice quam humane locutus es* (tu as parlé en poète plus qu'en homme) (B. 29 ; L. 675), sans compter les passages tirées de Ecritures.

Saint Augustin, dans une méditation sur le destin, commente une pensée de Sénèque à la suite de laquelle il écrit :

> A l'appui de cette pensée viennent ces vers d'Homère, traduits en latin par Cicéron :
> *Tales sunt hominum mentes quali pater ipse*
> *Iuppiter auctiferas lustravit lumine terras*
> (il en est des hommes comme des terres fécondes : ils sont éclairés par Jupiter lui-même, père des dieux.)

Le témoignage que "ce saint", comme dirait Montaigne, nous livre dans la suite, sur la fonction de la citation chez les Stoïciens n'est pas négligeable:

> Une opinion de poète serait de peu de poids dans cette question. Mais comme, au dire de Cicéron, les Stoïciens se réclamaient souvent de ces vers d'Homère pour affirmer la puissance des destins, il s'agit là non de l'opinion d'un poète, mais de celle de ces philosophes ; et, grâce à ce vers qu'ils utilisent dans leurs discussions, leur doctrine sur le destin se dégage très nettement. Pour eux, ce mot désigne Jupiter qu'ils considèrent comme le dieu suprême et dont ils font dépendre l'enchaînement des destins. (*Cité de Dieu*, V, viii, 202)

Saint Augustin, conformément sans doute à la pratique des philosophes du Portique, entend leur intention, comprend leur pensée propre, au travers des mots d'Homère qui en est réduit, en somme, à n'être plus que l'auteur d'une formule, prête à porter le sens voulu par ses usagers qui la citent. Quelle que soit donc l'"opinion" du poète, le distique fameux de l'*Odyssée* (XVIII, 135-6) exprimait, dans un contexte latin, la croyance au fatalisme et au déterminisme cosmique[11]. A l'opposé de la pensée stoïcienne, Pascal use de la même formule grecque pour affirmer son libre-arbitre. Pascal est maître de lui comme Jupiter l'est de l'univers ; son interprétation s'accorde alors avec celle que, d'après Sextus Empiricus, les Physicistes donnaient à ces mêmes vers dans la variante suivante :

> *Terrenorum hominum mens et prudentia talis*
> *Ad qualem ipse diem deducit Juppiter ille*
> (L'esprit et le jugement des hommes sur la terre Sont semblables au jour que Jupiter lui- même octroie)[12]

Pour les Stoïciens en effet, comme pour Héraclite, la raison de l'homme, supérieure à ses sens, participe de la raison divine, figurée ici par l'allégorie de Jupiter. Par la reprise du mot homérique que son riche parcours transtextuel a investi de sens divers et spécifiques, la pensée de Pascal se situe donc à l'intérieur d'un champ sémantique et d'un espace philosophique dont la continuité est soulignée par la citation des mêmes vers ; à l'intérieur de l'espace interlocutif ouvert par la citation, Pascal fait indirectement face aux Stoïciens représentés par Montaigne et par son copiste Charron.

Les trois derniers usagers de ce vers grec donnent un exemple des aléas qui guettent la citation : Charron en répétant l'interprétation de Montaigne, à peu de choses près, place la "balle" au même endroit : la formule ne bouge pas, les "mots ailés" d'Homère risquent de se laisser figer, comme dirait l'autre poète, dans le givre et la glace du cliché. Pascal relance la partie, rembarque ces vers dans une odyssée de l'interprétation, les sauvant ainsi de la trivialité ; Pascal répond à Montaigne comme

---

[11] A propos de ces vers cités par Cicéron dans le *De Fato.*, voir A. Yon, *Cicéron, traité du Destin*, (Paris, 1933), et *supra*, première partie, chap. 3, N. 7.

[12] Sextus Empiricus, *Adversus Logicos*, I. 128, traduction de H. Estienne.

l'indique la présence d'un "je" allocuteur. La relation dialogique n'est par contre jamais inscrite dans le protocole de lecture de la *Sagesse* : voilà une des raisons pour laquelle la "copie" de Pascal nous frappe comme étant plus personnelle que celle de Charron.

Les *Pensées* et la *Sagesse* qui passent à juste titre pour des œuvres originales, usent cependant des mêmes modes de reproduction et de transformation que les copies de lecteur examinées dans la première partie: remaniement de l'expression, élagage, sélection de passages disposés dans une construction nouvelle, ou transcription littérale. Le commentaire n'est pas non plus absent des *Pensées*, mais il y est dégagé de toute visée exégétique. Pascal, à l'instar de Montaigne, rapporte tous les éléments de ses lectures à sa propre invention. Alors que dans leur récriture des *Essais*, les lecteurs-éditeurs ne retiennent pas toujours les citations, les auteurs proprement dits les empruntent au même titre que les paroles de Montaigne. Deux raisons, l'une fournie par la *Sagesse*, l'autre par les *Pensées*, expliquent le maintien des passages étrangers à la prose de Montaigne dans ces deux "copies d'auteur". N'étant pas tenu de dégager le "vrai" Montaigne du "faux" et puisant son bien là où il le trouve, dans les *Essais* comme ailleurs, Charron peut mêler des passages de Huarte et de Montaigne, des citations prises aux *Essais* ou directement à Sénèque et aux Ecritures. Pascal en revanche, n'imite pas à la façon de Charron : paradoxalement, il est beaucoup plus dépendant que lui de Montaigne (sa seule source dans les *Pensées* considérées) mais loin de dissimuler ce fait, il le publie tout en l'utilisant. Les passages latins communs aux *Essais* et aux *Pensées* sont des lieux de rencontre entre les auteurs qui dialoguent sur le mode de la parodie. Des deux "palimpsestes" des *Essais*, seul celui de Pascal possède un relief qu'il doit à la reconnaissance, à la présence d'une voix étrangère.

CHAPITRE III

LA COPIE D'AUTEUR-LECTEUR :
MENTION ET EMPRUNT

Les copies de lecteur et d'auteur ne se distinguent pas sur la base de l'*invention* (les éditions savantes comportent autant d'apports originaux que les textes de Charron), mais selon le mode d'intervention : le commentaire est réservé aux genres de la lecture (édition, glose, critique) qui, loin de s'approprier le texte reproduit, gardent une distance à son égard en l'attribuant à son auteur. Au contraire, dans les genres dits littéraires, qu'ils épousent ou non le registre fictif, les textes empruntés sont mis au compte de l'auteur d'une copie qui passe pour une œuvre originale ; la "littérature" comprend les textes dits d'auteurs, quel que soit le mode de production, par invention ou copie.

Entre les textes d'auteur et de lecteur, entre la littérature et la glose, il existe un genre mixte qui réunit la reproduction et l'invention : les *Essais* où Montaigne se présente en même temps comme acteur de ses lectures et comme auteur de son livre peuvent passer pour une "copie d'auteur-lecteur".

Trois types de relations se dégagent des genres sous lesquels se rangent les modes de copie : 1) la référence à l'auteur reproduit, 2) l'appropriation de son texte par l'auteur qui reproduit, 3) la double référence au producteur et à l'usager reproducteur. Considérée comme une "copie", la citation relève du troisième type puisqu'elle repose à la fois sur la mention d'une origine étrangère et sur l'utilisation qui en est faite dans le texte réceptacle. La citation est fondée sur une relation double qui rattache un texte à son auteur-producteur et à son acteur-utilisateur ; elle représente la double postulation qui est constitutive de la copie d'auteur-acteur ou d'auteur-lecteur, dont les *Essais* sont un exemple ; cette œuvre mêlée de lectures et d'observations personnelles, de rapports et de jugements de l'auteur est en somme l'expansion, à l'échelle du livre, de la relation citationnelle qui, en faisant d'un texte reçu un objet d'usage, en transformant le lieu de la lecture et de la reproduction en un lieu d'écriture et d'invention, joue sur le double rapport d'un texte à son inventeur et à son usager. Les citations désignent le genre insolite des *Essais*, à la façon d'un emblème que Montaigne surimpose à son texte avec une fréquence accrue au fur et à mesure qu'il le relit et qu'il l'augmente ; loin d'être un ornement superfétatoire, elles témoignent d'une réflexion sur le mode d'écriture que Montaigne développe d'autant plus qu'il se met lui-même à nu. Les représentations de la matière et de la manière d'écrire progressent parallèlement, l'auto-portrait du locuteur s'accompagne de la représentation de sa parole. Montaigne étant donc lecteur et inventeur, le double mode de production de son énoncé se manifeste dans la citation qui est en somme, un geste de reconnaissance envers les auteurs, conférant au lecteur-écrivain l'autorialité. Montaigne acquiert son droit d'auteur par l'accomplissement de ses devoirs de lecteur.

1. MENTION ET UTILISATION

Le concept moderne de citation se compose de deux relations qui se trouvent explicitement distinguées dans le latin classique encore d'usage au siècle de Montaigne ; lorsqu'Erasme écrit : "je vais utiliser les mots de Quintilien" (*utar Quintiliani verbis*) (*De copia,* LB I, 78 A), il n'entend pas citer (*citare*) l'auteur des *Institutions Oratoires*, puisque la présentation des mots qu'il emprunte ne correspond à aucune de celles qu'il a recensées dans la section du *De copia verborum* (LB I, 46 F-47 A), qui est consacrée aux quelque quarante façons d'alléguer[13]. Lorsqu'il se sert des mots de Quintilien, il les reproduit, tout en mentionnant leur auteur et en cela seulement il "cite" Quintilien ; cet exemple présente la double fonction de la citation, dans son acception moderne : la *mention* référentielle de l'origine et l'*utilisation* des mots reproduits.

Uti peut, dans le français de Montaigne, correspondre au mot "emprunter" ; Montaigne emprunte non seulement des mots (*verba*) mais aussi des "choses" (*res*) ; il se sert des mots et des faits qu'il rencontre au cours de ses lectures. Mais, quelle que soit la nature de ses emprunts, le protocole de lecture est le même : "car les histoires que j'emprunte, je les renvoie sur la conscience de ceux de qui je les prens" (i. 21, l05 a) ; est-ce alors afin de dégager sa responsabilité morale que Montaigne écrit : "j'aimerais quelqu'un qui me sçache deplumer" (ii. 10, 408 c) ? Mais, si tel était le cas, il lui suffirait de ne pas dissimuler ses "larrecins". La stratégie de l'acteur en tant qu'utilisateur ou interprète de ses citations, lorsqu'il se fait passer pour l'auteur de ses copies semble être dictée par la prudence autant que par un esprit ludique et malicieux : il n'avoue pas toujours sa dette, afin de tendre des pièges à ses censeurs (*ibid.*). Que ses emprunts soient donc factuels ou verbaux, Montaigne invite à une lecture érudite qui puisse faire le partage entre l'invention des idées et la formulation originale d'un lieu commun, ce à quoi se sont employés les éditeurs "intellecteurs" dont les annotations savantes sont donc programmées comme une expansion des *Essais* au moyen du mode même d'écriture empruntée qui constitue la "copie" de Montaigne.

L'emprunt est identifiable car il n'est pas complètement assimilé : sa transformation constitue un seuil limite au delà duquel il passe pour un texte nouveau, produit par l'auteur :

---

[13] *Cf.* Appendice III.

ainsi les pièces empruntées d'autruy, il les transformera et confondra pour en faire un ouvrage tout sien (i. 25, 152 a)

L'emprunt résiste à l'appropriation par son rapport à l' origine, que désigne une forme de mention, qui disparaît donc lorsque le texte est complètement utilisé dans la production d' une imitation originale. Montaigne distingue en effet l'*emprunt* de l'*imitation* : "ou par emprunt ou par imitation" (iii. 12, 1040 c). Les modes de reproduction ont donc pour limites extrêmes, d'une part la *mention* qui renvoie l'emprunt tout entier "sur la conscience" de qui Montaigne l'a pris, d'autre part l'*utilisation* poussée jusqu'à la transformation qui marque le seuil de passage de l'emprunt à l'imitation. C'est entre ces deux pôles que s'étend le spectre de la citation dans les *Essais* : elle correspond en effet à des dosages divers de mention "exocentrique" dans les emprunts avoués, et d'utilisation "endocentrique" dans les larrecins dissimulés en français[14]. La citation est une forme de déjà dit, une copie qui, dans les *Essais* a la particularité de porter principalement sur une langue étrangère. Etant donné que, dans le français de Montaigne et de son temps, la citation n'a pas encore de nom qui définisse son domaine, ce sont les modes de reproduction qu'elle recouvre qu'il s'agit d'analyser.

La distinction que nous avons observée plus haut, dans les écrits d'Erasme, conformes d'ailleurs en cela à l'usage des prosateurs latins classiques, entre *citare* et *uti* est à rapprocher de l'analyse de la citation que propose Quine[15]. Dans une phrase comme *Boston est une grande ville* le nom *Boston* sert à désigner la capitale du Massachusetts, le lieu

---

[14] *Cf.* C. Blum, "La fonction du *déjà dit* dans les *Essais* : emprunter, alléguer, citer", *CAIEF*, 33 (1981), p. 45.

[15] *From a logical point of view* (Cambridge, 1961), pp. 23, 26. Sur la controverse entre logiciens et linguistes à propos de la distinction de Quine, entre "use" et "mention", voir J. Rey-Debove, *Le métalangage* (Paris : le Robert, 1978) pp. 90, 110.

géographique de Harvard et du MIT, entre autres titres de notoriété qui
sont attachés au signifié de *Boston* qui est donc ici un signe utilisé (*used*)
pour indiquer autre chose que lui-même. Dans *"Boston" est un mot
disyllabique*, le même mot, placé en position citationnelle, entre
guillemets, perd, selon Quine, sa fonction signifiante : il ne sert plus à rien
d'autre qu'à se désigner lui-même comme un objet scriptuaire ou vocal
insignifiant ; la *mention* réflexive ou autonymique, du signifiant matériel
exclut l'utilisation du signifié.

Cependant l'examen de mots en position autonymique, dont les
Essais constituent une "gardoire" exceptionnelle, invite à faire une
distinction moins exclusive entre la mention du signifiant et l'utilisation du
signifié. Ainsi lorsque Montaigne explique pourquoi

"spongia" est un mot obscène en latin (i. 49, 298 a)

il semble bien que l'objet signifié par le mot *spongia* (que Rabelais aurait
pu traduire par "torche-cul") soit inséparable des syllabes, pourtant en
elles-mêmes innocentes, qui lui servent de nom en latin. Le mot latin est
bien cité dans la phrase de Montaigne, mais c'est de la nature du prédicat
que dépend l'attribution de la force signifiante ou de la fonction purement
autonymique du mot qui lui est sujet. Pour que la mention du signe
spongia exclue l'utilisation de son signifié "éponge", il suffirait de dire :
"Spongia" est un mot latin. La phrase de Montaigne comprend bien le
prédicat qui effectue la mention autonymique du mot sujet ("un mot... en
latin"), mais le prédicat "obscène" ne pouvant porter que sur le signifié ou
l'usage du mot *spongia*, le mot cité comporte à la fois un degré de mention
(dans la reproduction de la forme latine) et un degré d'utilisation (dû au
fait que le prédicat qualifie son signifié). Il revient donc, au prédicat dans
la phrase, et au contexte dans le discours, de déterminer le dosage de
mention et d'utilisation qui est propre au mot ou à l'expression cités.

Puisqu'il y a dans les *Essais* toute une échelle de modes de copie (depuis la traduction jusqu'à l'allégation d'auteur reproduite en langue étrangère), il convient d' établir une gradation fondée sur une relation complémentaire entre les paramètres de la *mention* et de l'*utilisation*.

Les "larrecins" correspondent à un fort degré d'utilisation, dû non seulement à l'absence de mention de la provenance étrangère mais aussi à la transformation de l'élément signifiant : Montaigne puise en effet chez les auteurs latins qu'il traduit lui-même[16]. Par conséquent la reproduction en langue originale constitue une forme de mention dont l'existence ne dépend plus de la compétence du lecteur. Cependant l'insertion d'une langue étrangère constitue un écart qui pourrait servir à mettre en relief aussi bien le français de Montaigne que le latin de Sénèque, si les deux langues se trouvaient être représentées à proportion égale dans les *Essais* ; mais les passages en latin, en grec et en italien étant largement minoritaires, l'écart joue en leur faveur pour les mettre en relief.

2. MENTION TYPOGRAPHIQUE : LE PARTAGE DES "VOIX"

Les signes de mention sont de deux ordres : non verbaux ou typographiques, et linguistiques. La typographie des éditions de l'Angelier est appropriée à la diversité des langues : ainsi l'italique indique le latin et non pas, comme dans l'usage moderne où il remplace souvent les guillemets, le rapport d'un discours au style direct. La mention

---

[16] Quant aux textes français que Montaigne démarque, ils comportent un certain degré d'adaptation : *cf.* P. Villey, *Les livres d'histoire moderne utilisés par Montaigne* (Paris : Hachette, 1908). Lorsqu'il puise dans la traduction française de Plutarque dont "les mots valent mieux que les siens" (i. 47, 284 a), Montaigne fait sienne la langue d'Amyot par des altérations qui laissent cependant percevoir aisément le modèle, à moins qu'il ne cite des vers grecs traduits en français (i. 4, 24 a. iii, 13, 1115 c).

graphique désigne donc seulement la forme matérielle de la langue, sa qualité physique que Montaigne appelle la *voix*. La qualité rythmique des vers est, quant à elle, soulignée par la disposition interlinéaire, forme de mention typographique, qui indique seulement, comme la précédente, une origine étrangère, la "voix" (dite ou chantée) d'une communauté linguistique et non pas d'un auteur. Montaigne est fort conscient de la qualité physique de la langue, de la matérialité du signifiant : " 'Guillaume', qu'est-ce qu'une voix pour tous potages ?" (i. 46, 279 a). Pourquoi Montaigne transcrit-il en latin plutôt qu'en français, la litanie des noms propres qui composent la plus curieuse citation des *Essais* :

> *Smyrna, Rhodos, Colophon, Salamis, Chios, Argos, Athenas* (Trad. d'un vers grec cité par Aulu-Gelle, *Noct. Att.*, III, xi) (ii. 36, 753 a)

Ces noms ne sont-ils pas, à la limite, insignifiants et pleins seulement des voix, grecque et latine, confondues ? La sensibilité, la sensualité auditive et orale de Montaigne, lorsqu'il entend ou (ré)cite du latin, fait l'objet d'un commentaire à propos "des vers de Virgile" (iii. 5), nous y reviendrons. On ne saurait attacher trop d'importance à la "réalité", à la qualité physique de la langue pour Montaigne ; la citation est pour lui un avènement de la langue latine, et, accessoirement, de l'italien. C'est après son voyage en Italie que Montaigne ajoute, dans l'édition de 1582, une dizaine de vers de Boccace, de Pétrarque, de l'Arioste, du Tasse. Or, qu'est-ce pour Montaigne que l'italien ? une variante morphologique du latin, donc du français et du gascon. Lorsqu'il rappelle en effet, que pour se faire entendre en Italie, il suffit d'ajouter une terminaison italienne à quelque mot latin, français, espagnol ou gascon, Montaigne a bien le sentiment d'une parenté entre ces langues qui ne diffèrent, selon lui, que par les désinences morphologiques (ii. 12, 546 b). Ainsi les citations du latin, de l'italien et du gascon, dans les *Essais*, mettent en valeur la physique particulière de langues germaines par leur lignage latin[17].

La question qui se pose au lecteur, comme sans doute préalablement à l'auteur, est naturellement celle de la raison qui préside au choix d'une version latine plutôt que française d'une citation qui sera donc avouée ou dissimulée. Pourquoi telles phrases en prose des dernières additions sont-elles en latin, et d'autres traduites ? Les hésitations de Montaigne que trahissent ses ratures dans l'exemplaire de Bordeaux peuvent souvent s'interpréter comme un effort pour rivaliser avec le style de "ces vieux champions", dont le maître est incontestablement Sénèque[18] ; il semble que Montaigne s'en tienne au modèle latin lorsque "le français lui fait défaut". Mais d'autres raisons se mêlent à la raison linguistique, notamment dans l'exemplaire de Bordeaux le désir de donner à son livre l'autorité que confère un "langage pérégrin" :

> L'authorité peut seule envers les communs entendements (oïouns la voix du maistre. Je ne tire mes folies que des plus severes escholes.)
> (Le passage entre parenthèses, est biffé dans l'Ex. de Bordeaux, vol. 3, p. 303 (495))

Le passage qui allègue en français le "maître Sénèque, est biffé, pour être remplacé par l'aveu suivant : "et poise plus en langage pérégrin". Sur quoi, Montaigne passe à la pratique :

---

[17] La matérialité de la voix, manifeste dans un vocable dépourvu de signifié comme le nom propre, est une signification du mot "voix" qui se trouve dans plusieurs emplois qu'en fait Montaigne (i. 10, 40 b ; i. 14, 59 a ; i. 20, 84 b ; i. 21, 92 a ; i. 24, 125 a ; i. 24, 131 b ; i. 26, 146 a ; i. 26, 176 b). Dans l'expression "la voie (sic) de la raison non pas la voix commune" (i. 31, 202 a), le langage mental de la raison n'est justement pas une voix.

[18] *Cf.* R. Fromilhague, "Montaigne et la nouvelle rhétorique" in *Critique et création littéraire en France au XVIIIe siècle* (Paris : CNRS, 1977), pp. 57-67.

L'authorité peut seule envers les communs entendemens, et poise plus en langage peregrin. Reschargeons en ce lieu. *Stultitiae proprium quis non dixerit, ignave et contumaciter facere quae facienda sunt, et alio corpus impellere, alio animum, distrahique inter diversissimos motus* (Sén., *Ep*. LXXIV) (iii, 13, 1114 c)

Il est remarquable que la mention de l'auteur ait moins de poids que celle de ses mots en latin : le seul usage de la langue d'auteur qu'est le latin constitue donc une "autorité" à laquelle Montaigne recourt abondamment dans les éditions parisiennes des *Essais*.

Dans la seconde édition de 1588, Montaigne ajoute en effet de nombreux vers qui illustrent un passage français de 1580 avec une telle justesse qu'il semble avoir tenu à révéler le modèle qu'il aurait imité dans sa première édition. Sans doute l'interprétation inverse est-elle également valable : Montaigne découvre un passage qui corrobore sa pensée première ; mais comme celle-ci s'est formée par ses lectures, il s'avère que la spontanéité de Montaigne, sa forme "naïve" est riche d'une innutrition latine, commencée dès l'enfance. L'addition tardive d'une citation vient donc révéler le modèle délibérément imité ou inconsciemment remémoré dans la première rédaction :

(a) L'âme qui n'a point de but établi, elle se perd : car, comme on dit, c'est n'être en aucun lieu que d'être partout
(b) *Quisquis ubique habitat, Maxime, nusquam habitat*
(celui qui habite partout, Maxime,il n'habite nulle part) (i.8,32b)

Montaigne a d'abord fait une allégation en français "comme on dict", qu'il a complétée ensuite par une citation latine dont l'auteur (Martial, VII, lxxiii) n'est pas nommé. Des exemples analogues sont assez nombreux en 1588, citons encore pour mémoire :

(a) et secoue comme un joug tyrannique toutes les impressions qu'il avoit receues par l'authorité des loix ou reverence de l'ancien usage,

(b) *Nam cupide concultatur nimis ante metum* (car on foule aux pieds passionnément ce qu'auparavant on avait trop redouté) (Lucr., V, 1139) (ii. 12, 439)[19]

La version française est une traduction approchée de la sentence latine dont elle a la frappante concision. La correspondance entre les textes français et latins s'établit aussi à propos d'un exemple curieux :

(a) Ceux qui ont la jaunisse, ils voyent toutes choses jaunatres et plus pasles que nous :

(b) *Lurida praeterea fiunt quaecumque tuentur*
Arquati
(Tous les objets deviennent jaunes pour qui les regarde, ayant la jaunisse) (Lucr. 12, 597) (ii. 12, 597)

On peut observer encore la même démarche dans l'exemplaire de Bordeaux :

(a) C'est bien loing de fuir le mal et la douleur, ce que disent les Sages, que des actions égallement bonnes, celle-là est plus souhaitable à faire, où il y a plus de peine : (c) *Non enim hilaritate, nec lascivia, nec risu aut joco comite levitatis sed saepe etiam tristes firmitate et constantia sunt beati.*
(ce n'est pas en effet dans la joie et les plaisirs, dans les rires et les jeux, compagnons de la légèreté, qu'on est heureux ; on l'est

---

[19] i. 2, 12 ; i. 4, 22 ; i. 30, , 200 ; i. 39, 241 ; ii. 12, 445 (la citation de Lucrèce se trouve dans l'édition de 1588, bien qu'elle ne soit pas marquée dans l'édition V. -S.) ; ii. 12, 466. A noter la substitution, en 1588, d'une citation (de Perse), plus proche du pré-texte français que la première citation (Horace, Ep. I. xi, 22), dans i. 30, 246.

aussi souvent dans la tristesse par la fermeté et la constance)
(Cic., *De fin.*, II, xx) (i. 14, 57)[20]

Comme si l'allégation des "Sages" était d'une autorité insuffisante,
Montaigne recourt là aussi à l'autorité du "langage peregrin" ; il fait une
citation de langue, plus authentique, donc plus efficace, que la mention
des auteurs. Mais bien que ce soit seulement dans l'exemplaire de
Bordeaux que Montaigne déclare citer du latin pour donner du poids à ses
"folies", sa pratique remonte même à la première édition des *Essais*, si l'on
en juge par cet autre exemple de double version, franco-latine, de la même
phrase :

> Mais c'est une vieille et plaisante question, si l'âme du sage
> seroit pour se rendre à la force du vin,
> *Si munitiae adhibet vim sapientiae*
> (si le vin peut faire violence à une *sagesse* bien retranchée)
> (Hor., *Odes*, III, xxviii, 4) (ii. 2, 345 a)

On observe cependant une tendance inverse, plus marquée dans les
citations de prose de l'exemplaire de Bordeaux, à introduire une phrase
latine à laquelle ne prépare aucune paraphrase ou imitation[21]. Les deux
attitudes coexistent dans le passage suivant :

> (b) Par ainsi ne vous tenez pas à leur sentence ; tenez-vous à la
> vostre. (c) *Tuo tibi judicio est utendum. Virtutis et vitiorum
> grave ipsius conscientiae pondus est, qua sublata, jacent omnia.*
> (C'est de votre jugement à vous que vous devez faire usage)
> (Cic., *Tusc.*, I, xxiii).

---

[20] *Cf.* i. 14, 57 ; i. 42, 528 ; ii. 12, 528, 595.
[21] Voir encore i. 4, 25 c ; i. 5, 25 c. I. 6, 29 c, 37 b ; i. 23, 120 c, 121 c ; i. 25,
140 c ; ii. 12, 533 c.

(le témoignage que la conscience se rend elle-même du vice et de la vertu est d'un grand poids : supprimez-la, tout est à terre) (Cic., *De nat. deorum*, III, xxxv) (iii. 2, 808 c)

Montaigne fait suivre la sentence des *Tusculanes*, qui était traduite en 1588, d'un passage du *De natura deorum* que seul le lecteur suffisant en latin peut comprendre. D'une part le latin apporte un supplément au français, d'autre part il le supplée complètement ; Montaigne écrit alors un texte bilingue. Mais ce bilinguisme peut être aussi l'effet de la négligence du lecteur ou de son défaut de mémoire, s'il ne relève pas les "larrecins" que dénoncent les citations à plusieurs pages et même plusieurs chapitres de distance. L'un des fils lexicaux et thématiques qui donnent sa cohérence "philologique" au discours souvent contradictoire de Montaigne, composé comme "l'armonie du monde, de choses contraires", est justement ce thème de la *concordia discors*, développé dans le dernier essai (iii. 13. 1089 c) et mentionné comme tel, en latin, dans la citation d'Horace qui se trouve au milieu des *Essais*, dans l'Apologie de R. Sebond :

Quid velit et possit rerum concordia discors
(quel est le but et le résultat de cette concorde entre tant d'éléments discordants) (Hor., *Ep.* i, xii, 19) (ii. 123, 538 a)[22]

Un autre thème, la méditation sur la mort, est posé dans le premier livre par l'allégation de Cicéron en français :

Cicero dit que philosopher ce n'est autre chose que s'apprester à la mort (i. 20, 81 a)

---

[22] *Cf.* J. Brody, *Lectures de Montaigne*, pp. 61-63 ; 78-85.

L'original latin de la sentence de Cicéron est reproduit, mais sans mention d'auteur, vers la fin des *Essais* :

> *Tota philosophorum vita commentatio mortis est*
> (la vie des philosophes tout entiere est une étude de la mort) (iii. 12, 1051 c)

Pour le lecteur ignorant du latin, l'emprunt étranger n'est qu'une forme vide de sens qu'il peut contourner sans dommage pour la compréhension de la suite du discours. Un double parcours de lecture est en effet offert, comme dans le passage suivant :

> Son feu, je le confesse,
>   *neque enim est dea nescia nostri*
>   *Quae dulcem curis miscet amaritiem,*
> est plus actif, plus cuisant et plus âpre. (i. 28, 185-186a)

Le latin se greffe sur la phrase française par une articulation logique (*enim*, en effet) qui introduit une confidence voilée par la langue étrangère :

> car nous ne sommes pas inconnus à la déesse qui mêle une douce amertume aux soucis de l'amour. (Catulle, *Epigr.*, LXVIII, 17)

L'aveu couvert de la *persona* de Catulle qu'interprète Montaigne, peut être ignoré du lecteur français auquel un court-circuit est clairement indiqué par la disjonction des deux constituants essentiels de la phrase française, de part et d'autre de la citation : le sujet ("son feu") trouve son prédicat ("est plus actif") après la parenthèse latine. Cependant la tendance opposée, selon laquelle la phrase latine est insérée syntaxiquement dans le contexte français, quoique plus rare, se rencontre aussi :

il serait d'aussi mauvais exemple de l'empêcher que de le tuer :
d'autant que

Invitum qui servat idem facit occidenti

(sauver un homme malgré lui, c'est le tuer) (i. 13, 610 a)

Mais là encore, cette tendance, plus marquée dans la dernière version des *Essais*, apparaît dès 1580, puisqu'un proverbe latin, accessible, il est vrai, même au lecteur français, est inséré dans la phrase française comme complément d'un verbe de présentation, "j'ai trouvé"

J'ai trouvé que *magis magnos clericos non sunt magis magnos sapientes* (i. 12, 134 a)[23]

Les cas de sabir franco-latin sont cependant relativement peu fréquents, aussi ne saurait-on appliquer à Montaigne les attaques lancées contre les jargonneurs par Rabelais, au début du siècle, puis par H. Estienne dans ses *Dialogues du nouveau langage français et italianisé* (1565). Lorsqu'il introduit une expression ou un mot idiomatique étranger, Montaigne les fait en effet le plus souvent précéder d'une mention citationnelle : "les uns qu'ils nommaient *philologous*" (i. 26, 173 a), "Heraclitus en a été nommé *skoteinos* " (ii. 12, 508 b), "ce petit poisson que les latins nomment *remora* " (ii. 12, 468 b), "les Romains avaient des chevaux qu'ils appelaient *funales* ou *dextrarios*" (i. 48, 287 a). La mention peut être accompagnée d'une traduction : "leur mot sacramental c'est *epechô*, c'est-à-dire, je soutiens, je ne bouge" (ii. 12, 505 a), "les nommant nécessiteux d'honneur, *bisognoni d'honore* " (i. 34, 741 a). La traduction

---

[23] Autres citations syntaxiquement liées : i. 13, 610 a ; i. 23, 121 c (Cotta proteste... *Quum...*) ; i. 26, 158 a-b ; i. 42, 260 a (est-il *sapiens...*) ; ii. 12, 494-495 c (Et cela est faux : *Est situm...* Et ceci est vray : *Memini...*) ; iii. 12, 1047 c.

accompagne souvent les sentences grecques[24], mais les vers italiens entretiennent avec le contexte français la même relation que les passages en latin. Le bilinguisme est dû à l'absence d'équivalent sémantique français, comme dans :

(c) l'effort de la tristesse venant à glacer ses esprits vitaux, le porta roide mort par terre.
(a) *Chi puo dir com'egli arde e in picciol fuoco* (Qui peut dire à quel point il brûle est dans un petit feu) (i. 2, 12-13)

Dans l'exemple suivant, la sentence du Tasse s'enchaîne directement à la première partie de la phrase :

(a) Quand je commençai à y voir, ce fut d'une vue si faible et si morte que je ne discernois encore rien de la lumière,
(b)*come quel ch'or apre or chiude*
Gli occhi, mezzo tra'l sonno è l'esser desto.
(comme un homme qui tantôt ouvre les yeux et tantôt les ferme, moitié endormi et moitié éveillé) (ii. 6, 374)

En l'absence d'une traduction, le lecteur ignorant l'italien peut cependant comprendre le proverbe *ogni medaglia ha il suo riverso* (toute médaille a son revers) (iii. 11, 1035 b), qui pourrait confirmer la conception que Montaigne se fait de la formation de l'italien à partir du français[25] ! Par contre, la connaissance du latin supplée l'ignorance de l'italien lorsque

---

[24] i. 25, 140 a ; i. 34, 222 a ; i. 47, 281 a ; ii. 2, 347 a, ii. 12, 496 a, 498 a, 526 a ; iii. 6, 903 b ; iii. 11, 1033 b. Traduction supprimée en 1588 : i. 25, 138 a. Plusieurs vers cités sans traduction : i. 33, 218 a.

[25] La citation italienne est annoncée par un pré-texte français : dans : i. 17, 72 ; ii. 8, 390 ; ii. 12, 458 a, 494 b. Un supplément d'italien, ne se trouve pas traduit dans : ii. 9, 405 a ; ii. 12, 497 a ; ii. 16, 623 a ; ii. 27, 698 b.

Montaigne cite le mot fameux de Maharbal chez Tite-Live, dans la version de Pétrarque :

> *Vinse Hannibal et non seppe usar' poi*
> *Ben la vittoriosa sua ventura*
> (sonnet LXXXII) (i. 47, 281 a)

Les *Essais* comportent donc un certain degré de bilinguisme qui implique une double lecture, par laquelle les lecteurs limités au français se trouvent souvent exclus des *Essais* en latin. Même l'imitation française des vers cités laisse un résidu étranger accessible au seul lecteur suffisant en latin et en italien. Or le partage des "voix", latine et française, s'affirme par la suppression des traductions qui accompagnaient les quelques citations de proses introduites des 1580[26]. Une rupture, ou du moins un partage linguistique, se précise, dans lequel on peut voir la manifestation d'une situation linguistique qui prévaut à la fin du XVIe siècle où le français et le latin n'entrent plus en concurrence, mais deviennent les langues propres à des cercles de lecteurs distincts.

3. DISCOURS DIRECT

Les formules métalinguistiques "ce mot", "dit X", "dis-je", introduisent un discours rapporté au style direct, en français ou en latin, ce qui présuppose l'existence d'un un sujet de l'énonciation, dont la représentation connaît plusieurs degrés. "Ce mot", "ce vers", renvoient à un rapporteur collectif ou livresque ; en ce dernier cas c'est l'auteur et non le titre de son ouvrage qui est nommé : "comme dit cet ancien poète chez

---

[26] i. 53, 310 ; ii. 14, 611.

Plutarque" (i. 4, 24 a). L'auteur du discours rapporté peut même être désigné par un pronom : "celuy là", ou par un nom. Nombre d'auteurs et de personnages plus ou moins illustres, dont les paroles sont reproduites et traduites en français, sont présentés par leur nom : "Epicurus dit que" (i. 14, 62 b), "Aristote dit que" (i. 20, 92 a), "ce que dit César que" (i. 20, 90 a), "Cicéron dit que" (i. 2, 44c ; i. 20, 81 a), "les Achaïens, dit Polybe" (i. 5, 25 C), "il espérait, dit l'évêque Osorius" (i. 14, 53 c), "nous savons les choses en songe, dit Platon" (ii. 12, 501 c). Les citations en langue étrangère sont plus rarement présentées comme un mot d'auteur. Montaigne désigne par "celuy là", l'auteur d'une sentence proverbiale :

> Et comme disoit celuy là, aussi poëtiquement en sa prose, *cum res animum occupavere, verba ambiunt.* Et cet autre : *Ipsae res verba rapiunt.* (Sén. rhet., *Contr.*, III, Proem. ; Cic., *De fin.*, III, v) (i. 26, 169)

Le déictique pose l'auteur comme un locuteur parmi d'autres, au nombre desquels Cicéron, désigné ici par "cet autre", et ailleurs par "celuy là" :

> Celuy là dict encore plus : *Ego hoc judico...* (ii. 16, 624 c)

La mention d'une origine de la parole s'interpose entre les mots empruntés et l'auteur-acteur qui leur prête sa voix sans les altérer. La citation se présente alors comme un discours rapporté au style direct et sans intervention de Montaigne. Or les auteurs dans lesquels il puise le plus, Sénèque et Plutarque, sont exceptionnellement mentionnés devant les mots qu'il leur emprunte. Lorsque Montaigne prend la "defence de Sénèque et de Plutarque" (ii. 32), il s'attache à justifier la confiance que le premier inspire, par sa vertu, et le second, par son talent d'historien.

Montaigne paie en quelque sorte sa reconnaissance de dette envers ces "personnages" qui sont aussi des auteurs des dépouilles desquelles "il a massonné son livre" (ii. 32, 721 c). Quant à l'originalité de la pensée, ce n'est point ce que Montaigne recherche en ces disciples des grandes écoles de la sagesse antique : " Plutarque a les opinions platoniques", "Sénèque les a stoïques et épicuriennes" (ii. 10, 413 a). Montaigne cependant ne néglige pas la distinction entre l'invention et ce qui est emprunté, mais il est assez prudent à l'égard de l'attribution d'authenticité :

> quand nous voyons quelque belle invention en un poëte nouveau, quelque fort argument en un prescheur, nous n'osons pourtant les louer que nous n'ayons prins instruction de quelque sçavant si cette pièce leur est propre ou estrangere ; jusques lors je me tiens tousjours sur mes gardes. (iii. 8, 940 b)

Cette réflexion fait suite, en la commentant, à une anecdote personnelle, tirée de l'expérience de Montaigne lecteur :

> (b) Quand je leus Philippe de Comines, il y a plusieurs années, tresbon autheur certes, j'y remarquay ce mot pour non vulgaire : qu'il se faut bien garder de faire tant de services à son maistre, qu'on l'empeche de trouver la juste recompense. Je devois louer l'invention, non pas luy ; je la rencontray en Tacitus, il n'y a pas longtemps : *Beneficia eo usque laeta sunt dum videntur exsolvi posse ; ubi multum antevenere, pro gratia odium redditur.* (c) Et Sénèque vigoreusement : *Nam qui putat esse turpe non reddere, non vult esse cui reddat.* Q. Cicero d'un biais plus lache : *Qui se non putat satisfacere, amicus nullo modo potest.* (iii. 8, 940)

Dans cet exemple, les citations sont de rigueur pour reproduire les mots par où chaque auteur, qu'il convient ici de nommer, se distingue des autres dans l'expression d'une idée, d'une "invention", qui leur est commune. La distinction très nette que Montaigne établit ici entre la matière et la formulation qui est propre à chaque auteur, invite à considérer les citations comme un emprunt strictement verbal, et les larrecins comme un emprunt du contenu ; dans les deux cas, Montaigne se sert de ses lectures, mais l'utilisation de l'"invention" est dissimulée par une formulation personnelle en français. Mais, qu'ils soient inventeurs de mots ou de matière, les auteurs sont rarement désignés comme la source de l'emprunt. Sénèque, cité en latin soixante dix-sept fois, n'est jamais mentionné comme auteur de ses mots, si ce n'est dans le passage ci-dessus ; devant les autres citations, il est désigné génériquement comme "ce philosophe stoïcien" (ii. 12, 554 c), le porte-parole des philosophes du Portique, ou simplement comme "l'autre" (i. 26, 171 c). Par contre, en contexte français, les opinions et les actions de ce "personnage" valent à Sénèque d'être souvent nommé (quarante-trois fois). Plutarque, mentionné en contexte français plus souvent encore que Sénèque (quatre vingt-neuf fois), ne l'est qu'une seule fois devant la citation d' "un poëte" que Montaigne reproduit d'après lui (i. 4, 24 a), ce qui n'est pas surprenant, puisque cet auteur que Montaigne lit en traduction, lui fournit avant tout sa matière. Les mentions relativement nombreuses de Sénèque et de Plutarque, auxquels Montaigne fait de nombreux emprunts d'exemples et d'opinions, témoignent moins du respect qu'il pourrait concevoir envers ses sources que de la longue accointance, de la familiarité qu'il entretient avec Sénèque qu'il appelle "mon Seneca" (ii. 12, 489 a) et avec Plutarque. Par contre Cicéron qui fournit une abondance de matière (cent emprunts) et de mots (cent quatre vingt-dix

citations), est plus souvent nommé devant ses propres mots (onze fois),
sans compter sa désignation purement déictique ("celuy là", "l'autre")[27] ;
mais Montaigne s'en explique ainsi :

> *Qua facie quidem sit animus, aut ubi habitet ne quaerendum
> quidem est,* dit Cicero. Je laisse volontiers à cet homme ses
> mots propres. Irais-je altérer à l'éloquence de son parler ? Joint
> qu'il y a peu d'acquêt à dérober la matière de ses inventions :
> elles sont et peu fréquentes et peu raides et peu ignorées. (ii. 12,
> 543 c)

C'est au titre d'inventeur de mots que Cicéron acquiert une identité
nominale, dont est aussi doté saint Augustin : nommé devant cinq des dix-
neuf citations que Montaigne tire de la *Cité de Dieu,* et devant trois autres,
désigné génériquement comme "ce saint" ou "un saint père". Les poètes
que Montaigne admire et cite souvent, Virgile et Lucrèce, ne sont nommés
comme auteurs des vers que cite Montaigne, qu'à l'occasion de l'essai qui
les commente (iii. 5, 849 c ; 872 b) ; Horace et Martial ne le sont qu'une
fois (i. 26, 170 b ; ii. 10, 412 a). Mais aux auteurs qu'il utilise fort peu,
Montaigne donne leur nom devant l'unique citation qu'il en fait : Végèce
(ii. 12, 575 c), Apulée (ii. 12, 572 c), Metrodorus (ii. 2, 346 c),
Antisthènes (ii. 12, 347 c), Théophraste, par l'intermédiaire de Cicéron
qui l'a latinisé (iii. 9, 984 c)[28]. Il convient de noter que trois de ces auteurs

---

[27] Cicéron est nommé comme auteur de la citation dans : i. 11, 41 c ; i. 14, 54 c,
59 c ; ii. 12, 499 c, 507 c, 538 c, 543 c (deux fois), 564 a ; iii. 8, 940 c ; il est désigné
par une description : "le plus glorieux homme du monde" (iii. 9, 1023 c), par "cet autre"
(i. 25, 132 ; ii. 12, 469 c), "cestuy-là" (ii. 12, 428). Il est nommé en contexte français
trente-sept fois.

[28] Autres auteurs de citations qui leur sont nommément attribuées : Du Bellay (i.
25, 133 a) ; Tite-Live (i. 48, 289 c ; ii. 9, 403 c ; ii. 22, 680 c). Cesar (i. 49, 297a ; i.
52, 310 a ; ii. 12, 606 a). Plaute (i. 55, 314 a) ; Euripide (i. 56, 322 c ; ii. 12, 510 a).

sont cités comme témoins dans l'Apologie, dont l'orientation persuasive, en la distinguant des autres essais, la rapproche des discours démonstratifs qui font appel aux preuves externes et internes. Au total, sur les quelque quinze-cents citations des *Essais*, trente-sept seulement sont accompagnées du nom de leur auteur et, dans la même proportion, de la mention déictique d'un locuteur. Il est donc manifeste que Montaigne assume la responsabilité de l'énonciation de la plupart des mots qu'il cite, étant entendu qu'ils ne sont pas de son invention. Lorsque l'auteur d'un discours rapporté, en latin et en français, est mentionné, c'est soit comme personnage, qui mérite, pour des raisons diverses, de prendre corps dans le récit, soit en tant que témoin occasionnel dont le rôle peut être limité à celui de locuteur, comme dans ce passage où cinq poètes latins, et non des moindres, prêtent leur concours anonyme pour faire la louange du jeune Caton :

> (c)Mais voylà nos gens sur la carrière.
>> (a)*Sit Cato, dum vivit, sane vel Caesare major*
> dict l'un
>> *Et invictum, devicta morte, Catonem,*
> dict l'autre. Et l'autre, parlant des guerres civiles d'entre Caesar et Pompeius,
>> *ictrix causa diis placuit, sed victa Catoni,*
> Et le quatriesme, sur les louanges de Caesar,
>> *Et cuncta terrarum subacta,*
>> *Praeter atrocem animum Catonis.*
> Et le maistre du chœur, apres avoir étalé les noms des plus grands Romains en sa peinture, finit en cette manière,

---

Tacitus (ii. 12, 499 c ; iii. 8, 940 b). Pline (ii. 12, 539 c ; ii. 14, 611 a). Caton l'Ancien (iii. 3, 818 c). Saint Jérôme (iii. 5, 861 C). Pacuvius (i. 11, 43 c). Pibrac (iii. 9, 957 b).

> *his dantem jura Catonem*[29].
> (i. 37, 232)

4. ALLEGATION

Un ultime degré de mention est donné par l'addition du terme
"comme" devant la parole d'un auteur rapportée au style direct. Ce
"comme", le *ut* latin, est toujours présent dans les manières de citer
énumérées par Erasme ; il est par contre absent des formules qui
introduisent l'emprunt (*usus*). On verra donc dans le "comme" la mention
référentielle propre à la *citatio/allegatio* latine à laquelle correspond le terme
d'allégation employé par Montaigne.

Alléguer un auteur, un passage, un exemple, est, comme le
montrent les définitions de *allegare* dans le *De copia,* (LB I, 46 F-47 A), la
verbalisation d'un geste démonstratif, qui se traduit verbalement par
"comme", devant un énoncé, et par "alléguer" devant un nom de personne
ou d'objet, geste qui renvoie le lecteur à ses auteurs ou à des témoignages
probants[30]. Or la mention du texte sous forme même allusive, suffit à
l'évoquer, sans qu'il soit nécessaire pour celui qui allègue, d'en fournir
une copie exacte :

> Il en est qui d'une farouche stupidité, comme dict Aristote, (b)
> en (des plaisirs) sont desgoutez. (iii. 13, 1107)

La précision de la référence à Aristote compense la désinvolture avec
laquelle Montaigne fait allusion à un passage dont il semble avoir une

---

[29] Dans l'ordre : Martial, Manilius, Lucain, Horace, Virgile. Montaigne mentionne,
avant de les citer, deux de ces poètes : "L'exemple le dira mieux : Ovide, Lucain, Vergile".
Quant à Ovide, aucune des citations n'est de lui.

[30] *Cf.* Appendice III.

connaissance indirecte, comme par ouï-dire. L'allégation est un acte "exocentrique" qui établit une relation à trois termes entre le locuteur, son destinataire et le tiers allégué. L'emprunt implique au contraire nécessairement une reproduction, qui évolue, au-delà du "larrecin" vers l'imitation transformationnelle, tandis qu'à l'autre extrême de l'échelle de la copie, l'allégation peut prendre la forme affaiblie de l'allusion. L'utilisation de l'emprunt (*usus*) et de l'allégation (*citatio*) se rejoignent dans la citation qui associe l'utilisation à la mention des origines de l'emprunt, sous la forme "comme dit X : ..." :

> Comme dict César, *Communi fit vitio naturae ut invisis...* (i. 53, 310a)
> Car, comme dict Democritus par la bouche de Cicero,
> *Quod est ante pedes, nemo spectat...* (ii. 12, 538c)

La référence adjointe au texte reproduit instaure à son égard une relation distante, bien que fondée sur la conformité indiquée par "comme". L'accord peut s'établir au plan de l'énonciation : "je dis comme dit X..." sans engager l'adhésion du jugement de Montaigne qui, de ses lectures "attache quelque chose à ce papier, à (lui), si peu que rien" (i. 25, 146 c). Montaigne pourrait s'appuyer aussi sur les auteurs, pour les prendre à témoin, mais ce genre de témoignage explicite est rare, et sur les quatre mentions d'un témoin, l'une est remplacée par "comme"[31]. Le témoignage est même inversé ou parodié pour devenir un hommage rendu à l'auteur ou au personnage allégué :

> tesmoing nostre bon Du Bellay :

---

[31] Montaigne substitue "comme" à "témoin" dans l'exemplaire de Bordeaux : "(tesmoing) comme Euripides est en doute si la vie que nous vivons est vie... *Tis d'oîden...* (ii. 12, 526) (Ex. Bordeaux, T. 2, p. 182 (227)).

Mais je hay par sur tout un savoir pédantesque. (i. 25, 132 a)

Le détournement du témoignage en une citation encomiastique confirme la valeur distantiatrice et sceptique du "comme" par lequel Montaigne renvoie prudemment leurs mots aux auteurs comme pour gommer toute trace d'adhésion. Le "comme on dit" peut être compté au nombre de ces mots qui atténuent la force de l'assertion et dont Montaigne recommande l'usage : "J'ayme ces mots qui amollissent et modèrent la témérité de nos propositions : à l'aventure, aucunement, quelque, on dict, je pense, et semblables..." (iii. 11, 1030 b). Montaigne est cependant responsable de l' actualisation de ses emprunts, ce qui lui confère pour le moins, un rôle d'acteur.

CHAPITRE IV

USAGE ET ABUS : L'ÉCRITURE PRAGMATIQUE

L'emprunt, dont le caractère utilitaire et pragmatique ressort bien de son appellation latine (*usus*), s'insère dans le discours où il peut "mieux dire" ce que Montaigne ne peut exprimer en prose et en français : "je ne dis les autres", insiste-t-il, "sinon pour d'autant plus me dire" (i. 26, 148 c). Montaigne ne cite donc pas les poètes, mais utilise leurs vers, car "les poètes disent tout ce qu'ils veulent avec plus d'emphase" (ii. 37, 778 c), où l'"emphase" est à prendre au sens de "suggestion", "sous-entendu", conformément à Cicéron dont Montaigne traduit la définition, dans une citation cachée : le "*plus ad intelligendum quam dixeris, significatio* " (*De Orat*, III. 202)[32] est rendu dans une addition de l'exemplaire de Bordeaux, par la maxime suivante :

> (b) le sens esclaire et produict les parolles, non plus de vent, ains de chair et d'os. (c) Elles signifient plus qu'elles disent (iii. 5, 873)

Montaigne recourt donc à la poésie, presque exclusivement dans les éditions de 1580 et 1588, car les vers apportent un supplément de signifiance qui ne peut se résorber dans la traduction française[33]. Les emprunts de prose au contraire, s'insèrent dans le texte des *Essais*, s'y

---

[32] Montaigne a pu rencontrer le terme *emphasis* chez Erasme ou chez Quintilien qui le traduit par *significatio* (*Inst. Orat.*, IX. 11, 3), mot qu'emploie aussi Cicéron ; voir ce sujet, J. Chomarat, *Grammaire et Rhétorique chez Erasme* (Paris : Belles Lettres, 1981), T. 2, p. 807, et J. Brody, *Lectures de Montaigne*, p. 57.

[33] A noter que Montaigne aurait lui-même traduit, selon l'édition Rat-Thibaudet, le vers de l'*Enéide* qu'il cite ensuite : Nostre mal s'empoisonne / Du secours qu'on lui donne, / *Exuperat magis aegrescitque medendo* (*AEn.*, XII, 46) (iii. 12, 1041 b ; R. -T. p. 1018).

"incrustent", pour reprendre la métaphore artisanale de l'époque : "notre incrustation empruntée" (i. 26, 148 c), et cela d'autant mieux, que le passage emprunté est dégagé de toute relation à son origine. L'incrustation maximale se réalise dans les "citations volées" qui, sans comporter aucune mention, dissimulent la copie par la traduction, ainsi que nous venons de le voir dans l'exemple ci-dessus. Dans le démarquage en effet, toutes les valences de l'énoncé emprunté sont occupées par l'énonciateur qui l'utilise : la place du locuteur, le signifié que celui-ci s'approprie, et la forme matérielle du signifiant latin que Montaigne remplace par la "voix" française. Mais lorsqu'une mention quelconque, en l'occurrence celle de la langue, dénonce l'emprunt comme une citation, celle-ci peut suppléer aux faiblesses ou aux silences délibérés du locuteur, ou bien elle peut produire un effet rhétorique : persuasif dans l'allégation, humoristique dans la parodie.

L'altération d'un texte emprunté, par l'usage et la manipulation, est reconnue par Erasme sous le nom d'abus (*abusus*), et par H. Estienne, comme une façon de "tordre" *(detorquere)* le texte[34], expression que Montaigne emploie justement à propos de ses emprunts :

> Je tords bien plus volontiers une bonne sentence pour la coudre
> sur moi, que je ne tords mon fil pour l'aller quérir. (i. 26, 171 c)

Si l'on analyse l'énoncé en ses composantes sémiotique (le signe, composé d'un support matériel et d'un sens) et discursive (la place du locuteur), il reste à voir quels "abus", ou, pour reprendre le terme de

---

[34] H. Estienne, *Centonum et Parodiarum exempla* (1575) : "je me souviens d'avoir détourné (*detorquere*) pas mal de vers de ce poète (Virgile) en matière de plaisanterie" (*memini me non paucos hujus poetae (Virgilii) versus jocose detorquere solitum fuisse*) (p. 119). H. Estienne rapporte des exemples d'applications imprévues qu'il a faites de vers de Virgile.

Goumay et de Coste, à quelles "applications" Montaigne soumet ses emprunts, traditionnellement désignés comme les citations des *Essais*, c'est-à-dire ceux qui portent la mention typographique de leur origine étrangère.

   Les distorsions que Montaigne fait subir aux passages qu'il cite, sont de deux sortes : textuelles ou contextuelles. Parmi les premières, les modifications peuvent être sémantiques, par substitution lexicale, comme dans les passages suivants :

Essais	*Texte original* :
Graecia barbariae DIRO collisa duello	*... LENTO...*
(La Grèce, précipitée contre le monde	(*... TENACE...*)
barbare dans une guerre FUNESTE)	(Hor., *Ep.*, I. ii., 16)
(ii. 12, 474 a)	

Essais :	*Texte original* :
RISI successu posse carere dolos	*FLEBAM...*
(J'AI RI de voir que les ruses pouvaient	(JE PLEURAIS...)
échouer) (ii. 16, 625 b)	(Ovide, *Hér.*, I, 18)

Essais :	*Texte original* :
Laudat POSTERITAS...	*LaudANT CONVIVIAE..*
(La POSTERITE me loue...)	(Perse, I, 38)
(ii. 16, 627 b)	

Essais :	*Texte original* :
Non recito cuiquam nisi amicis, idque	*... COACTUS...*
ROGATUS (Je ne lis ceci qu'à mes amis,	(s'ils m'y FORCENT)
et encore s'ils m'en PRIENT...)	(Hor., *Sat.*, I. iv, 73)
(ii. 18, 663 a)	

Essais :	*Texte original* :
Concumbunt *DOCTE*	.... *GRAECE*
(Elles couchent avec vous et LA SCIENCE)	(... en GREC)
(iii. 3, 822 b)	(Juv., *Sat.*, vi, 191)

Les altérations du texte original peuvent porter aussi sur les marques de l'appareil discursif : personne, temps, comme par exemple :

Essais :	*Texte original* :
HIC regere IMPERIO populos SCIAT	*TU regere populos*
(LUI, qu'IL SACHE tenir les peuples	*ROMANOS MEMENTO*
SOUS SON AUTORITE) (i. 4O, 25Ob)	(SOUVIENS-TOI de
	commander les peuples
	ROMAINS) (Virg., *AEn.*,
	VI, 851)

Essais :	*Texte original* :
in solis sis TIBI turba locis	in solis TU MIHI turba
(dans la solitude, sois un monde	locis (Dans la solitude,
pour TOI-MEME) (I.39, 241 b)	TOI, sois un monde pour
	MOI) (Tibulle, IV, xiii,2)

Essais	*Texte original* :
UNDE RIGENT setis MIHI crura et	*NUNC TIBI crura PILIS*
pectora VILLIS (AUSSI ai-JE les	*et sunt TIBI pectora setis*
jambes hérissées de crins et la	(MAINTENANT TU as
poitrine VELUE) (ii. 17, 641 a)	du POIL aux jambes et
	des crins sur la poitrine)
	(Martial, II. xxxvi, 5)

Essais :	*Texte original* :
Iners senile penis extulERAT caput	*extulIT...*
(son membre flasque AVAIT DRESSE	... (... dressA...)
une tête sénile) (ii. 29, 706 a)	(*Priapea*)

Le changement d'une désinence dans la citation peut être exigé par le
contexte français qui fournit, par exemple, le substantif auquel se rapporte
l'adjectif latin :

> C'est le rolle de la couardise, non de la *vertu* de s'aller tapir dans
> un creux, soubs une roche massive pour eviter les coups de la
> fortune. Elle ne rompt son chemin et son train pour orage qu'il
> face
> *Si fractus illabatur orbis impavidAM ferient ruinae*
> (Que l'univers brisé s'écroule, ses ruines LA frapperont sans
> l'effrayer) (ii. 3, 353 a)

La vertu inébranlable (*inpavidam*) a remplacé, dans les *Essais*, le sage qui,
chez Horace, est qualifié d'*inpavidum* (*Odes*, III. iii, 8). Sans que la
citation subisse d'autre modification, son insertion dans un nouveau
contexte suffit à la détourner de son sens premier. Ainsi saint Augustin
veut montrer que les chrétiens se sont condamnés à souffrir lorsqu'ils se
sont attachés aux biens de ce monde :

> *Tantum doluerunt quantum doloribus se inserverunt*
> (Ils ont souffert pour autant qu'ils se sont attachés à ce qui cause
> la souffrance) (*Civ. Dei*, I, x)

Au lieu de prendre, comme saint Augustin, le *doloribus* pour une
métonymie désignant l'effet (les douleurs) pour la cause (les biens de ce
monde), Montaigne applique ce mot dans son sens littéral, ainsi que le
veut son développement sur la souffrance et la paraphrase de la citation
qui précède :

> il va de la douleur, comme des pierres qui prennent couleur ou
> plus haute ou plus morne selon la feuille où l'on les couche, et

qu'elles ne tiennent qu'autant de place en nous que nous luy en
faisons. *Tantum doluerunt* dict S. Augustin, *quantum doloribus
se inseruerunt.* (i. 14, 58 a)

Par la seule manipulation contextuelle, Montaigne paganise
l'enseignement contenu dans cette pensée de Saint Augustin ; ou bien, il
applique à des "objets" sexuels une réflexion qui avait été inspirée à
Cicéron par des objets d'art :

> (b) C'est aussi pour moy un doux commerce que celuy des (c)
> belles et (b) honnestes femmes : (c)*Nam nos quoque oculos
> eruditos habemus.* (car nous aussi, nous avons des yeux qui s'y
> connaissent)(Cic., *Paradoxes*, V, 2) (iii. 3, 824)

Grâce à l'édition de Coste, on découvre d'autres applications obtenues par
découpage du texte original et substitution des contextes :

> Tel voudrais-je former mon disciple
> *quem duplici panno patientia velat*
> *Mirabor vitae via si conversa decebit*
> *Personamque feret non inconcinnus*
> *utramque* (Hor., *Ep.*, I. xvii, 25, 26, 29)
> (J'admirerai celui qui d'un esprit tranquille se voit habillé de
> méchants haillons, si venant à passer dans un genre de vie tout
> opposé, il le fait décemment et sait jouer avec grâce l'un et
> l'autre personnage.) (Trad. Coste, T. 2, p. 98) (i. 26, 167 a)

Coste note que "Montaigne fait ici une application très
ingénieuse des paroles d'Horace, en les employant dans un sens
directement opposé à celui que leur a donné le poète" ; en effet le texte
d'Horace (dont Montaigne a omis les trois avant-derniers vers) se traduit
ainsi :

Toute nuance de vie, toute situation, toute fortune convenait à Aristippe, visant d'ordinaire à s'élever mais sachant s'accommoder du présent. *Celui, au contraire, que l'endurance couvre d'un lambeau plié en deux, m'étonnerait fort s'il s'adaptait à un changement dans la route de sa vie.* Le premier n'attendra pas dans un manteau de pourpre ; il se montrera, vêtu d'une manière ou d'une autre dans les lieux les plus fréquentés et *tiendra avec aisance les deux rôles* ; l'autre se gardera d'une chlamide tissée à Milet plus que d'un chien et d'un serpent ; il mourra de froid si tu ne lui rends pas son lambeau ; rends-le lui et laisse vivre ce lourdaud. (Trad. F. Villeneuve, éd. G. Budé)

Horace établit un parallèle entre Diogène et Aristippe, le premier soutenant que l'on devait rechercher la vie paisible et retirée tandis que le second préférait la vie agitée des riches et des grands. Diogène se faisait le bouffon et l'esclave du bas peuple, faute de savoir sortir de son rôle, en se dépouillant, à l'occasion, de son manteau troué ; Aristippe, au contraire, était capable de s'adapter à toutes les situations, à revêtir tous les costumes, ou, comme dirait Montaigne, à porter une bougie à Saint-Michel et une autre à son dragon. Mais en supprimant la comparaison qu'Horace établit en faveur d'Aristippe, Montaigne fond en un seul personnage le type de l'homme sociable et celui du sage retiré du monde, vers lequel va cependant sa préférence. Sans faire dire à Horace, comme le prétend Coste, le contraire de ce qu'il a écrit, Montaigne fausse sa pensée pour la faire sienne, par le seul jeu de son découpage et de son montage citationnel.

Coste note que "Montaigne se divertit à employer les paroles de Lucrèce dans un sens directement opposé à celui qu'elles ont dans ce poète" (T. 7, p. 283) :

Et supera bellum Trojanum et funera Trojae

Multi alias alii quoque res cecinere Poetae
(Lucr., V, 327)
(Et avant la guerre de Troie et la ruine de cette ville, bien d'autres
poètes avaient chanté d'autres pareils événements) (III. 6, 907b)

Lucrèce écrit cette phrase dans un contexte qui nie l'existence des poètes
antérieurs à Homère :

> En outre, s'il n'y a jamais eu de commencement ni de naissance
> pour la terre et pour le ciel s'ils ont toujours été depuis l'éternité,
> pourquoi, par delà la guerre de Thèbes et la mort de Troie, n'y
> a-t-il pas eu d'autres poètes pour chanter d'autres événements
> ?... Mais non, tout est nouveau en ce monde, tout est récent,
> c'est depuis peu qu'il a pris naissance. (V, 327)

Montaigne, sans doute, "tord" bien des passages empruntés pour
exprimer en latin ce qu'il essaie de dire en français.

Le report linguistique s'accompagne aussi d'un dédoublement
des sujets de l'énonciation. Lorsque le passage, en prose ou en vers, n'est
rapporté qu'à la voix collective de la langue, latine ou italienne, la place du
locuteur anonyme peut être occupée par n'importe quel sujet, que ce soit
par l'auteur-narrateur des *Essais*, ou par un personnage auquel il donne la
parole, comme dans ce passage :

> et qu'en dirait Arioste lui-mesme ?
> *O seclum insipiens* (ii. 10, 411 a)

L'auteur de l'*Orlando furioso* n'est pas connu pour avoir écrit des vers
latins ; Montaigne ne prétend pas non plus faire passer ce vers de Catulle
pour un mot de l'Arioste. L'invraisemblance linguistique dénonce donc
l'inauthenticité du discours rapporté ; la parole latine est manifestement

ajoutée par un malin auteur qui fait ainsi prononcer à l'Arioste sa propre condamnation, à la fin d'un parallèle esquissé entre Virgile et son pâle imitateur italien, représentatif d'un "siècle sans goût" (*saeclum insipiens*). Le sens du vers latin traduit évidemment le contenu du jugement que Montaigne porte sur l'Arioste, mais l'acte d'assertion qui est attribué au poète italien, produit un effet humoristique résultant donc d'un montage d'éléments authentiques sur une scène fictive : l'Arioste est le "badin de la farce" conçue et fabriquée par Montaigne[35]. Ailleurs, c'est Aristote qui semble parler par la bouche de Lucrèce :

> (a) Aristote allègue en ce propos le chant divers des perdrix, selon la situation des lieux,
> (b)*variaeque volucres*
> *Longe alias alio jaciunt in tempore voces*
> (Divers oiseaux ont des accents très divers selon les divers temps...) (Lucr., V, 1077) (ii. 12, 459)

Montaigne lui-même "se récite" comme l'ami de La Boétie en citant Catulle et Horace (I. 28, 194). Certains passages cités ne peuvent, en effet, embrayer que sur la personne qui parle dans les *Essais*, c'est-à-dire sur leur auteur, à défaut d'un autre personnage. Montaigne devient alors un actant du récit :

> Je me suis escrié apres mon patenostre,
> *Impius haec tam culta novalia miles habebit!*
> (Un barbare soldat s'emparera de ces terres si bien cultivées!) (iii. 9, 970 b)[36]

---

[35] Voir encore i. 2, 13 a ; i. 6, 29 b ; ii. 1, 334 a ; 335 a ; ii. 12, 535 c.
[36] Voir encore iii. 9, 968 b ; iii. 10, 1010 b ; iii. 13, 1079 b.

Montaigne se met aussi en scène dans le cadre de la la satire et de la comédie romaine : il emprunte à Martial, Juvénal, Horace et Térence les masques de leur *persona* pour se représenter :

> Et peut-on marier ma fortune à celle de Quartilla, qui n'avait point mémoire de son fillage :
> *Inde tragus celeresque pili, mirandaque matri*
> *Barba meae*
> (Aussi eus-je de bonne heure de poil sous l'aisselle, et ma barbe précoce étonna ma mère). (Martial XI, xxii, 7) (iii. 13, 1087 b)

Le portrait de Montaigne travesti en transsexuel romain a une couleur burlesque que l'on retrouve ailleurs, par exemple dans l'application d'un vers épique à un incident trivial : l'embuscade dans laquelle est tombé Montaigne au cours de son voyage à Paris :

> (b)De vrai, il y avait plusieurs circonstances qui me menacaient du danger où j'étais.
> *Tunc animis opus, Aenea, tunc pectore firmo*
> (C'est alors qu'il te fallut du courage, Enée, alors qu'il te fallut un cœur ferme). (*AEn*, VI, 261) (iii. 12, 1061)

La distance rétrospective que Montaigne établit à l'égard d'un incident qui a mis sa vie en danger, se projette sous la forme de la parodie épique d'un fait divers. Le rôle de l'auteur dans ces montages apparaît comme fort différent de celui du poète qui imite le réel ; il s'avère être plutôt un "bricoleur", un manipulateur dont l'invention réside dans l'actualisation de pièces empruntées et agencées selon un dessein original.

Lorsque l'auteur ou locuteur dont Montaigne emprunte les mots n'est pas mentionné, celui-ci est libre de les attribuer à un autre locuteur et de déformer ainsi le sens original par une "application" dans un nouveau contexte qui peut même entraîner une altération du texte cité : modifications qu'avait relevées Gournay et qui sont passées à partir du XIXe siècle, pour des "infidélités" ou des preuves du manque de mémoire de Montaigne. Les adaptations de l'emprunt relèvent en fait de la pragmatique du langage, de son usage et de son abus. Nous avons relevé l'usage fait de certains mots d'Augustin et de Cicéron[37], dont il convient donc ici de souligner qu'ils ne sont introduits par aucune mention d'origine : ce ne sont pas des paroles que Montaigne allègue, mais des textes étrangers qu'il emprunte et dont il use librement. Pour certains lecteurs, comme Gournay ou Coste, ce sont des "applications" intertextuelles ; pour d'autres, plus proches dans le temps de Montaigne, comme H. Estienne, il s'agit d'une parodie.

Montaigne présente le rapiéçage de la rhapsodie dont la "couture" est plus visible dans le montage interlinguistique, comme caractéristique de son livre : "il n'est subject si vain, qui ne mérite un rang en cette rhapsodie" (i. 13, 48 a). La composition rhapsodique, dont l'origine remonte aux récitations des poèmes homériques, assemblait des formules du poème original selon un ordre nouveau : ce détournement se nomme en grec "parodie"[38]. De cette création toute pragmatique dérive le centon (*kentron*, en grec), pratiqué par les poètes alexandrins et les premiers poètes chrétiens, parmi lesquels Ausone, qui avait produit un modèle du genre avec son *Chant nuptial*, dont il livre aussi le code de composition, respectueux avant tout des formes métriques[39]. Le genre connut une

---

[37] *Cf.* supra, IIe partie, chap. 2.

[38] *Cf.* G. Genette, *Palimpsestes*, p. 20.

[39] "On appelle centon un genre, une espèce de poème tissé et comme rappiécé à partir de divers poèmes et de fragments de poèmes pris cà et là" (H. Estienne, *ibid.*, p. 3) ; H. Estienne mentionne le centon d'Ausone dont parle aussi Scaliger (*Poétique*, VI, v) ; le

renaissance en Italie avec les Capiluppi que Montaigne mentionne et dont il a pu lire la satire de la vie monastique écrite uniquement à partir de vers de Virgile[40]. Sans qu'il s'astreigne aux normes de composition, Montaigne pratique à son tour le centon, dont la mode se perpétue encore dans la *Sagesse* de Charron ; en poésie, en prose, les centons des *Essais* associent librement le latin et le français, les vers et la prose[41]. Forme minimale du centon, la parodie restreinte à un seul vers est assez piquante dans la citation du dernier essai :

> *Vivere, mi Lucili, militare est*
> (vivre, cher Lucilius, c'est combattre)(iii. 13, 1097 c)

La citation latine vient conclure un développement consacré aux plaisirs de la vie militaire, dont Montaigne souhaiterait, dit-il, trouver "la façon de vie mâle et sans cérémonie" dans la "vie commune". Aussi la métaphore de Sénèque rend-elle parfaitement cette aspiration à un transfert des vertus guerrières dans la vie privée qui, par ailleurs, comporte le même mélange de plaisirs et de peines, mais dans un registre intime et trivial ; les combats d'une vie ordinaire se livrent, dans la vieillesse, contre les maladies, les ennuis de santé, les irritations passagères des oreilles, par exemple, que Montaigne "a au dedans pruantes par saisons" :

---

genre faisait les délices d'E. Pasquier (*Recherches de la France*, VII, 12-13). Sur l'historique du centon, voir O. Delepierre, *Tableau de la littérature du centon* (Londres, 1874-75).

[40] Montaigne oppose les faiseurs de livres (iii. 12, 1056 b) qui se couvrent des armes d'autrui (i. 26, 148 c) à lui-même ainsi qu'aux auteurs de centons, dont il apprécie l'invention : "j'en ai vu de très ingénieux en mon temps, entre autres un sous le nom de Capiluppus, entre les anciens. Ce sont des esprits qui se font voir et par ailleurs et par là, comme Lipsius en ce docte et laborieux tissu de ses Politiques. " (i. 26, 148 c)

[41] Centon gréco-latin de prose et de poésie : 1. 25, 138 a, c ; centon de prose et de poésie : i. 48, 292 b ; centon franco-latin : iii. 12, 1041 b.

(b) Qui serait faict à porter valeureusement les accidents de la vie commune, n'auroit poinct à grossir son courage pour se rendre gendarme. (c)*Vivere, mi Lucili, militare est.* Il ne me souvient point de m'estre jamais veu galleux. Si est la gratterie des gratifications de Nature les plus douces et autant à main.

La transition entre la citation et la phrase suivante ("Il ne souvient point de m'être jamais vu galleux") est apparemment absente ; seule une analyse des oppositions entre douleur et plaisir, "gratterie et gratification" rétablit une continuité sous-jacente à la syncope superficielle du discours[42]. Or "si est la gratterie des gratifications de Nature la plus douce et autant à main", ce plaisir autique et "ôtique" auquel Montaigne avoue donc, après 1588 se livrer parfois, n'est-il pas un succédané des plaisirs du combat amoureux évoqué quelques pages plus haut :

> Et me suis jeune... prêté aussi licentieusement et inconsidérement qu'autre au désir qui me tenait saisi,
> *Et militavi non sine gloria*
> (et j'ai combattu non sans gloire)
> (Hor. *Od.* iii, xxxvi, 2)
> plus toutefois en continuation et en durée qu'en saillie... (iii. 13, 1086 b)

Le rappel du mot latin à double entente *militare* rattache deux séquences éloignées autour de la métaphore du combat et, par contre-coup, la lecture rétro-active du mot d'Horace à partir de celui de Sénèque projette sur ce dernier les connotations érotiques communément attachées au mot latin. L'emprunt du latin permet donc à l'acteur des citations de se livrer à un libertinage verbal de couleur érotique ; le centon littéraire espacé produit

---

[42] *Cf.* J. Brody, "Les oreilles de Montaigne", *Romanic Review*, 84 (1983), 121-135.

un effet parodique intratextuel aux dépens de l'austère Sénèque dont le stoïcisme est tourné en dérision par l'épicurisme d'Horace.

La parodie et le centon constituent des genres de ce que nous appelons la copie, pour l'opposer aux formes de l'imitation. A la transformation du signifiant, caractéristique de l'imitation notamment interlinguistique, correspond, inversement, la transformation du signifié dans le centon et dans la parodie. L'imitation reproduit le modèle sémantique à travers une expression originale ; la copie use et abuse du sens tout en conservant les apparences du signifiant, comme, par exemple, dans l'emploi du *militavi* de Sénèque et les citations présentées au début de ce chapitre. Les détournements du sens et les applications des emprunts mentionnés, ont une portée ambiguë : l'héritage classique est formellement préservé, quoique mis en pièces et en morceaux. Le contenu moral, philosophique fabuleux on anecdotique des citations est adapté librement pour concourir à l'édification d'une œuvre moderne et française. Les "antiquités" des *Essais* sont, toute proportion gardée, analogues à celles de Rome au temps de Du Bellay ; les fragments pris à des monuments désaffectés de leur usage primitif sont déplacés et raccordés selon un plan qui répond à des besoins modernes. Mais à la différence des pilleurs d'épaves, Montaigne met en valeur les pièces qu'il incruste dans son ouvrage de "marqueterie" où la langue d'autorité et la langue "vulgaire", la prose et la poésie, s'éclairent de reflets réciproques dans une architecture pour ainsi dire baroque. Pas plus que ses contemporains, Montaigne n'a la mentalité du conservateur ; mais, des deux modes qui s'offrent alors de préserver l'héritage classique en l'adaptant aux conditionnements de l'âge moderne, Montaigne choisit, à côté de l'imitation du sens et des valeurs antiques, un parti pris pragmatique d'utilisation des inventions du passé qui l'amène à briser le cadre des genres littéraires, scrupuleusement respectés par les tenants de l'imitation : son dire est un faire.

Par sa décision de dénoncer ses imitations, ainsi que nous l'avons vu dans le chapitre précédent, Montaigne choisit la pratique de la copie qui, d'une certaine manière, parodie l'imitation ; tout en reconnaissant d'ailleurs sa "condition singeresse et imitatrice" (iii. 5, 875 c). Notons à cet égard, que Montaigne distingue par deux métaphores apparentées dans le registre de l'innutrition, le travail de l'imitation "digestive" (i. 26, 151 a), et celui de la citation qui relève de la "rumination". Après avoir cité des vers de Virgile et de Lucrèce dans l'essai "Sur des vers de Virgile", Montaigne enlace les deux textes :

> Quand je rumine ce *rejicit, pascit, inhians, molli, fovet, medullas, labefacta, pendet, percurrit,* et cette noble *circunfusa,* mère du gentil *infusus,* j'ai dédain de ces menues pointes et allusions verbales qui naquirent depuis (iii. 5, 872-3 b)

En énumérant, dans l'ordre, trois mots de Lucrèce, quatre mots de Virgile, trois mots de Lucrèce, un mot de Virgile, Montaigne construit une intertextualité latine dont il fait un commentaire philologique[43]. Il n'est pas abusivement naïf de comprendre la métaphore ruminatoire dans un sens quasi littéral : c'est un plaisir sensuel qui tient à la matérialité du langage (à sa physicalité grosse de sens, comme l'explique ensuite Montaigne) que le lecteur des vers de Virgile et de Lucrèce éprouve, en les récitant à voix haute. Des écrivains bien postérieurs à Montaigne ont localisé le plaisir de la langue dans le sens de l'ouïe : mais les sons du mot "Parme" ont pour Proust une qualité plus diaphane et immatérielle, dûe à la vibration de l'air, que n'ont dans la bouche de Montaigne ces "braves formes" d'un langage "tout plein et gros d'une vigueur naturelle et constante". Les vocables latins incarnent pour ainsi dire le sens dans la substance vocale

---

[43] *Cf.* M. Charles, *L'arbre et la source,* pp. 160-161.

qu'ils acquièrent lorsqu'ils sont articulés et exhalés par les organes physiques de l'énonciation. La force de ces mots tient à leur plénitude partagée entre le sens et sa manifestation sensible : "le sens produit ces paroles, non plus de vent, mais de chair et d'os". La "rumination" qui traduit l'appropriation orale du texte étranger prolonge le plaisir de la dégustation par la résistance qu'un corps étranger oppose à l'assimilation ; dans cette espèce de commerce amoureux qu'est la citation, l'identité physique des corps en présence est préservée : celle du texte réceptacle et celle du texte reçu.

En comparaison de la mâle vigueur de la langue latine, le français (qui n'est, rappelons-le que la seconde langue de Montaigne, le latin étant sa langue paternelle) fait souvent défaut aux appétits linguistiques de Montaigne qui est alors tenté de recourir à des langues plus "mâles" : "que le gascon y arrive si le français n'y peut aller" (i. 26, 171 a). Mais bien qu'il trouve ce Gascon des montagnes "singulièrement beau, sec, bref, signifiant, et à la vérité un langage mâle et militaire plus qu'autre qu'il entende" (ii. 17, 639 a), c'est au latin que Montaigne s'adresse pour pallier l'insuffisance du français, "non pas maniant et vigoureux suffisamment" (iii. 5, 894). Montaigne répartit les langues dont il a la maîtrise, selon une bipartition générique à forte connotation sexuelle : le génie du latin et du gascon a une essence virile tandis que celui du français est tout féminin, "gratieux, délicat et abondant" (ii. 17, 639 c). La conjonction de la sexualité et de la langue se manifeste de manière explicite dans l'essai, longtemps tenu pour le plus scabreux, où des vers de Virgile et de Lucrèce se prêtent à la fois à l'illustration des plaisirs physiques de l'amour ainsi qu'à une réflexion sur la jouissance des sens et de l'imagination que procure leur (ré)citation. Mais des voluptés également sensuelles qu'engendrent et accueillent les organes génitaux et langagiers, celles que procure l'exercice de la parole sont dotées d'une valeur palliative : il ressort en effet de l'essai dans son entier que le seul entretien que

Montaigne vieillissant puisse espérer nouer avec les femmes est de nature verbale : "à moi qui n'y (aux femmes) ai droit que par les oreilles" (iii. 5, 884 b). Le sens échangé dans l'entretien verbal supplée la communication physique et directe de l'étreinte amoureuse. Cependant la parole n'est pas un simple substitut de la sexualité car elle y participe par sa teneur sensuelle bien qu'elle transpose la communication directe des sens dans l'abstraction différante du sens. L'exercice du langage comporte donc une réalité matérielle spécifique à la langue utilisée, aussi est-ce dans le sens d'une physique de la parole que Montaigne conçoit l'enrichissement de la langue française :

> Le maniement et emploi des beaux esprits donne prix à la langue, non pas l'innovant tant comme la remplissant de plus vigoureux et divers services, l'étirant et ployant. (iii. 5, 873)

La métaphore plastique de l'étirement et du pliage restitue aux vocables leur qualité substantielle : pâte à mâcher et à ruminer lorsqu'ils sont déjà pleins de saveur comme les mots des poètes latins, ils peuvent, et Montaigne en donne la preuve, acquérir par l'usage, la richesse sémantique qui leur fait défaut lorsqu'ils appartiennent à une langue comme le français qui n'a pas encore été suffisamment rompue au "maniement et emploi des beaux esprits". Les implications linguistiques d'une telle déclaration sont confirmées par la langue des *Essais* : les néologismes à l'imitation d'autres langues y sont rares car Montaigne préfère "étirer" le vocabulaire concret qui prévaut dans le français de son époque. Son imitation de la langue latine se situe donc au niveau de la pratique par l'usage des mots courants qu'il appartient aux beaux esprits d'appliquer à des objets non vulgaires.

Lorsque Montaigne, après s'être exercé à rendre en français un passage qu'il reproduit ensuite dans sa langue originale, soumet au jugement du lecteur le mérite de son imitation, il se peut que ce soit pour une raison d'ordre psychologique, par vanité ou par humilité, mais il apparaît surtout qu'il aligne son usage du français sur celui du latin, traçant ainsi une continuité entre les écrivains illustrateurs des deux langues : si l'imitation française est en deçà du modèle latin, sa faiblesse est dûe à la jeunesse d'un français littéraire, à l'absence d'une tradition de "beaux esprits" qui auraient assoupli le français par leur usage. Montaigne est donc loin de partager l'enthousiasme néophyte des partisans de l'innutrition ; il est vrai que depuis le manifeste de Du Bellay, un demi-siècle s'est écoulé. Or la vogue des citations qui a cours dans les années 1580 et dont les *Essais* témoignent, parallèlement à l'éloquence du barreau, semble marquer un recul sur le courant qui avait inauguré la "renaissance" des lettres et des arts. Pour ce qui est de Montaigne, éduqué dans l'esprit du premier humanisme, par un père acquis aux nouveautés du XVIe siècle naissant, la part de plus en plus grande qu'il réserve au latin jusque dans les dernières additions des *Essais* peut être interprétée comme une réaction libérale à l'encontre d'un nationalisme linguistique et littéraire qui se fondait sur l'imitation, comme une attitude favorable à un bilinguisme restreint à la citation, qui fonde ainsi l'usage littéraire du français sur celui du latin.

Que ce soit donc par l'usage novateur de la langue ou par l'utilisation d'énoncés "ready made" empruntés aux lettres latines, l'invention de Montaigne tire bénéfice de son "application" pragmatique des textes donnés dont il use et abuse pour le plus grand plaisir des lecteurs lettrés.

CHAPITRE V

FONCTIONS DISCURSIVES DES CITATIONS

Montaigne indique parfois la fonction des mots qu'il cite :

> Je m'en vais clorre ce pas par ce verset ancien, que je trouve
> singulièrement beau à ce propos,
> *Mores cuique fingunt fortunam*
> (Sa conduite décide à chacun de son destin)
> (i. 42, 267a)

Cette sentence, que Montaigne a sans doute inscrite en sa mémoire puisqu'elle lui revient sous la plume dans une addition de l'exemplaire de Bordeaux (T. III, p. 239 (463) ; V-S iii. 12, 1046), sert de conclusion à l'un des premiers essais, selon un procédé qu'il emploie ailleurs, notamment pour clore son livre, ou pour souligner la fin de développements internes aux chapitres[44]. La pause qui suit en effet une citation gnomique permet de passer à un autre sujet ; par exemple, la fameuse sentence de Sénèque, *vivere, mi Lucili, militare est* (iii. 13, 1097c) conclut logiquement un passage consacré à une comparaison de la vie militaire et de la vie privée ; on n'observe d'ailleurs aucun déplacement de cette citation dans l'addition qui la suit et qui lui est contemporaine : "Il ne me souvient point de m'être jamais vu galleux... " ; Montaigne entend bien clore "le pas précédent"[45]. Par contre, le distique sentencieux :

---

[44] i. 4, 24a ; 6, 29b ; 22, 107a ; 32, 217c ; 37, 232a ; 42, 267a ; 46, 325b ; 53, 310a ; 56, 325b ; ii. 8, 402a ; 14, 611a ; iii. 4, 839b ; 10, 1024b ; 13, 116b.

[45] La brutalité apparente de l'enchaînement n'en demeure pas moins remarquable et justifie l'analyse philologique qu'en a donnée J. Brody, "Les oreilles de Montaigne, " *op. cit. cf. supra*, p. 162.

Quaeris quo jaceas post obitum loco ?
Quo non nata jacent (i. 3, 2lc)

a été déplacé du début à la fin de l'addition (Ex. Bordeaux, T. I, p. ll (6)) ;
la citation conclut d'abord le chapitre de 1588, mais Montaigne la biffe
lorsqu'il poursuit son addition : la sentence sert donc de conclusion à
l'allongeail, et, par conséquent à l'essai[46]. Le bon mot final peut être aussi
bien donné en français :

> "Ce que dit Sénèque ne joindra pas mal en cet endroict, que les
> anciens Romains maintenoient leur jeunesse droite : ils
> n'apprenaient, dit-il, rien à leurs enfants qu'ils deussent
> apprendre assis." (ii. 21, 677a).

Mais, sans prendre en considération la mention linguistique dont la
fonction a été étudiée dans un précédent chapitre, il convient maintenant
d'examiner quelques aspects fonctionnels de ces "objets" citationnels,
fragments découpés dans la prose ou la poésie, ou "formes simples"
comme la sentence et l'aphorisme.

Enoncé complet en soi, à la différence du fragment, mais
sémantiquement disponible pour des applications concrètes, la sentence
draine le sens de son contexte qu'elle circonscrit d'un trait, auquel elle met
un point final[47]. Ainsi le mot de César :

> *Communi fit vitio naturae ut invisis, laetantibus atque incognitis*
> *rebus magis confidamus, vehementiusque exterreamus.*

---

[46] La citation finale est même redoublée par le distique qui suit ; mais les trois
dernières phrases ne se trouvent pas dans l'Exemplaire de Bordeaux.

[47] *Cf.* F. Delarue, "La *Sententia* chez Quintilien", *La Licorne* (Univ. de Poitiers,
1979), 96-124. F. Desbordes, "Les vertus de l'énoncé", *ibid.*, 65-84. Sur la transformation
de la sentence en maxime au XVIIe siècle, voir P. Lewis, "The Discourse of the Maxim",
Diacritics, Fall 1972, 41-48.

(Il se fait, par un vice ordinaire de nature, que nous ayons et plus de fiance et plus de crainte des choses que nous n'avons pas veu et qui sont cachées et inconnues) (Trad. de Montaigne, supprimée dans l'Ex. de Bordeaux) (i. 53, 310 a)

conclut l'essai qui l'annonce par son titre : "D'un mot de César". La double fonction du "mot", dans la disposition et dans l'invention du discours, est bien illustrée ici. La place d'une sentence ou d'un bon mot dans l'ordre de la disposition, que la stylistique ancienne désignait par la métaphore graphique de "pointe", reflétait, en l'inversant, sa position dans l'ordre de l'invention, où elle servait, par exemple, de point initial au parcours de la méditation d'un Marc Aurèle, ou, plus prosaïquement, de sujet de dissertation scolaire. La place finale ou liminaire de la sentence dans un essai peut donc correspondre à son rôle stylistique d'épiphonème ou bien à sa vertu séminale, ces deux fonctions étant conjuguées lorsque Montaigne annonce dans son titre "(D')un mot de César" qu'il fait attendre jusqu'à la dernière ligne.

D'autres chapitres suivent, dans leur disposition, l'ordre présumé de l'invention."Que philosopher c'est apprendre à mourir", est la traduction d' une sentence de Cicéron qui fournit le titre et la matière de l'essai (i. 20). Les titres des chapitres ont assez souvent une allure sentencieuse "Qu'il faut sobrement se mesler de juger des ordonnances divines" (i. 32), "Que nostre désir s'accroit par la malaisance" (ii. 15), et même proverbiale : "Couardise mère de la cruauté" (ii. 27). La forme brève du titre est parfois soulignée par une citation latine, qui occupe la position mal codifiée par les éditions anciennes, d'épigraphe, de sous-titre, ou simplement de phrase liminaire de l' essai[48]. Ainsi les essais 18 à

---

[48] Voir encore i. 14 "Que le gout des biens et des maux depend en bonne partie de l'opinion que nous en avons", ii. 4 "A demain les affaires" et i. 10, 18, 19, 21, 47. Citations liminaires traduites : i. 7, 14, 20, 33, 42, 44, 51 ; ii. 2, 3, 15, 25, 27 ; iii. 13.

21 du premier livre commencent par une citation latine, à l'exception de
i. 20 qui la traduit, mais en la renvoyant à son auteur, Cicéron :

De la peur
Obstutui steteruntque comae, et vox faucibus haesit
(Je demeurai stupide, mes cheveux se dressèrent, ma voix
s'arrêta dans ma gorge) (i. 18, 75 a)

Qu'il ne faut juger de nostre heur qu'apres la mort
Scilicet ultima semper
Expectanda dies homini est, dicique beatus
Ante obitum nemo, supremaque funera debet
(Il faut toujours attendre le dernier jour d'un homme et
personne ne peut être déclaré heureux avant sa mort et ses
funérailles qui mettent fin à tout) (i. 19, 78 a)

Que philosopher c'est apprendre à mourir
Cicero dit que philosopher ce n'est autre chose que s'aprester à
la mort. (i. 20, 81 a)

De la force de l'imagination
Fortis imaginatio generat casum, disent les clercs. (i. 21, 97 a)

Cf. L. Pertile, "Paper and Ink : The Structure of Unpredictability" in *'O un amy!'* *Essays
on Montaigne in Honor of Donald M. Frame*, éd. R. C. La Charité éd., French Forum
Monographs, 5 (1977), pp. 190-218. M. A. Screech, "Commonplaces of Law...", *in* R.
R. Bolgar, *Classical Influences*, p. 132. Sur les *incipit* des *Essais*, voir F. Rigolot, "Les
incipit des *Essais* : Structure et Evolution", *Montaigne et les 'Essais' 1580-1980*, Actes du
Congrès de Bordeaux (juin 1980), éd. P. Michel (Champion-Slatkine : Paris-Genève,
1983) 247-260.

Le titre, dans chacun de ces chapitres, *indique* la citation qui suit et *désigne* un contenu commun[49]. La mention citationnelle prend ainsi le relais de la forme métalinguistique du titre et du niveau métatextuel où il se situe. La relation exhibée par le titre est donc redoublée par la citation et par son contenu sentencieux ; la maxime citée peut être simple (i. 21), ou développée dans les vers d'Ovide (i. 19). La variété s'introduit avec la poésie et le choix d'un exemple, aussi particulier que la maxime est générale ; ainsi le titre "De la peur" est illustré par une parole d'Evandre dans l'*Enéide* (i. 18,). Titre et sous-titre citationnel constituent un micro-texte qui va en s'amplifiant dans la suite de l'essai : il se grossit d'exemples, de maximes, de commentaires, mais chacun de ces courts chapitres témoigne d'un souci de cohérence thématique et même de composition[50]. Par exemple, la dernière phrase de l'essai (i. 19) reprend la citation liminaire d'Ovide en une libre paraphrase, remarquable aussi par la transposition des personnes grammaticales :

> Au jugement de la vie d'autrui, JE regarde toujours comment s'en est porté le bout ; et des principaux estudes de la mienne, c'est qu'il se porte bien, c'est-à-dire quietement et sourdement. (i. 19, 80b)

Montaigne s'approprie la pensée d'Ovide par sa paraphrase française et par un simple déplacement de la non-personne de la citation ("il faut") à la première.

Les premiers essais, comparés aux longs chapitres du livre III, sont plus homogènes ; leur isotopie est cependant traversée par des échos

---

[49] *Cf.* L. Marin, "Un conte de Perrault : 'Les Fées' " et l'Avant-Propos dans *Etudes Sémiologiques* (Paris : Klincksieck, 1972).

[50] *Cf.* E. M. Duval, "Rhetorial Composition and'Open From' *in* Montaigne's Early *Essais"*, *BHR*, XLII (1981), 269-289 .

qui se répondent d'un essai à l'autre, grâce, notamment, aux citations :
ainsi aux mots d'Evandre qui ouvrent le chapitre 18, en 1580, répond le
vers de l'*Enéide* ajouté au chapitre 2 :

> *Et via vix tandem voci laxata dolore est* (et enfin, à grand peine,
> la douleur a ouvert un passage à sa voix)(*En.*, XI, 151) (i. 2, 12b)

La continuité du discours entre les chapitres 18 à 21 est rythmée par les
citations épigraphes qui relancent le propos sur de nouvelles prémices,
puisées par Montaigne dans ses lectures. Les citations liminaires sont en
effet comme des paroles reçues, qui, en donnant au lecteur l'occasion
d'exercer son droit de réponse, apportent de la matière au discours de
l'auteur, qui se poursuit sans autre interruption que celle des citations et
du découpage en chapitres, lequel semble bien répondre à un souci
d'éditeur[51]. On conçoit que dans cette visée éditoriale, la place liminaire ou
finale d'une citation est destinée à capter l'attention du lecteur. La mention
d'une langue étrangère donne plus de singularité aux mots, plus de force à
la fonction généralisatrice ou illustrative de la citation.

Insérés dans le cours de l'essai, les fragments de poésie ou les
passages de prose latine, peuvent avoir fonction d'exemples, au même
titre que les anecdotes rapportées en français. Alors que la rhétorique
antique distingue nettement les fonctions, respectivement argumentatives
et décoratives, des citations, les arts d'écrire érasmiens, que Montaigne

---

[51] L'équivalence entre citation et parole ressort du jeu de substitutions que l'on
observe au début des essais: la citation peut être remplacée par une formule qui explicite la
fonction même de la citation: "X dit que...", ou "J'ai entendu", "Tacitus récite que..." (ii.
26); "On récite de plusieurs chefs de guerre ..." (ii. 34); "Le conte dit que..." (i. 2) et dans
i. 3, 7, 12, 14, 16, 20; ii. 24, 25, 34. Sur la fonction d'appel de l'épigraphe, *cf.* B. Gelas,
"Elements pour une étude de la citation", *Sémiologiques* (Linguistique et Sémiologie No
6), (Presses Univ. de Lyon: s.d.), 165-187.

semble mettre en pratique, effacent les frontières qui séparaient, à l'intérieur de la rhétorique, ses attaches à la dialectique d'une part (l'art de persuader, le *docere*), et à la poétique d'autre part (l'art de plaire, le *delectare*)[52]. Les exemples qu'Erasme recommande d'emprunter fournissent avant tout une abondance de matière (*copia rerum*), quelle que soit la visée du discours ou de l'une de ses parties :

> *ad parandam copiam, exempla prima tenent, sive deliberes sive exhorteris, sive consoleris, sive laudes, sive vituperes. Et, ut summatim dicam, sive fidem facere studeas, sive movere, sive delectare.*
> (Les exemples tiennent le premier rôle pour fournir l'abondance (de matière) que ce soit dans la délibération, l'exhortation, la consolation la louange ou le blâme ; et, pour tout dire, que l'on vise à convaincre, à émouvoir ou à plaire) (*De Copia*, LB 89 C)

Les *exempla*, qui comprennent entre autres les exemples proprement dits (historiques), les paraboles (comparaisons établies avec des phénomènes naturels), et les sentences, dérivent d'une relation générale de similitude (*collatio*) (LB 92 E), qui constitue l'un des topiques ou lieux de l'invention ; mais ce sont aussi des matériaux (*res*) qui entrent dans la disposition et l'élocution. Les parties distinguées par la rhétorique classique (invention, disposition, élocution), se trouvent donc confondues

---

[52] *Cf.* Quintilien (*I. O.* I, 8-12) "Enfin, croyons-en les grands orateurs, qui recourent aux poèmes des anciens pour soutenir leur argument ou parer leur éloquence. Nous voyons en effet Cicéron surtout... citer (*inseri versus*) des vers d'Ennius, d'Accius, de Pacuvius, de Lucilius, de Térence, de Cecilius et d'autres, citations qui n'ont pas seulement la grâce de la culture, mais aussi celle de l'agrément, quand le plaisir de la poésie délasse l'oreille de l'apprêt de l'éloquence judiciaire. A cela s'ajoute un autre avantage qui n'est pas de moyenne importance, c'est que les pensées des poètes sont, en quelque sorte, des témoignages à l'appui de ce que les orateurs ont avancé".

dans la matière même du discours (*copia rerum*) qui remplit indistinctement les fonctions de l'argumentation et de la délectation. Aussi bien la "matière" (*res*) et la "forme" (*verba*) ne sont-elles pas toujours distinctes. La parabole est en effet à la fois une espèce d'exemple et une figure qui, sous la forme réduite de l'image (*eikôn*) produit le plaisir (*jucunditas*), et ajoute de la vie (*evidentia*), plutôt qu'elle ne sert à convaincre (LB 95 C-D)[53]. Il va sans dire que le mode d'argumentation auquel peut servir cette abondance d'exemples est de nature inductive, c'est-à-dire lui-même fondé sur l'analogie. Le Socrate de Platon excelle dans cette *épagôgè* (*inductio*), cette méthode naturelle et commune de raisonner qui lui attire justement la sympathique admiration de Montaigne :

> Socrate fait mouvoir son âme d'un mouvement naturel et commun. Ainsi dit un paysan, ainsi dit une femme. Il n'a jamais en la bouche que cochers, menuisiers, savetiers et maçons. Ce sont *inductions* et *similitudes* tirées des plus vulgaires et connues actions des hommes ; chacun l'entend. (iii. 12, 1013-14)

A la différence de Socrate, Montaigne n'use pas de fables inventées pour les besoins de la cause à démontrer ; il se contente de celles que Virgile ou Ovide ont composées, sans en abuser d'ailleurs dans ses citations ; mais il recourt surtout aux exemples fournis par l'histoire ancienne et contemporaine, qu'il tient à reproduire avec une fidélité scrupuleuse :

> Aux exemples que je tire céans, de ce que j'ai ouï, fait ou dit, je me suis défendu d'oser altérer jusques aux plus légères et inutiles circonstances. (i. 21, 105 a)

---

[53] Sur la relation entre parabole et métaphore, chez Erasme et Montaigne, voir Carol Clark, *The Web of Metaphor*, (French Forum Monographs 7), 1978.

Le souci d'exactitude du rapporteur ne doit cependant pas être confondu avec les exigences de l'historien[54]. Le projet essentiellement moral de Montaigne embrasse aussi bien la matière brute des faits et gestes que son interprétation déjà élaborée par les poètes :

> Aussi en l'étude que je traite de nos mœurs et mouvements, les témoignages fabuleux, pourvu qu'ils soient possibles, y servent comme les vrais. Advenu, ou non advenu, à Paris ou à Rome, à Jean ou à Pierre, c'est toujours un tour de l'humaine capacité, duquel je suis utilement avisé par ce récit. (i. 21, 105a)

La fable que Montaigne préfère donc, quand elle est vraisemblable, plutôt qu'allégorique, est quasiment absente du texte français : elle est réservée surtout aux citations poétiques des éditions de 1580 et 1588. A la lumière de cette déclaration de Montaigne, il apparaît que les fragments de l'*Enéide*, des *Métamorphoses* ou du théâtre antique sont traités comme des exemples fictifs mais "possibles", se prêtant donc à des applications qui les interprètent dans la réalité. Là encore Erasme fournit à la pratique de Montaigne un modèle théorique : "la poésie épique a inventé les dieux à l'imitation des hommes" écrit-il dans le *De Copia* (*LB* 91E) ; aussi la poésie dramatique fournit-elle un répertoire varié de citations qui conviennent à toutes les situations, puisque "la comédie n'est rien d'autre qu'un double fictif (*simulacrum*) de la vie humaine" (*LB* 92C). Les fragments poétiques des *Essais* offrent donc un miroir fabuleux où se projettent les exemples communs ; le montage des vers sur la prose produit une mimesis intra-textuelle, réalise la mise en scène épique ou dramatique des exemples tirés des compilations de la "petite histoire" que

---

[54] *Cf*. C. Blum, "Ecriture et Système de Pensée 1580 : l'Histoire dans les *Essais*", *in Montaigne et les 'Essais'*..., *op. cit.*, 3-13 ; K. Stierle, "L'Histoire comme Exemple, L'Exemple comme Histoire", *Poétique*, 10 (1972), 1-12.

fournissent les *Leçons*, ou des faits-divers contemporains. La citation poétique tire en quelque sorte un agrandissement de l'exemple qu'elle illustre par son *enargeia* (mise en évidence, *evidentia*). La fonction illustrative des exemples poétiques cités efface donc toute distinction entre la fonction argumentative de la preuve et la fonction esthétique de l'ornement ; ce mode de penser qui ne se dégage pas du plaisir de conter, reçoit sa justification dans le dernier essai :

> Toutes choses se tiennent par quelque *similitude*, tout exemple cloche, et la relation qui se tire de l'expérience est toujours défaillante et imparfaite ; (iii. 13, 1070 c).

Puisque "tout exemple cloche" et que les similitudes sont souvent partielles ou forcées, Montaigne invite à soupeser ses propres inférences analogiques dans la balance intellectuelle du "distinguo". Faisons donc la part de la ressemblance, fondatrice de généralités, et celle de la différence qui, en conférant à chaque exemple sa particularité laisse un déchet circonstantiel :

> il n'adviendra pas... que des événemens à venir, il s'en trouve aucun qui, en tout ce grand nombre de milliers d'événements choisis et enregistrés, en rencontre un auquel il se puisse joindre et apparier si exactement qu'il n'y reste quelque circonstance et diversité qui requiere diverse consideration de jugement. (iii. 13, 1066 b)

La parabole rend plus manifestes encore les traits divergents de la comparaison qu'elle établit pourtant ; cette figure souligne bien la ressemblance, par le joncteur "comme" (*ut*) mais elle élargit l'écart différentiel qui sépare les conduites humaines des phénomènes naturels qui sont de son domaine ; Montaigne y recourt, presque exclusivement par le biais des citations, de poésie ou de prose, pour développer notamment son anlyse des passions :

> Elles ne nous sautent pas tousjours au colet d'un prinsaut ; il y a de la menasse et des degret,
> *Fluctus uti primo coepit cum albescere ponto,*
> *Paulatim sese tollit mare, et altius undas*
> *Erigit, inde imo consurgit ad aethera fundo.*
> (De même, sous le premier souffle du vent, la mer blanchit, puis peu à peu s'enfle, soulève ses ondes et bientôt se dresse du fond de l'abîme jusqu'au ciel.) (iii. 13, 1074b)

La similitude qui est établie entre les mouvements de l'âme et ceux de la tempête, n'est pas réservée aux genres poétiques, puisque Montaigne la trouve dans la prose de Cicéron où les passions sont assimilées, d'après les Epicuriens, à des tempêtes qui,

> desbauchent honteusement l'âme de sa tranquillité, *Ut maris tranquillitas intelligitur, nulla ne minima quidem aura fluctus commovente : sic animi quietus et placatus status cernitur, quum perturbatio nulla est qua moveri queat.*
> (Comme le calme de l'Océan est pour nous l'absence de souffle le plus léger qui pourrait rider la surface de l'eau, ainsi on peut assurer que l'âme est calme et apaisée quand nulle perturbation ne vient l'émouvoir) (*Tusculanes* V, vi) (ii. 12, 567-8c)

La parabole, nettement articulée dans la période cicéronienne (*Ut..., sic...*) vient justifier et renforcer l'imitation à laquelle Montaigne semble s'être livré quelques dix années auparavant :

> Les secousses et ebranlemens que nostre âme reçoit par les passions corporelles, peuvent beaucoup en elle, mais encore

plus les siennes propres, auxquelles elle est si fort en prise qu'il
est à l'aventure soutenable qu'elle n'a aucune allure et
mouvement que du souffle de ses vents, et que, sans leur
agitation, elle resterait sans action *comme un navire en pleine
mer, que les vents abandonnent de leur secours*. (ii. 12, 567a)

Montaigne a séparé de quelques lignes la citation, de ce qui paraît être sa
paraphrase ; le passage des *Tusculanes* (V, vi) se présente au fil de la
lecture, comme une autre illustration de la nature des passions. Que ce soit
en français ou en latin, l'exemple est en fait, unique, mais il est sujet à des
interprétations divergentes. Le "souffle" des passions est nécessaire à
l'âme comme le vent l'est au navire, il lui est donc essentiel selon les
Péripatéticiens que suit Montaigne ; ou bien l'âme est comme la mer,
naturellement en état d'ataraxie si aucun vent ne la trouble ainsi que le
veulent les Epicuriens cités par l'intermédiaire de Cicéron. Ainsi la
comparaison des passions aux mouvements de la tempête "tient par
quelque similitude" ; on la joint bien "par quelque coin" mais elle a du jeu
et dans la dissimilitude se glisse l'interprétation qui la biaise d'un côté ou
de l'autre. Dans ces paraboles en effet, la part des "choses de la nature"
est irréductible à leur contrepartie psychologique ; les exemples, cités ou
non, apportent donc un complément à la matière du discours et un
supplément à son expression, comme celui de la parabole, exemple et
figure d'élocution, d'autant plus irréductible à la généralisation discursive,
qu'elle revêt une forme linguistique et métrique distincte de la prose de
Montaigne. Les citations, mises en encoignure dans le texte, figurent dans
leur aspect même la relation "boiteuse" des exemples et des comparaisons
qu'elles contiennent.

   Les vers ou les passages en prose sont rarement indispensables à
la suite du discours, dont le mode de composition, additive par
amplification ou variations, tient de la *copia* érasmienne plutôt que de la

disposition cicéronienne. Toutefois dans l 'Apologie, certaines citations présentent un plus fort degré d'intégration qui leur confère la force du témoignage et de la preuve ; la fonction esthétique est nettement secondaire, lorsque, dans son plaidoyer, Montaigne fait appel à la parole "sainte", ou anonyme, ou qu'il allègue des auteurs[55], comme ici :

> Car, comme dict Democritus par la bouche de Cicero,
> *Quod est ante pedes, nemo spectat ; coeli scrutantur plagas*
> (personne ne regarde ce qu'il a devant ses pieds ; on scrute les voûtes célestes) (ii. 12, 538c)

Montaigne fait d'ailleurs preuve de désinvolture à l'égard de sa "source", puisque ces mots de Cicéron (*De divin.*, II, 13) sont en fait dirigés contre Démocrite ; mais Montaigne est ici plus soucieux de construire sa propre polémique que de rapporter celle des Anciens. Les témoignages allégués ou simplement empruntés sans mention d'auteur, alimentent en effet une controverse que Montaigne met en scène, sans aucun égard envers la vraisemblance historique ; dans un débat rhétorique, il fait s'affronter Platon et Lucrèce :

> si... on reforme et rechange nostre estre (comme tu dis, Platon, par tes purifications), ce doit estre d'un si extrême changement

---

[55] Les paroles rapportées dans l'Apologie représentent en effet un pourcentage deux fois plus élevé que dans le reste des *Essais*, si l'on en juge par l'occurrence du verbe "dit" suivi du style direct ou indirect (140/175, soit près de 30 p. c., alors que l'Apologie ne représente que 15 p. c. des *Essais*. Les "dits" de Platon lui sont attribués treize fois, ceux de Cicéron huit fois ; la "sainte Parole", Dieu et l'Ecclésiaste sont mentionnés quatre fois devant des passages de l'Ecriture ; mais ce sont les les "on dit" qui ont la fréquence la plus élevée (quinze fois). Les allégations latines se rapportent surtout à Cicéron (499c ; 529c ; 534c ; 543c "un ancien" ; 538c).

et si universel que, par la doctrine physique, ce ne sera plus nous ; (ii. 12, 518a)

Montaigne interpelle Platon pour opposer à sa thèse spiritualiste le matérialisme de Lucrèce :

> Ce qui a cessé d'être n'est plus,
> *Nec si materiam nostram collegerit aetas*
> *Post obitum, rursumque redegerit, ut sita nunc est,*
> *Atque iterum nobis fuerint data lumina vitae,*
> *Pertineat quidquam tamen ad nos id quoque factum,*
> *Interrupta semel cum si repentia nostra.*
> (Et quand il arriverait après notre mort que le temps rassemblât la matière dont nous avons été formés, la rétablît dans l'état où elle se trouve aujourd'hui, et nous rendît la lumière de la vie, cela même ne nous toucherait en rien, une fois que le fil de nos souvenirs aurait été rompu) (Lucrèce III, 859)
> Et quand tu dis ailleurs, Platon, que ce sera la partie spirituelle de l'homme à qui il touchera de jouir des récompenses de l'autre vie, tu nous dis chose d'aussi peu d'apparence, (ii. 12, 519a)

Le débat philosophique relatif à la thèse de la survie des âmes est donc dramatisé dans des formes rhétoriques, par l'apostrophe à la partie adverse et le recours à des preuves et témoignages, contenus dans les citations de Lucrèce.

Le *De Natura Rerum* tient dans les *Essais* une place surprenante, exceptionnelle au XVIe siècle : "Nul écrivain ne peut se vanter d'avoir mieux connu Lucrèce que Montaigne"[56]. Il apparaît cependant que, selon

---

[56] *Cf.* S. Fraisse, *L'Influence de Lucrèce en France au XVIe siècle* (Paris, 1962), pp. 180-189. Les articles de C. A. Fusil (*Revue du XVIe siecle*, 1926, 265-281) et de G. Ferreyrolles (*BSAM*, 5 (1976), 49-63) indiquent que l'Apologie compte 76 citations et 245 vers de Lucrèce, soit environ la moitié des citations du *De rerum natura* dans les *Essais* ;

son habitude, Montaigne ne se soucie pas de reproduire fidèlement l'argument du poète ; il applique par exemple le vers :

> *Immortalia mortali sermone notantes*
> (exprimant des choses immortelles en termes mortels) (Lucr. V, 122) (ii. 12, 519)

à un contexte différent de l'original ; on pourrait donc conclure à une position anti-lucrétienne de Montaigne. Pour les lecteurs suffisants en Lucrèce, la parodie est indéniable, et c'est là une forme du dialogisme que Montaigne entretient avec ses lecteurs ; mais ce sont aussi les arguments qui conviennent à sa propre démonstration de scepticisme que Montaigne puise dans l'épopée du matérialisme ; il y trouve des "raisons" qu'il greffe sur ses propres sentences, lesquelles, il faut le reconnaître, manquent un peu de souffle : "Ce qui a cessé une fois d'être n'est plus" (519a), "cette pièce n'est rien au prix du tout" (524a). Montaigne "en rajoute" en 1588 et même une fois encore dans l'Exemplaire de Bordeaux où il cite la sentence, fameuse à l'époque et reprise par des générations d'esprits forts jusqu'au temps de Voltaire :

> *Tantum religio potuit suadere malorum*!
> (La religion a pu inspirer tant de crimes!) (Lucr. I, 102)[57]

Montaigne a donc cité plus d'1/16e de l'oeuvre de Lucrèce, qu'il lit dans l'édition de Lambin, la première, de 1563. Fusil et Ferreyrolles discutent de la position de Montaigne à l'égard de Lucrèce : le premier le taxe d'incompréhension, le second reconnaît le vrai Lucrèce, divisé, angoissé, ... Ce débat naît de la pratique habituelle de Montaigne qui utilise ses emprunts à sa guise, comme l'a fort bien montré Ph. J. Hendrick, "Lucretius in the Apologie de R. Sebond", *BHR.*, 37 (1975), 457-466.

[57] Cette sentence était d'ailleurs citée par Lactance dans le *Div. Inst.*, I. 21, 13.

Montaigne se trouve naturellement dans le camp de Lucrèce quand celui-ci combat la superstition, mais il s'y rencontre aussi avec Saint Augustin, que Montaigne associe à Lucrèce dans un centon de son invention (i. 12, 517b-c). Il ressort de l'application souvent parodique des citations de Lucrèce, que Montaigne voit en lui surtout un poète, qu'il associe d'ailleurs à Virgile dans "Des vers de Virgile". Trouvant dans le *De natura* dont il apprécie le style, des arguments fortement traduits, Montaigne revient au texte de Lucrèce sur lequel il s'appuyait déjà en 1580, pour donner plus d'ampleur à la thèse matérialiste des "physiciens" :

> (a) si... on réforme et rechange notre être... ce doit être d'un si extrême changement et si universel que, par la doctrine physique, ce ne sera plus nous. Ce sera quelque autre chose qui recevra ces récompenses,
> (b) *quod mutatur, dissolvitur, interit ergo,*
> *Trajiciuntur enim partes atque ordine migrant.*
> (quand il y a changement, il y a dissolution, donc mort. En effet, les parties sont déplacées et transposées (Lucr. III, 756) (ii. 12, 519)

Cependant Montaigne ajoute aux raisons argumentatives des illustrations choisies avec un remarquable discernement, que met bien en valeur le montage citationnel ; en effet l'analyse abstraite de Lucrèce ajoutée en 1588 reçoit une application concrète dans un exemple d'Ovide inséré au même moment :

> (a)... ce ne sera plus nous,
> (b) *Hector erat tunc cum bello certabat at ille*
> *Tractus ab Aemonio non erat Hector, equo.*
> (c'était Hector qui combattait dans la mêlée : mais le corps qui fut traîné par les chevaux d'Achille, ce n'était plus Hector)

(a) Ce sera quelque chose autre... (ii. 12, 518)

Comme Ovide, dans ce distique (*Tristes* III, ii, 27), dit autrement la même chose que Lucrèce, on pourrait le considérer comme l'une des sources de Montaigne ; mais il est plus juste de constater que c'est par l'entremise du rapprochement effectué par Montaigne que, grâce à un montage citationnel, la rencontre d'Ovide et de Lucrèce se révèle dans toute sa force. Il convient cependant de noter qu'Ovide, avec la mort d'Hector, complète, en l'illustrant, le raisonnement de Lucrèce, plutôt qu'il ne le répète ; ces deux citations s'enchaînent donc comme un exemple concret à sa raison plus abstraite.

Le ton polémique de l'Apologie atteint un apex lorsque Montaigne prend à parti le texte qu'il cite :

> Et cela est faux : *Est situm in nobis, ut et adversa quasi perpetua oblivione obruamus, et secunda jucunde et suaviter meminerimus.*
> (il est de notre pouvoir d'ensevelir en quelque sort nos malheurs dans un oubli éternel et de réveiller l'agréable et doux souvenir de nos prospérités.)
> Et cecy est vray : *Memini etiam quae nolo, oblivisci non possum quae volo.* (je garde mes souvenirs même quand je ne le veux pas, et je ne puis les oublier quand je veux) (ii. 12, 494-5c)

Le contexte français suffirait à exprimer la thèse de ces deux citations de Cicéron (*De Fin.*, I, xvii ; II, xxxii) que Montaigne approuve : "la mémoire nous représente non pas ce que nous choisissons, mais ce qui lui plaît" (494a) ; la force argumentative de la citation s'en trouve donc diminuée d'autant mais son supplément de présence en est accru. A travers les mots de Cicéron, c'est l'auteur d'un "conseil" qui recommande au contraire de guérir la mémoire en ne sélectionnant que les souvenirs heureux, qui est visé :

> (a)... cet autre conseil que la philosophie donne, de maintenir en la mesmoire seulement le bonheur passé...
> Et de qui est ce conseil ? de celui (c) *qui se unus sapientem profiteri sit ausus* (qui seul a osé se proclamer sage) (Cic. *De Fin.* I, xvii)
>> (a) *Qui genus humanum ingenio superavit et omnes Praestrinxit stellas, exortus uti aetharius sol*
>> (qui s'est élevé par son génie au-dessus de l'humanité, et a éclipsé tous les hommes comme le soleil en se levant éclipse les étoiles) (Lucr. III, 1056)
>> (ii. 12, 494-495)

L'éloge d'Epicure que Montaigne laisse faire à Lucrèce et à Cicéron n'a cependant pas échappé à la censure de l'édition protestante (Lyon, 1587 ; cf. Appendice IV). Montaigne le réservait toutefois aux seuls lecteurs familiers de la langue de Cicéron qui intervient encore quelques pages plus loin, toujours anonymement :

> *Magna dii curant, parva negligunt.*
> (Les dieux s'occupent des grandes choses et négligent les petites.)
> Ecoutez SON exemple, il vous éclaircira de SA raison : *Nec in regnis quidem reges omnia minima curant.*
> (les rois non plus ne descendent pas dans les détails infimes du gouvernement (ii. 12, 529c)

Montaigne attribue ici à Cicéron (*De nat. deor.*, II, lxvi ; III, xxxv), le rôle de la partie adverse, contre laquelle il s'élève en s'appuyant sur un mot de saint Augustin, qu'il ne nomme pas davantage :

> Comme si ce luy (à Dieu) estoit plus et moins de remuer un empire ou la feuille d'un arbre, et si sa providence s'exerçoit autrement, inclinant l'événement d'une bataille que le sault d'une puce!
> ... *Deus ita artifex magnus in magnis, ut minor non sit in parvis.* (Dieu, si grand ouvrier dans les grandes choses, ne l'est pas moins dans les petites) (*Civ. Dei*, XI, xxii) (*ibid.*)

Une controverse fictive se tient entre Cicéron, représentant les dieux païens, et les défenseurs du dieu chrétien : saint Augustin, saint Paul, dont la pensée est rapportée en français :

> Les hommes, dict sainct Paul, sont devenus fols, cuidans estre sages ; et ont mis la gloire de Dieu incorruptible en l'image de l'homme corruptible. (ii. 12, 529 a)

Cicéron fournit la preuve de cette "blasphémeuse appariation" (*ibid.*) des dieux et des hommes que dénonce Montaigne, dans un procès où il joue le rôle de partie, aux côtés des deux saints, cités, au sens juridique de "convoqués", par l'auteur, qui soumet le jugement final à son lecteur, dont il éveille l'attention par des interpellations ("escoutez son exemple" (*ibid.*), "oyez la protestation de Cicero" (507 c)). Les arguments avancés par les uns et par les autres, en latin et en français, introduisent dans l'Apologie un dialogisme propre à la polémique, qui n'est pas sans rappeler la diatribe antique.

Que ce soit donc en français lorsqu'il interpelle Platon, ou en latin, lorsqu'il juge Cicéron, Montaigne dialogue avec ses auteurs, par la figure de la *sermocinatio* ou par le procédé moins fictif de la citation, plus proche de l'entretien que cherche à recréer Montaigne. L'une des fonctions discursives de la citation tient à cet apport de présences qui donnent au discours une dimension dialogique par les témoignages et les textes allégués dans le cadre de la controverse. Par ailleurs, les citations remplissent la même fonction que les exemples et les sentences, traduits ou produits par Montaigne en français ; leur différence propre réside dans le supplément linguistique et formel dû aux langues étrangères et au mètre qui remplacent, en quelque sorte, l'italique, pour désigner le texte contenu dans les citations ; or ce "résidu" physique, sensible à l'oreille et à la bouche qui articule les vers et la prose latine, se prête à la délectation et confère un certain degré de singularité aux textes cités ; il en est donc comme si, par la variété linguistique, par le mélange de vers et de prose, Montaigne offrait des pièces de résistance, qui freinent aussi les lectures tendant à l'abstraction et aux généralisations rapides. La matérialité des "objets" citationnels joue un rôle ambivalent : elle attire et retient l'attention, elle donne donc plus de vigueur mais elle s'oppose aussi à la force généralisante de leur signification sentencieuse ou à l'agrandissement produit par les illustrations. La double polarité du général et du particulier qui traverse les *Essais* est donc accrue dans les citations, ces moments de haute tension qui accroissent l'*energeia* du discours de Montaigne.

CHAPITRE VI

CITATION ET COMMUNICATION

Deux textes sont reproduits dans les *Essais* avec la fidélité du rapport et l'exactitude du document : les sonnets de La Boétie (i. 29), et la bulle de bourgeoisie romaine octroyée à Montaigne lors de son voyage en Italie (iii. 9, 999 b). L'hommage rendu à l'ami disparu prend la forme d'une édition de son œuvre poétique française, que Montaigne supprime finalement dans l'exemplaire de Bordeaux : le livre des *Essais*, d'abord mêlé d'édition devient ainsi entièrement consubstantiel à son auteur qui stipule d'ailleurs que la dernière édition porte son nom inscrit en haut de chaque page "en toutes lettres" ; la concomitance de ces deux actes, l'élimination de l'œuvre de La Boétie et la mise en vedette de son propre nom, peut s'interpréter comme la mise en place du nom d'auteur au centre de l'œuvre qui, selon M. Butor, se serait édifiée autour de l'absence de La Boétie. La vacance de celui qu'on pourrait appeler "l'autre de Montaigne", le partenaire idéal de tout entretien, est alors remplacé par le nom de Montaigne, dans l'ultime copie des *Essais* qui serait ainsi la seule "copie d'auteur". Montaigne qui était déjà connu de la librairie par une édition et une traduction, s'émancipe définitivement et finalement des genres de la "copie de lecteur".

Intégré au livre, quoiqu'en lisière de l'essai, le titre de citoyenneté octroyé par le sénat romain que Montaigne veut "transcrire... en sa forme" est à la fois un document reproduit à l'adresse de "quelqu'un s'il s'en trouve, malade de pareille curiosité à la mienne", et une citation à usage interne qui illustre le titre de l'essai, "De la vanité".

> Et, parce qu'elles (ces bulles) se donnent en divers *stile* plus ou moins favorable, et qu'avant que j'en eusse veu, j'eusse été bien aise qu'on m'en eus montré un formulaire je veux, *pour satisfaire à quelqu'un*, s'il s'en trouve malade de pareille curiosité à la mienne, le transcrire icy en sa forme (iii. 9, 999 b).

La livraison d'un document authentique qui confère une dignité romaine et par là une identité latine à l'auteur des *Essais* n'est pas en soi un acte de vanité : Montaigne vise à satisfaire la curiosité éventuelle de ses lecteurs ; d'autre part, le titre accordé par le sénat romain peut servir à accréditer Montaigne auprès d'un public de lecteurs éloignés, comme le fait ailleurs le rappel de sa mairie bordelaise et de son ordre de Saint-Michel[58]. Mais la notice biographique, dont l'emplacement aujourd'hui codifié par les usages de l'édition, est réservé à la jaquette du livre, se trouve insérée dans le texte des *Essais* ; or, ce n'est pas la simple reproduction du diplôme de citoyenneté romaine qui, en soi, trahit la vanité de son détenteur, mais son lieu d'insertion, dans un texte dont les premiers mots sont "de la vanité" et où l'acte de mention peut alors être mis au compte de l'auteur et des attitudes qui composent son personnage. La bulle de bourgeoisie romaine qui aurait pu servir à "agrandir" le nom de l'auteur[59], eût-elle été en marge du livre, devient, dans le texte, un acte scripturaire interprété par l'auteur lui-même, comme un trait de sa peinture. La fonction de cette citation dépend donc de son lieu d'insertion : informative et publicitaire en marge, elle devient dans le texte, un geste expressif de la vanité de Montaigne, contribuant à son autoportrait.

Le diplôme de citoyenneté romaine constitue en lui-même un exemple de l'ambiguïté de l'écriture. Le texte de la bulle perpétue l'acte

---

[58] iii. 10, 1005 b et iii. 12, 577 b.

[59] "Nous appelons agrandir notre nom, l'étendre et semer en plusieurs bouches" (ii. 12, 626 a).

juridique par essence unique et non itérable qui l'a produit : c'est un trace commémorative qui par là même est "vaine" car dénuée et vidée de force performative au même titre que les genres littéraires qui sont limités à la pure représentation, comme la poésie, la glose ou le discours théorique. Or il n'est rien de plus vain, rappelle Montaigne au début de l'essai, que l'usage descriptif et analytique de la langue dont le meilleur exemple est fourni par le métalangage des grammairiens :

> Diomèdes remplit six mille livres du seul sujet de la grammaire... Tant de paroles pour les paroles seules. (iii. 9, 946b)

Dans des cas pareils, le langage se prenant pour objet de référence, perd ses fonctions pratiques et performatives auxquelles Montaigne accorde une valeur déterminante. En condamnant la verbosité, Montaigne semble associer le métalangage à toute forme de représentation qui, dépourvue de finalité communicative, est entraînée à la dérive ; lui-même n'y échappe pas lorsqu'il essaie de décrire son expérience du mouvement propre à l'existence :

> Et quand seray-je à bout de représenter une continuelle agitation et mutation de mes pensées, en quelque manière qu'elles tombent. (iii. 9, 946 b)

Montaigne a pu succomber comme un autre, au verbalisme auquel son siècle aurait réduit l'écriture, dégradée, "excrémentielle"[60]. La "vanité"de l'écriture devrait être selon Montaigne, interdite par des lois visant à

---

[60] "Ce sont ici, un peu plus civilement, des excréments d'un vieil esprit, dur tantôt, tantôt, lâche et toujours indigeste" (iii. 9, 946 b) ; à noter que Montaigne file la métaphore de l'"'innutrition" jusque dans ses effets ultimes. Voir G. Mathieu-Castellassi, *Montaigne, l'écriture de l'essai*, chap. 4 "Coprographies", (Paris : PUF, 1988).

l'intérêt public : "il devrait y avoir des lois contre les écrivains ineptes et inutiles, comme il y a contre les vagabonds et fainéants." (946 b). Un tel souhait est la forme atténuée d'un argument selon lequel l'"ineptie" de l'écriture est causée par l'absence de réglementations qui lui reconnaissent une fonction sociale ; l'"écrivaillerie" est donc la marque et la conséquence de la faiblesse des institutions :

> L'escrivaillerie semble estre quelque simptome d'un siècle desbordé. Quand escrivîsmes-nous tant que depuis que nous sommes en trouble ? (iii. 9, 946 b)

Par delà sa fonction sociale, imposée et réglementée par une instance de contrôle, n'est-ce pas la fonction communicative de l'écriture que Montaigne souligne, en déplorant sa disparition ? Dans le commerce de l'entretien, dont on sait que Montaigne le place au-dessus du commerce des livres, l'interlocuteur oppose en effet le contrôle que la loi, sous une autre forme, exerce sur l'écriture, soit par une réglementation de l'imprimerie, à laquelle Montaigne semble faire ici allusion, soit par une codification des genres littéraires. Les *Essais*, où Montaigne voit un reflet de l'anarchie qui règne dans les lettres comme dans l'Etat, doivent justement leur originalité à leur marginalité à l'égard des genres comme ils doivent leur caractère monologique à l'absence de l'ami disparu :

> Privé de l'ami le plus doux, le plus cher et le plus intime, et tel que notre siècle n'en a vu de meilleur, de plus docte, de plus agréable et de plus parfait, Michel de Montaigne, voulant consacrer le souvenir de ce mutuel amour par un témoignage unique de sa reconnaissance, et ne pouvant le faire de manière qui l'exprimât mieux, a voué à cette mémoire, ce studieux appareil dont il fait ses délices. (2ème inscription de la librairie)

Faute d'écrire un traité philosophique, des lettres ou un dialogue, Montaigne ne donne pour toute indication générique de son livre, que le dessein d'écrire un tombeau de La Boétie, dans la retraite de sa librairie, où il inscrit cette décision, tandis que dans l'avant-propos des *Essais*, il annonce un parti différent qui consiste à livrer son propre portrait au cercle restreint de ses proches[61]. Mais, dans les deux cas, que ce soit le portrait de l'ami, ou le portrait qui est destiné aux amis, Montaigne se place sous une instance de contrôle en écrivant pour autrui. C'est plus précisément dans son livre qui, une fois édité et diffusé donne de la dignité à ses "bestises" (iii. 13, 1081 c), que Montaigne découvre une relation proprement commerciale, où l'entretien est médiatisé par les délais et les circuits de l'imprimerie. Au fur et à mesure que les éditions des *Essais* se suivent, Montaigne procède à leur normalisation commerciale en les enrichissant d'un "poids surnuméraire" afin que les acquéreurs des nouvelles éditions ne s'en aillent pas les mains vides (iii. 9, 964 c)[62]. Le dessein annoncé dans l'avant-propos se précise aussi et prend forme, mais à l'intention des destinataires inconnus que touchent les éditions parisiennes, à partir de 1588. Afin que le lecteur devienne un ami, "une fille d'alliance", ou du moins un interlocuteur, l'auteur complète aussi son portrait de traits connus jusqu'alors des seuls parents et amis. C'est donc sur le mode de la transformation littéraire de l'auteur en personnage que se crée l'interlocution médiatisée et différée par le livre imprimé.

Montaigne anticipe la réponse de deux catégories de lecteurs : aux proches, s'il s'en trouve, il destine un document stylistique qui doit répondre à leur curiosité ; aux autres, qui ne sont pas comme lui,

---

[61] Sur la forme des *Essais* et leurs antécédents, *cf.* Peter Schon, *Vorformen des 'Essays' in Antike und Humanismus* (Wiesbaden, 1954).

[62] Sur la relation de l'écriture des *Essais* au livre imprimé, voir l'étude pénétrante de Barry Lydgate, "Mortgaging One's Work to the World : Publication and the Structure of Montaigne's Essais" *PMLA*, 96, No. 2, (1981), 210-223.

Montaigne propose d'imiter sa démarche :

> Si les autres se regardoient attentivement comme je fay, ils se
> trouveroient, comme je fay, pleins d'inanité et de fadaise. (iii. 9,
> 1000 b)

Cette remarque qui fait suite à la citation de l'acte du sénat romain fonde la
relation livresque sur un autre acte, celui de l'introspection et de
l'autoportrait parallèle auquel Montaigne invite son lecteur en s'y livrant
lui-même. La vanité de l'écriture représentative est ainsi déjouée par le
passage à l'acte dénonciateur de cette vanité. L'insistance donnée au
"comme je fay" établit une analogie entre un auteur et un lecteur qui se
rejoignent dans l'universalité de l'acte du "connais-toi toi-même". Ayant
destiné la citation de la bulle à un lecteur hypothétique et peut-être aussi
introuvable qu'un ami, qu'un semblable, qu'un frère, Montaigne est
parfaitement conscient du manque d'intérêt qu'elle offre à l'ensemble des
lecteurs, surtout à ceux qui sont insuffisants en latin. A ceux-ci donc il se
présente par le geste même qui consiste à citer, à montrer, un texte
illisible. La finalité de l'acte citationnel, de ce "showing off" n'étant pas
perceptible au destinataire vulgaire, celui-ci ne retiendra que la pose d'un
acteur qui s'offre au regard, au lieu de fournir des mots utiles à la
communication. L'acte de citation apparaît alors comme un geste
spectaculaire, du fait même qu'il ne dit rien et ne sert ainsi à rien. En
offrant au regard (du lecteur français) le geste citationnel qui fait entendre
(au lecteur latin) un sens commun, Montaigne donne un exemple de la
vanité de la représentation qui substitue le regard à l'écoute et l'objet
inaudible à la parole. La communication directe de la parole, qui est
interrompue par la citation de la bulle romaine, se trouve rétablie, mais
indirectement, par la similarité qui doit s'instituer entre Montaigne et ses
lecteurs, par delà le texte des *Essais*, dont Montaigne veut qu'il s'efface

afin que ses lecteurs fassent leurs propres *essais* : "si les autres se regardaient... comme je fais." C'est donc sur le mode hypothétique de la fiction que s'établit entre Montaigne et son lecteur une communication indirecte fondée sur une conformité qui est celle du regard introspectif. Or la loi qui préside à cette analogie est énoncée à la fin de l'essai, sous la forme d'une allocution fictive du dieu de Socrate aux hommes :

> C'estoit un commandement paradoxe que nous faisoit anciennement ce Dieu à Delphes : regardez dans vous, reconnaissez-vous, tenez-vous à vous ; ... Voy-tu pas que ce monde tient toutes ses veues contraintes au dedans et ses yeux ouverts à se contempler soy-mesme ? C'est tousjours vanité pour toi dedans et dehors... Sauf toy, ô homme, disoit ce Dieu, chaque chose s'estudie la premiere... (iii. 9, 1001 b)

Montaigne se trouve confondu parmi la foule des allocutaires du dieu delphique auquel il délègue la parole qui est chargée de réduire les hommes au silence de la contemplation : il érige ainsi une norme transcendante qui seule a le droit d'user de la parole. Les destinataires de l'allocution delphique sont proprement "inter-dits" dans la mesure où le dieu parle pour eux, où ils participent donc de la divinité, d'autant plus qu'ils "contraignent leur vue en dedans" au lieu de se laisser séduire par la tentation du babil que le Dieu biblique, invoqué au début de l'essai, confond dans l'universelle vanité :

> De la vanité
> Il n'en est à l'aventure aucune plus expresse que d'en écrire si vainement. Ce que la divinité nous en a si divinement exprimé devrait être soigneusement et continuellement médité par les gens d'entendement. (iii. 9, 945b)

La loi "vanité, tout est vanité", n'est pas citée, à la différence du précepte delphique auquel se range Montaigne. Le dieu biblique condamne toute entreprise humaine qui lui est étrangère, alors que le dieu grec, s'adressant à l'homme pour l'encourager à prendre lui-même conscience de sa vanité, invite à des pratiques de type socratique qui conduisent les interlocuteurs du dialogue à reconnaître la vanité de leurs connaissances. Dans la perspective grecque, l'homme participe de la divinité, sans l'ombre d'une déchéance, ce qui ressort pleinement de la "gentille inscription" des Athéniens que cite Montaigne dans le dernier essai :

> D'autant es-tu Dieu comme
> Tu te reconnais homme (iii. 13, 1115 b)

On pourrait en conclure que, finalement, Montaigne confère à l'écriture la force de la parole fondatrice de la loi, que c'est à force d'écrire et de se livrer à l'exercice vain de l'autoportrait que Montaigne accède à la normativité. Or la tradition de lecture des *Essais* a effectivement placé Montaigne au panthéon, en prenant l'homme pour modèle, alors que Montaigne ne propose à l'imitation que son acte : "si les autres se regardaient... comme je fais", et non pas : "s'ils étaient comme moi". Montaigne ne propose pas à l'imitation le personnage qu'il dépeint dans les derniers essais : quel amateur de salade ou de melon ne pourrait alors se targuer d' avoir des affinités avec Montaigne! Montaigne livre en fin de compte un portrait qui repousse toute velléité d'imitation et de déification de l'homme, afin que seuls ses actes soient pris en compte et non pas leur trace résiduelle. Il ne justifie son livre qu'en tant qu'il est un moyen d'accéder à une communication plus élargie que le cercle immédiat des parents et amis bordelais :

> Si à si bonnes enseignes je sçavois quelqu'un qui me fut propre,
> certes je l'irois trouver bien loing ; car la douceur d'une sortable

et aggreable compaignie ne se peut assez acheter à mon gré. O un amy! (iii. 9, 981 b)

Ce n'est pas un hasard si Montaigne se dit prêt à voyager très loin pour trouver un ami et s'il invite à une communication élargie entre les hommes, et même entre les créatures, dans l'un des essais les plus intimes, et à la suite de la plus longue citation des *Essais*. La citation de la bulle romaine qui, au dire même de Montaigne, ne présente tout au plus qu'un intérêt stylistique, emblématise toutes les citations latines, "romaines", des *Essais*, qui sont vraiment "du latin" pour l'ensemble des lecteurs contemporains de Montaigne et encore plus pour ses lecteurs posthumes. La citation n'est plus qu'un geste expressif qui dénie toute valeur à l'objet qu'il montre ; l'acte seul importe et non la trace qu'il laisse après lui. La citation, au reste, est là pour dénoncer l'imitation, comme on l'a vu précédemment ; il apparaît ici qu'elle est associée à une mise en garde contre l'imitation d'un personnage et, de façon générale, contre l'imitation du contenu des *Essais*, elle invite par contre à leur continuation: que chacun se raconte, et, ce faisant, il découvrira en l'autre un autre lui-même, le "toi" et le "moi" se trouvant confondus dans la conscience universelle de la vanité qui s'attache à l'individu. Le plus grand dénominateur commun entre les hommes est inversement proportionnel à leur "ego" ; la loi de la communication qui s'établit entre des consciences qui parlent et qui écrivent, n'est-elle pas, ainsi que Montaigne le propose dans "De la vanité" et dans le dernier essai, la version élargie et sublimée du "parce que c'était lui, parce que c'était moi" ? Pour autant que les *Essais* soient l'expansion de la lettre écrite à la mort de La Boétie[63], il convient de voir que l'amitié a perdu finalement aux yeux de Montaigne,

---

[63] *Cf.* François Rigolot, "Montaigne's Purloined Letters", *Yale French Studies*, 64 (1983), 145-166.

sa singularité accidentelle, pour être érigée en un principe et même une loi de communication universelle entre les êtres.

CONCLUSION

La "copie" de Montaigne comporte tous les degrés, inversement proportionnels, de la mention et de l'utilisation de textes étrangers, allant du démarquage à l'allégation, de la "copie d'auteur" à la "copie de lecteur". La relation qui s'instaure entre le lecteur et l'auteur informe ces divers modes de reproduction desquels participent les citations.

La communication la plus directe est sans doute celle qui se passe d'un medium ou dont le medium est transparent, comme le geste ou l'expression déictique : "ce que je ne peux exprimer, je le montre du doigt", écrit Montaigne avant de faire une citation (iii. 9, 983 b). En effet, la nature gestuelle de la *deixis* se retrouve dans la mention métalinguistique qui est caractéristique de la citation. La citation est un mot de passe qui n'appartient pas plus à l'un qu'à l'autre des partenaires de l'échange qu'elle rapproche ainsi dans la complicité, puisque le geste citationnel suppose ou crée une compétence commune. Le locuteur ne fait que reproduire ce que son allocutaire aurait pu ou pourra lui-même produire, puisque le geste citationnel suppose une compétence commune. La communication la plus proche de la conversation s'établit donc dans les *Essais* par le medium de la langue "naturelle" de Montaigne, en latin. Montaigne allègue des témoins ou utilise des mots tout faits pour les commodités d'une conversation spirituelle avec un lecteur suffisamment lettré pour apprécier le tour parfois parodique que Montaigne imprime aux vers latins qu'il incruste dans son discours.

Avec le lecteur "français", Montaigne finalement instaure une relation fictive puisqu'il se représente faute de pouvoir être présent ; la communication qui s'instaure en latin sur le mode de la proximité est ainsi transposée en français sur le mode de la représentation ; le personnage de Montaigne constitue un objet de référence qui s'annule en invitant les lecteurs à faire, comme lui, leur introspection.

"Mon monde est failly, ma forme est vidée" (iii. 10, 1010 c) : dans la fin de ce siècle chaotique dont Montaigne semble se tenir à l'écart en s'enfermant dans une retraite studieuse, il cherche au contraire à communiquer avec un cercle de lecteurs qui s'étend au-delà des relations proches. Vivant le passage de la renaissance antique à la naissance de la France moderne, Montaigne se présente comme la forme vaine, "vidée" d'une matière qui n'avait cours que dans son monde, désormais menacé. L'homme moderne est donc représenté par un Montaigne vieillissant, démuni de toute référence sur laquelle puisse se fonder une communauté, si ce n'est celle de sa propre expérience, qu'il livre en une sorte de confessionnal public où il invite chacun à venir se joindre à lui dans un acte d'introspection. Montaigne travaille ainsi à l'édification d'une conscience moderne et nationale, sans rompre toutefois avec son monde ancien à l'intérieur duquel il entretient une relation privilégiée avec ses lecteurs "latins."

TROISIEME PARTIE

"DE LA TRISTESSE" OU DES PASSIONS DU DISCOURS

1. PLAN DE L'ESSAI

L'essai "De la tristesse" (i. 2), est assez nettement composé, en 1580 (a), de trois parties, dont la première et la dernière présentent des exemples de faits et gestes (*facta, res gestae*) et la seconde, des témoignages et exemples parlants (*dicta*), constitués de trois citations. En 1588 (b), deux additions, au début et à la fin de l'essai, introduisent la première personne comme sujet d'énoncés descriptifs du "moi" de Montaigne, ainsi que deux citations de l'*Enéide*. La dernière édition (c) ajoute un jugement de Montaigne sur la tristesse qu'il condamne, et l'exemple du capitaine Raïssac. Le plan de l'essai apparaît comme suit :

Titre
(b1) Confidence de Montaigne.
(c1) Jugement de Montaigne sur la tristesse.

I - Exemples de faits et gestes (morts causées par la douleur)

(a1) Exemple de Psammenitus (emprunté à Hérodote), dans lequel est inséré...
(a2)... l'exemple contemporain du cardinal de Lorraine, désigné comme "un Prince des nostres".
(a3) Fin de l'exemple de Psammenitus, qui se termine sur un apophtegme. La première personne du conteur est introduite en incise: " (di - je)".
(a4) Une parabole, celle du peintre Timanthes.
(a5) La fable de Niobé suivie d'une...
(a6)... citation d'Ovide (*Mét.* VI,304)
(a7) Signification de l'exemple de Niobé.
(a8) Commentaire de Montaigne sur les exemples précédents : "De vray..."
(b2) Citation de l'*Enéide* (XI, 151), qui conclut le commentaire.
(c2) Exemple contemporain : l'exemple du capitaine Raïssac (emprunté à Paul Jove, *Historiae suis temporis*).

II-Témoignages et exemples parlants (la surprise de l'amour)

(a9) Citation du dernier vers du sonnet CXXXVII de Pétrarque
(a10) Citation de la deuxième strophe du poème LI de Catulle, imité de l'Ode à l'aimée de Sapho
(b3) Commentaire de Montaigne sur la passion amoureuse : "De vray...", corrigé ensuite en : "Aussi n'est-ce pas..."
(a11) Commentaire qui contient une confidence ajoutée en 1588 (b4') et supprimée ensuite.
(a12) Citation qui conclut le commentaire précédent : un vers sentencieux prononcé par Phèdre, dans l'*Hippolyte* de Sénèque (II,iii,607).
(b4) Citation de l'*Enéide* (III, 306-309), où Enée relate la surprise d'Andromaque lorsqu'elle le revoit au bord du Scamandre.

III- Exemples de faits et gestes (morts causées par la joie et la honte)

(a13) La femme romaine, Sophocle, Denys le tyran, Léon X, Diodore le Dialecticien (pris à Ravisius Textor et à l'histoire contemporaine).
(b5) Confidence de Montaigne.

2. QUEL SUJET ?

> Le conte dit que Psammenitus, Roy d'Egypte, ayant esté deffait et *pris* par Cambisez, Roy de Perse... (a1, p. 12)

Ainsi commence, à la manière d'un conte, l'essai de 1580 qui se termine sur un autre fait d'armes, "la *prinse* de Milan", cause de la mort du Pape Léon X qui "entra en tel excez de joye, que la fievre l'en *print*". Cet exemple est suivi de celui de Diodorus le Dialecticien qui...

> ... mourut sur le champ, *espris* d'une extreme passion de honte, pour d'une son eschole et en public ne se pouvoir desvelopper d'un argument qu'on luy avoit faict. (a 13, p. 14)

Une lecture distraite, comme le sont le plus souvent celles des premiers essais qui, de l'aveu même de Montaigne, "puent un peu l'étranger", ne s'arrêtera pas à ces commémorations de morts soudaines ; le lecteur aura tendance à les prendre pour des "leçons" empruntées aux compilations de Valère-Maxime, Aulu-Gelle et Ravisius Textor. Nous pourrions cependant être pris par le plaisir du récit et des descriptions, dont la vivacité du trait, la qualité plastique, sont assez remarquables[1]. Mais Montaigne invite à chercher autre chose à travers ces "contes" : le titre de l'essai est déjà une enseigne à bon entendeur : que l'on doit voir dans les exemples qui suivent, l'illustration d'un sujet auquel les anciens ont donné un statut philosophique, la tristesse, dont "les Stoïciens (en) défendent le sentiment à leur sage" (c1, p. 11).

Le titre "De la tristesse", de par sa forme elliptique, imitée du latin, crée une attente, anticipatrice du texte qu'il introduit ; il devrait donc anticiper sur une définition de la tristesse, selon qu'elle est considérée, par exemple, comme un état humoral qu'il faut guérir, ou comme une faiblesse de l'âme qu'il faut vaincre. Or Montaigne ajoute bien, par deux fois, une définition en tête de l'essai :

> De la tristesse
> (b1) Je suis des plus exempts de cete passion, (c1) et ne l'ayme ny l'estime, quoy que le monde ayt prins, comme à prix faict, de l'honorer de faveur particuliere. Ils en habillent la sagesse, la vertu, la conscience, sot et monstrueux ornement. Les Italiens ont plus sortablement baptisé de son nom la malignité. Car c'est une qualité tousjours nuisible, tousjours folle, et, comme

---

[1] Selon L. Febvre, il faudrait compter Montaigne au nombre des exceptions car "les écrivains du XIVe siècle, à de très rares exceptions près, ne savent pas faire un croquis" ; cité par M. Simonin, "Le statut de la description à la fin de la Renaissance", *L'Automne de la Renaissance*, pp. 129-140.

tousjours couarde et basse, les Stoïciens en défendent le
sentiment à leur sage. (p. 11)

La tristesse est une passion (b1), dont Montaigne, en 1588, se déclare être
exempt, comme de toutes les autres passions, auxquelles, ajoute-t-il
encore en 1588 il est "peu en prise", car, ayant "l'apprehension
naturellement dure", il "l'encrouste et espaissi(t) tous les jours par
discours" (b5, p. 14). Dans la dernière addition liminaire de l'essai (c1), il
s'élève au-dessus de la tristesse, en s'élevant contre elle, pour la
condamner, d'un commun accord avec les Stoïciens. Cependant le corps
de l'essai, écrit avant 1580, ne satisfait que partiellement à son titre : "De
la tristesse"... où il est question de l'amour et de la mort, comme de la
joie, de la surprise et de la honte. Sans être comme "Des coches", un
vestibule, un paravent ou un portemanteau, ce titre ne recouvre que
partiellement la matière du chapitre.

Il est cependant aisé de faire apparaître ce qui reste inscrit sur le
bloc magique d'un intertexte possible : la trace d'un débat, d'actualité à la
cour de Henri III, autour des années 1570-1580, sur la tristesse et sur la
joie, pour savoir laquelle de ces deux passions est la plus forte[2]. Dans
deux des quatre discours tenus à l'Académie du Palais, il est répondu, par
des médecins, que la "Joye est amie de la nature, et la tristesse ennemie",
car...

La Joye d'autant qu'elle est dilatée et respandue et tres amye de
la nature, n'est pas si violente, si forte, si aigre que la tristesse,

---

[2] Ces premières pièces d'éloquence française ont été délivrées dans les années 1570-
80, dans le cadre de la seconde Académie du Palais où Henri III avait accueilli l'Académie
fondée par Baïf. Le roi avait rassemblé l'élite lettrée et savante qui s'exercait à discourir sur
des sujets de philosophie morale. Il est vraisemblable que Montaigne en avait
connaissance.

qui nous apporte une tres grande perturbation et tout soudain et tout à coup nous presse, nous serre et nous estouffe le coeur [3].

Pour les hommes de lettres, comme Amadys Jamyn, le protégé de Ronsard, "la Joye est plus véhémente", et pour l'auteur (anonyme) d'un autre discours, la tristesse n'est plus forte que si elle s'accompagne d'une autre passion, de l'amour, par exemple[4]. La tristesse est donc associée à d'autres passions, car, ainsi, que le rappelle le même orateur, selon les Cyrénaïques, toutes les passions naissaient de la surprise[5]. Or, ces deux dernières thèses, notamment celle des Cyrénaïques, se trouvent être illustrées par les exemples et commentaires de l'essai, qui, loin d'être décousu, présente une suite d'exemples et de commentaires, augmentée, après 1580, d'un jugement de Montaigne sur la tristesse et les passions. Le titre et les deux additions liminaires de l'essai constituent un discours complet qui pourrait se résumer ainsi : "De la tristesse, qu'il faut la vaincre", discours de Montaigne adressé à lui-même, puisqu'il y répond : "(b1) Je suis des plus exempts de cette passion", discours adressé aussi, dans la dernière addition, à ceux qui trouvent bien "de l'honorer de faveur particulière".

Montaigne étend sa condamnation de la tristesse, cette qualité "tousjours folle", à ses partisans, ces tristes fous qui "en habillent la sagesse, la vertu, la conscience" (c1). On ignore qui peut être visé ici,

---

[3] Deuxième discours, Edouard Frémy, *L'Académie des derniers Valois* (Paris, s. d.) p. 257. L'auteur, anonyme, serait l'un des médecins lettrés de l'entourage du roi, Miron ou Gabrian.

[4] A. Jamyn, Quatrième Discours, Frémy, p. 273. Pour l'auteur du premier Discours, "Et si vous m'alleguez des exemples de la tristesse où il y ait de la vehemence, vous l'y trouverez accompagnée d'autres perturbations et rages ou d'amour ou de haine ou de misères si grandes que la mort y était plus désirable et souhaitable que la vie. " Frémy, p. 250.

[5]*Tusculanes*, III.

cependant, l'emploi du temps présent ("habillent") fait référence à une actualité contemporaine. Or le premier discours qui ouvre la joute oratoire de l'Académie du Palais fait l'éloge de la tristesse, en opposant à la joie, laquelle "ordinairement nous fait afolir", "la tristesse qui nous fait le plus souvent sages"[6]. La réhabilitation de la tristesse semble être issue de certains courants neo-platoniciens, comme l'atteste, dans ses *Mémoires*, Marguerite de Navarre qui, dans sa prison d'Usson où elle passa de longues années à fréquenter des textes ésotériques, écrivait :

> Je reçus ces deux biens de la tristesse et de la solitude à ma première captivité, de me réduire à l'étude, lisant en ce beau livre de la Nature, tant de merveilles de son Créateur, car toute âme bien née faisant de cette connaissance une échelle, de laquelle Dieu est le dernier et le plus haut échelon... ne se plaît plus à autre chose qu'à suivre cette chaîne d'Homère, cette agréable Encyclopédie qui part de Dieu même, retourne à Dieu même... principe et fin de toutes choses. Et la Tristesse, contraire à la Joie, qui emporte hors de nous les pensées de nos actions, réveille notre âme en soi-même, qui, rassemblant toutes ses forces pour rejeter le mal et chercher le bien, pense et repense sans cesse pour choisir ce souverain bien... [7]

---

[6] Frémy, p. 250.

[7] *Mémoires et autres écrits de Marguerite de Valois*, la reine Margot, ed. Yves Cazaux (Paris : Mercure de France, 1971), pp. 89-90. Montaigne s'adresse à la destinataire de l'Apologie en ces termes : "Vous, pour qui j'ai pris la peine d'étendre un si long corps contre ma coutume, ne refuirez (refuserez) point de maintenir votre Sebond par la forme ordinaire d'argumenter de quoi vous estes tous les jours instruite"(ii. 12, 557 a). R. Sebond était, avec Hermes Trismegistes et le Pimandre, l'une des lectures favorites de M. de Navarre, ainsi que Marsile Ficin, lequel fait dans le *De triplici vita* l'apologie du génie mélancolique, tout en proposant un régime qui le préserve de sombrer dans l'*insanitas* ; *cf.* R. Klibansky, Saxe, Panovsky, *Saturn and Melancoly* (Londres, 1964) p. 261.

La tristesse exerce sur l'âme de Marguerite de Navarre une influence bénéfique, puisqu'elle la "rassemble" pour l'élever au-dessus du monde et la conduire, le long de la "chaîne d'Homère", jusqu'à ce pont où elle découvre, au-delà de ses manifestations visibles, un sens que seul peut atteindre l'entendement supérieur, ainsi que l'expose par ailleurs le médecin espagnol Huarte qui classe les esprits des hommes et des peuples selon la répartition des humeurs :

> si la tristesse et l'affliction dessèche et consomme la chair, et si pour cette raison l'homme acquiert meilleur entendement, il est certain que son contraire qui est l'allégresse, doit humecter le cerveau et abaisser l'entendement[8].

Montaigne, ne distinguant pas entre la tristesse "aduste" et "humide", se refuse à voir dans cette humeur le symptôme ou l'origine d'une supériorité intellectuelle, comme Huarte, ou un état protreptique au souverain bien, comme Marguerite de Navarre. Selon Montaigne, la tristesse serait plutôt une humeur maligne, aussi, ajoute-t-il :

> les Italiens ont plus sortablement baptisé de son nom la malignité. (c1, p. 11)

---

[8] Huarte, dans *L'examen des esprits* fait une anthropologie du génie, fondée sur la théorie des humeurs de Galien : les mélancoliques "adustes" (secs), dont il voit le type dans les Espagnols, assemblent un grand entendement avec une grande imagination, mais ils sont dépourvus de mémoire ; on pourrait reconnaître Montaigne dans ce portrait typologique, et M. Fumaroli (*L'âge de l'éloquence*, p. 129), J. Starobinski (*Montaigne en mouvement*, p. 17) vont dans ce sens. Montaigne serait bien, selon Huarte, l'un de ces hommes de grand entendement qui, "combien qu'ils aient faute de mémoire, leur propre invention est si grande que la même imagination leur sert de mémoire et de resouvenance et leur suggère plusieurs figures et sentences à alléguer, sans avoir faute d'aucune chose". *L'examen des esprits*, traduction de Vion Dalibray (Paris, 1645), cap. X, p. 93.

Comme il ne mentionne pas la *tristezza*, Montaigne ne retient de ce terme
étranger que la "chose" (*res*) qu'il signifie, et à laquelle correspond en
français le vocable "malignité". Montaigne exerce donc son jugement sur
des réalités morales à travers une critique du langage, par la recherche du
terme propre, à quelque langue qu'il appartienne. En faisant d'un
problème moral une question de terminologie, Montaigne impartit à la
lecture des exemples qui composent l'essai, une orientation linguistique.

3. LA TENTATION DE LA PARABOLE ALLÉGORIQUE

En transposant le problème moral en problème linguistique,
l'addition oriente la lecture des exemples vers la chose et vers le nom,
associés dans le concept de "malignité". La description nominale du sujet
de l'essai est cependant équivoque. Mal ou maladie, la malignité
s'applique au corps et à l'âme dans l'indistinction du vocable qui s'articule
sur un double concept : la tristesse rebaptisée "malignité" devient
métaphorique. Ce signal de la préface indique que le parallélisme maintenu
par la terminologie entre les représentations anecdotiques et leur
interprétation psychologique (entre la prise de Milan et l'emprise des
passions) n'est pas un effet des hasards de l'écriture ou la rencontre
fortuite d'une lecture préjudicielle et d'un texte irresponsable. Les
emprunts dont se nourrit cet essai importent d'ailleurs avec eux leur mode
de copie :

> L'invention de cet ancien peintre, lequel ayant à représenter au
> sacrifice d'Iphigénie le deuil des assistants... ayant épuisé les
> derniers efforts de son art, quand se vint au père de la fille, le
> peignit le visage couvert comme si nulle contenance ne pouvait
> représenter ce degré de deuil. (a4, p. 12)

Le tableau de Timanthes est un lieu commun de la littérature antique relevé par Erasme dans son recueil des Paraboles[9]. Montaigne peut l'avoir rencontré là, ou chez Quintilien, Pline ou Cicéron : il l'utilise néanmoins à la manière d'une parabole ou similitude (*similitudo*).

Il n'est qu'à tourner la dernière page de cet essai pour trouver une parabole, dans la citation des *Tusculanes* :

> Comme la folie, quand on lui octroiera ce qu'elle désire ne sera pas contente, aussi est la sagesse, contente de ce qui est présent, ne se desplait jamais de soi (trad. Gournay). (i. 3, 16 c)

Ce parallèle entre la folie et la sagesse est une forme d'argumentation fondée sur l'analogie, articulée par un jonteur (comme... si ; *Ut... sic*) propre à la parabole-trope, figure dérivée par Erasme de la métaphore ou forme étendue de la comparaison (du "simile" anglais) selon Quintilien dont on trouve justement un exemple emprunté aux *Institutions Oratoires* (V, ii, 24) au début de "De l'oisiveté" :

> Comme nous voyons des terres oysives, si elles sont grasses et fertilles, foisonner en cent mille sortes d'herbes sauvages et inutiles... ainsin en est-il des espris. Si on ne les occupe à certain sujet, qui les bride et contreigne, ils se jettent desreiglez, par cy par là, dans le vague champ des imaginations. (i. 8, 32 a)

---

[9] *Ut laudatur in hoc Timanthes quod in omnibus eius operibus plus semper intelligitur quam pingitur, ita optimum orationis genus, in quo plurima cogitationi relinquuntur, pauca narrantur, et plus inest sensuum quam verborum.* (De même que Timanthes est loué parce que dans ses oeuvres, il y a toujours plus à comprendre que ce qui est peint, de même, le meilleur genre de discours est celui qui donne surtout à penser et qui raconte peu et où il y a plus de sens que de mots). *Parabolae, AMS*, I-5, p. 244.

La forme de cette parabole est celle d'une comparaison entre deux propositions dont la seconde interprète la première. Alors que l'analogie démonstrative est fondée sur des exemples ou des arguments du même ordre, la figure de la parabole associe un exemple concret et une signification abstraite. Ainsi l'image des herbes folles manifeste un sens énoncé dans la deuxième partie de la parabole, où l'image est appliquée aux choses de l'esprit ; cette *translatio* des herbes sauvages aux champs de l'imagination est cependant rompue par le parallèle formel de la comparaison qui a pour effet de disjoindre l'image de son interprétation psychologique. La parabole-trope est ainsi plus proche de l'allégorie, comme en témoigne d'ailleurs l'usage herméneutique qu'Erasme fait de cette figure dans son recueil de *Parabolae*. Le cliché de manuel reproduit au début de l'essai "De l'oisiveté" n'a rien d'herméneutique, non plus que la parabole du peintre Timanthes dont Montaigne tire une inférence franchement logique :

> ... comme si nulle contenance ne pouvait représenter ce degré de deuil. Voylà pourquoy...

La jonction propre à la parabole est même renforcée par un opérateur modal : "si". Mais si la parabole est ainsi détournée par un effort du discours logique, sa propriété métaphorique demeure attachée à la langue qui applique des représentations plastiques aux états d'âme. Le déplacement du sens de mots répétés à distance, s'il est moins marqué que dans la métaphore, relève cependant de la même figure de translation, de déplacement du vocable, d'un objet à un autre qui lui est proche. Ainsi la contenance du personnage peint par Timanthes (Agamemnon) diffère de celle de Psammenitus par le mode d'existence historique ou plastique. Le roi d'Egypte donne la raison de son silence en usant du verbe "exprimer"

qui est repris dans l'interprétation de la fable de Niobé où il n'articule plus
la douleur mais la dépeint :

> Cambises s'enquérant à Psammenitus, pourquoy ne s'estant
> esmeu au malheur de son fils et de sa fille il portoit si
> impatiemment celuy d'un de ses amis : C'est répondit-il que ce
> seul dernier desplaisir se peut signifier par larmes, les deux
> premiers surpassans de bien loin tout moyen de se pouvoir
> *exprimer*. (a 3, p. 12a)
> ...les poètes feignent cette misérable mère Niobé... avoir esté en
> fin transmuée en rochier... pour *exprimer* cette morne, muette et
> sourde stupidité qui nous transit lorsque les accidens nous
> accablent surpassans notre portée. (a5, p.12).

La continuité lexicale tend ainsi entre les anecdotes un fil linguistique qui
fonde l'ordre analogique du discours : les relations entre les exemples ne
sont en effet énoncées par aucune expression logique, proprement
discursive, si ce n'est lorsqu'il s'agit de détourner la tentation de la
parabole herméneutique à laquelle les neo-platoniciens adeptes de la
tristesse se livraient, ou répandaient dans l'usage commun, sous forme
emblématique. La représentation de la passion se défend donc contre les
affections allégoriques du discours dont la progression et la cohérence
analogique se dégagent de la texture linguistique.

Il est significatif à cet égard de comparer les deux usages que
Montaigne et Erasme font du même exemple de Timanthes. L'auteur des
Paraboles y voit un idéal d'hermétisme ("on comprend plus qu'il n'est
exprimé par la peinture" (*plus intelligitur quam pingitur*)) et fait l'éloge du
laconisme respectueux de la liberté :

ainsi il vaut mieux que certaines choses soient laissées au jugement de chacun plutôt que d'être exposées par des mots[10].

Montaigne au contraire en fait un autre exemple d'impuissance : celle du peintre, qui a "épuisé les efforts de son art " et de son instrument figuratif : "comme si nulle contenance ne pouvoit représenter ce degré de deuil". L'art a ses passions, analogues à celles du sujet. L'objet de la représentation imposant une limite à la peinture comme au langage, deux attitudes sont possibles : celle des allégoristes qui entendent un au-delà de la parole dans son silence, ou qui le voient esquissé dans les corps et les formes, et celle des nominalistes qui, n'entendant rien que ce qui s'articule clairement ne voient jamais d'apparences. Reste la voie moyenne qui se faufile un passage entre le dit et le non dit, la représentation et l'herméneutique, en instaurant dans le langage une tension et un mouvement de transition métaphorique : telle est la voie suivie par Montaigne.

4. LA METAPHORE THERAPEUTIQUE

Le silence allégorique est repoussé par la vertu de la métaphore, après que la parabole a été articulée dans la voix de la logique. A Timanthes succède Niobé, dont les malheurs sont passés en proverbe et qui figurent dans le recueil des *Adages* d'Erasme. Mais cette fable est suffisamment connue par ailleurs et associée ainsi que celle d'Andromède

---

[10] *Ut Timanthes qui Iphigeniam pinxit, caeterorum affectus expressit, Agamemnonis autem vultum velo obtexit, ita quaedam melius relinquuntur suo cuique judicio estimanda quam verbis explicantur. (ibid.).*

aux traités des passions, de Cicéron au Père Lemoyne[11], pour que l'on ne puisse aller jusqu'à affirmer que Montaigne vise Erasme en faisant de ces lieux communs, des contre-exemples de l'allégorisme érasmien. Sans doute observe-t-on la même adaptation du texte d'Ovide chez les deux auteurs (*diriguisse* pour *diriguit*) mais la citation de l'essai reproduit le *malis* de l'original qu'Erasme paraphrase en *magno dolore*[12]. Sans nouer

---

[11] Le P. Pierre Le Moyne, dans ses *Peintures Morales* (1640) s'inspire des traités de médecine, probablement de Huarte, dont le chap. X de *L'examen des Esprits* avait été traduit par Guez de Balzac dans ses *Dissertations critiques* (*Oeuvres*, Paris, 1655, T. II, p. 577). Pour le père Le Moyne la tristesse ne correspond pas à la mélancolie "sèche" (aduste) mais à la mélancolie naturelle de Huarte : "la tristesse est rêveuse, pesante et stupide : elle détourne tous les sens de leurs fonctions ordinaires, et, remplissant leurs organes d'humeurs noires et corrompues qui leur font ce que la boue est aux tuyaux d'une fontaine gâtée, elle introduit en l'âme une cessation générale de toutes les facultés de la vie et de ce qui était auparavant un homme, fait une statue. A cela sans doute ont visé les auteurs des anciennes fables, quand ils ont changé les affligés en des arbres et en des roches. "(pp. 87-88). Bien qu'il ne prenne pas l'exemple de Niobé, mais d'Andromède, le P. Le Moyne présente une analyse de la tristesse, analogue à celle de Montaigne qui, vraisemblablement s'inspire d'une source commune : Huarte, qui écrit en effet qu'"il y a deux genres de mélancolie, une naturelle, qui est comme la lie du sang, duquel le tempérament est froideur et siccité, avec une fort grosse substance : elle ne sert de rien à l'esprit, mais rend les hommes ignorants, lâches et sujets à rire. " L'autre mélancolie, "colère aduste et brûlante (*atrabilis*)... fait les hommes très sages. " p. 53, vo.

[12] Dans l'adage *Niobes mala*, après avoir donné la généalogie de Niobé, Erasme rapporte la fable de sa métamorphose en rocher, qui se termine par les mots *immodico dolore diriguisse* : "les fables racontent qu'après la mort de ses enfants, qui étaient fort nombreux, elle a été transformée en rocher à cause de sa douleur, signifiant par là qu'elle fut pétrifiée par sa douleur sans borne. " (*AMS* II-5, p. 206, No. 2233). Suit une interprétation de la fable allégorique qui est appliquée au foyer dont elle signifie la destruction. Le texte de Montaigne est plus proche du résumé d'Erasme que du récit d'Ovide (*Métamorphoses*, VI), qui emploie *Diriguitque malis* (v. 303). Quoi qu'en dise M. MacKinley (*Words in a Corner*, p. 19), il n'y a qu'un rapport lointain entre la description minutieuse de la paralysie des membres de Niobé, dans les *Métamorphoses*, et celle de Raïssac, dans l'addition subséquente à l'exemple de Niobé dans l'essai en question.

un lien trop étroit entre Montaigne et Erasme on peut évoquer cette
orientation allégorique que la fable de Niobé connaît dans les *Adages* pour
apprécier la position de Montaigne. Niobé, la mère prolifique, frappée
dans sa progéniture et métamorphosée en pierre stérile, est au coeur de
l'essai, l'allégorie de la folle allégorie, langue du silence, langue de l'icône
emblématique, qui s'en remet au corps pour manifester au regard une
douleur que la voix est impuissante à dire. Ce corps mythique attire dans
le discours de Montaigne les âmes douloureuses de Psammenitus, du
Prince français, d'Agamemnon, de Raïssac, reflétés dans le miroir de la
fable où les ombres historiques prennent la forme de simulacres poétiques.
Mais l'allégorie du silence, piège où risque de se prendre la
représentation, est dénouée dans l'essai par certaine désinvolture de
Montaigne à l'égard des poètes dont il ne souligne pas l'autorité, par un
commentaire qui substitue l'explication logique à l'herméneutique, dans
une langue métaphorique.

La métaphore, telle qu'elle est couramment définie et que
l'emploie Montaigne garde le contact avec la référence "propre" à laquelle
elle ne substitue pas d'objet ou d'idée "impropre"[13] ; le même vocable
passe d'une référence à l'autre alors que l'allégorie ne désigne qu'un seul
objet (imaginaire et figuré) : elle est prise dans une forme sensible, un
corps où son sens est enclos ; elle ne s'explique pas, elle s'interprète. La
métaphore au contraire se déploie entre ses deux références réunies dans
une expression double dont un mot propre indique l'origine, et le mot dit

---

[13] *Metaphora... quae latine Translatio dicitur. Propterea quod vocem a genuina ac
propria significatione ad non propriam transfert... primum deflexione, quoties vox e
propinquo ad rem proximam deflectitur, ut video pro intellego* (la métaphore, qui se dit en
latin "translatio" parce qu'elle déplace un vocable de sa signification originelle et propre, à
une signification qui ne lui est pas propre, d'abord par extension, lorsque le vocable est
étendu à un objet proche, comme "voir" l'est à "concevoir") *De Copia, LB* I, p. 27 E.

métaphorique, la nouvelle application, tout en gardant la mémoire de son point de départ. La première citation des *Essais* est métaphorique :

> *Diriguisse malis*
> (avoir été pétrifiée par les maux) (a6 p. 12)

La raideur toute physique du *diriguisse* attire les maux de l'âme (*malis*) dans le ressort de la médecine, elle explique la "malignité" par la représentation de ce corps affecté par la douleur, en lui chevillant la tristesse maladive qui détachait l'âme d'"'une princesse des nôtres", Marguerite de Valois, du degré le plus bas de l'échelle des êtres. Disposée entre la fable qu'elle conclut et son commentaire, la métaphore mise en évidence par l'encoche citationnelle figure ce passage de l'image allégorique à sa signification, qu'elle explique en deux mots qui mettent l'image en prise sur le sens. La métaphore est comme peinte par le dispositif citationnel, tandis que la juxtaposition des langues indique un autre transfert, celui de la traduction libre qui la précède :

> ... sur-chargée de pertes, avoir esté enfin transmuée en rochier,
> *Diriguisse malis*, (a6 p. 12)

L'infinitif passé du latin semble appelé par celui du français qui adopte le *diriguit* d'Ovide aux nécessités de l'usage de Montaigne. La citation garde cependant comme la mémoire de son origine latine dans sa nouvelle application au texte de l'essai qui se montre respectueux de la voix autre de l'auteur, de sa langue paternelle et de la *vox populi* des temps anciens où "l'adage circulait de bouche en bouche". Ce n'est pas à vrai dire l'adage qui est cité ici, mais il est vraisemblablement présent dans la compétence des lecteurs contemporains des *Essais*. Le *diriguisse malis* dit en deux mots ce que le français doit développer en une phrase ; par sa densité expressive il donne à la description de la métamorphose de Niobé une *enargeia*, une emphase proprement saisissante. Il semble que le moment de la transformation n'ait pu être rendu que dans une langue plus propre que le français à l'"illustration" de l'objet. La citation amplifie la description d'autant plus que sa force descriptive est réfléchie aux divers niveaux du texte dans la mention typographique et la figure rhétorique. La métaphore ne se trouve-t-elle pas en effet décrite dans la citation qui suit celle de Niobé, comme la faculté même du langage qui unit l'"âme" au monde extérieur, comme le filet de la voix qui participe du corps et de l'âme, pour illustrer le stade libérateur de la passion, lorsque :

> *Et via vix tandem voci laxata dolore est*
> (et la douleur enfin à la voix fit passage) (b2, p. 12)

La deuxième citation développe une métaphore en une proposition logique qui, par son verbe, introduit l'écoulement du temps reprenant son cours après le moment mythique de la métamorphose. Ce déroulement historique s'accompagne d'une expansion dans l'espace (*via laxata*) amplifiée par le texte français qui précède le vers de Virgile :

> de façon que l'âme se relashant après aux larmes et aux plaintes, semble... se mettre plus au large, plus à son aise. (a8, p. 12)

Les variations lexicales se succèdent dans une tentative d'approximation de la *brevitas* latine, comme si l'expression de Montaigne était flottante dans sa recherche d'une forme à la fois assez dense et assez spacieuse pour que la signification puisse s'y exprimer par tous les modes de discours : la figure d'élocution et la logique de la proposition. La plénitude de la formule latine est circonscrite à l'intérieur des catégories sensibles de la perception : la voie spatiale et la voix entendue ; l'abstraction n'a pas son lieu dans cette proposition expressive de la relation qui unit les passions de l'âme et leur expression vocale : le recours à la poésie comme clausule d'une analyse de l'émotion est-il l'aveu d'une impuissance discursive ou d'une reconnaissance de la force d'une langue qui "incarne" le sens, qui le rend sensible et proche ? Comme la description des mouvements de l'âme qui précède la citation de Virgile est faite en termes imagés qui dérivent de la métaphore latine, il semble que la langue de Montaigne soit une expansion de la langue poétique, dans laquelle il est répondu, en 1580, à la question titulaire et à ses implications sous-entendues : de la tristesse et des passions.

La tension de la métaphore qui unit la représentation sensible à l'expression des états d'âme, figure en quelques mots un discours sur la nature des passions. Dans cette figure en effet se projette la solution du paradoxe philosophique qu'apportait, entre autres, l'un des auteurs du débat sur la Joie et la Tristesse :

- le corps n'a point de passions s'il n'est animé, car lorsqu'il est mort il ne sait plus rien.

- l'âme pure et simple de soy n'en peut avoir, autrement elle démentirait sa céleste origine[14].

Certains médecins répondaient que "les passions, émotions et dérèglements s'engendrent de la connexion, assemblage, société, participation et union des deux", dans une physiologie que Montaigne évoque par ce "bastiment tissu d'une si jointe et fraternelle correspondance" (iii. 13, 1094 b), où l'âme et le corps forment un homme qui n'est ni divisé, ni ange, ni bête, mais simplement composé. Participant

---

[14] Deuxième discours, Frémy, p. 253.

de la nature que ne régit plus la *concordia discors* des cosmologies stoïciennes, mais l'harmonie des "naturalistes", l'homme naturel que Montaigne essaie de former sera finalement (en 1588) un accord de correspondances ; mais il n'est au début de sa formation qu'une tension résistant à la rupture de son unité composite et à l'emportement de l'âme hors du corps ou du sens. Le conflit "discordant" de l'âme et du corps se résoud dans leur dépendance réciproque, représentée par la métaphore qui désarme la "discorde" et le débat dialectique dont les Stoïciens sont aussi responsables. Cette "jointure" des sens et du sens peut connaître tous les degrés de perfection selon que la chaîne est plus ou moins bien "tissue" : de l'harmonie à la dislocation, en passant par la tension. Alors que l'âme, prisonnière du corps platonicien ou en lutte pour sa maîtrise stoïque aspire, dans ces deux pensées disjonctives de l'être, à la maîtrise du corps, pour les "physiciens" au contraire, l'esprit le vivifie,

> A quoi faire demembrons-nous en divorce un bastiment tissu d'une si joincte et fraternelle correspondance ? Au rebours, renouons le par mutuels offices. Que l'esprit eveille et vivifie la pesanteur du corps, le corps arreste la légèreté de l'esprit et la fixe, (iii. 13, 1114 b)

L'union de l'esprit et du corps se fait par la médiation des esprits vitaux. Ces esprits qui "se glacent" sous l'effet d'une émotion violente de l'âme, ont dans la langue de l'ajout final la substance double, physique et psychique que leur donne le discours médical :

> l'effort de la tristesse venant à glacer ses esprits vitaux, le porta en cet estat roide mort par terre. (c2, p.12)

En ce sens la langue métaphorique de l'essai "incarne" dans la figure métaphorique, un modèle réduit du discours philosophique articulant la Physique sur la Métaphysique. A l'intérieur d'une philosophie qui ne divise plus l'homme ou l'univers dans la discorde, mais qui l'unit, soit dans l'harmonie du bien-être, soit par la tension née d'une résistance contre toute menace externe qui entamerait son intégrité, la métaphore, passe insensiblement dans le discours naturaliste où, de trope rhétorique elle devient un terme conceptuel. La Physique des naturalistes produit la langue des *Essais*. L'enchaînement analogique du discours est lui-même l'effet produit par une langue métaphorique essayant d'unir à son niveau, les représentations sensibles à un sens[15]. Le discours est une expansion de la langue dont le réseau métaphorique étendu dans le texte donne un fondement aux anecdotes apparemment disjointes. Ainsi le verbe *prendre*, qui s'applique aussi bien aux événements du monde qu'à ceux de la vie subjective, resserre le rapport causal entre la *surprise* de Léon X et la *prise* de Milan qui provoque sa fièvre mortelle, entre la *mêlée* du combat et les *démêlés* de l'âme, également dangereux pour la vie ; mais la relation analogique est arrêtée par l'articulation logique du "voilà pourquoi" qui empêche le déploiement de la métaphore en parabole allégorique.

En choisissant une forme de discours constitué d'exemples, le Montaigne de 1580 risque de passer pour un conteur, ou qui pis est, pour un compilateur : il n'en est rien. Sans doute son discours est-il un effet de son élocution plutôt qu'un parcours balisé par les marques d'une logique inductive. Le recours à la formule métaphorique révèle une pensée

---

[15] On observe ce processus de reprises métaphoriques des mêmes vocables dans le premier essai : dans l'exemple, "les enfans abandonnez à la boucherie... " et dans son interprétation cinq lignes plus bas, "... le respect d'une si notable vertu reboucha... la pointe de sa colère"(p. 11 a). Au chapitre suivant (I, iii), on retrouve les deux applications de "mesler/meslée", à l'âme et au combat : "mesler la puissance d'agir... se retirer de la meslée, " (p. 25 a). Au chapitre iv, dans une parabole - trope : "comme... il faut... qu'elle aye bute... de mesme il faut tousjours luy fournir d'object où elle s'abutte" (p. 25 a). Dans le même essai, "Cesar, ayant été battu de la tempeste... la fortune comme si elle avoit des oreilles subjectes à nostre batterie" (p. 26 a).

médiatisée par les formes immédiatement sensibles à l'imaginaire où elle tend à circonscrire ses mouvements. La première partie de l'essai résoud donc dans la langue métaphorique, productrice du discours analogique, un débat possible sur la tristesse et la nature des passions. L'aporie se résorbe dans une figure du langage qui fonde un équilibre, tendu entre l'expression passionnelle qu'est l'allégorie herméneutique et la "stupidité" de la description réaliste, laquelle n'est jamais qu'une allégorie sans interprète. Dans une langue qui est un mode de penser, la séquence d'exemples réalistes devient un essai de discours, au sens du latin *ratio*.

5. LA TENTATION DE LA (RE)CITATION

Les exemples historiques ou fabuleux de la première partie donnent à voir des personnages, dans leur corps, dans une circonstance et une situation données. Les deux citations latines donnent du relief à la peinture de Timanthes, à la statue de Niobé. La voix cependant s'élève progressivement : muette dans le premier exemple : "Psammenitus... se tint coy sans mot dire", bruit de fonds de la rumeur antique qui répète l'adage des "malheurs de Niobé", la voix retrouvée mais assourdie par la métaphore visuelle de la deuxième citation, *et via vix tandem voci laxata dolore est*, se fait entendre avec plus de force dans la sentence italienne qui suit le dernier exemple pictural :

> *Chi puo dir com'egli arde e in picciol fuoco*
> (Qui peut dire à quel point il est enflammé, brûle d'une ardeur médiocre (trad. Coste)(a9, p. 12)

Ce vers de Pétrarque suppose un sujet, une voix, qui, en le proférant, témoigne d'une pensée (*sententia*) articulée dans une langue étrangère où le "feu", dont on ne sait encore à la première lecture qu'il est amoureux, peut être métaphorique d'un sentiment, ou descriptif d'une sensation. La transposition italienne de cette ambivalence de la langue de l'essai, assure un passage à la langue plus figurative que figurée des fragments latins de la deuxième partie de l'essai.

La citation italienne est médiatrice entre le latin et le français par sa langue, plus proche que celle de Montaigne, du latin dont elle est issue. Cette translation culturelle est particulièrement visible dans le texte de 1588 : dans la seconde édition des *Essais* où la citation de Virgile *Et via...* est ajoutée, le vers de Pétrarque lui est subordonné par la disposition typographique :

> (b2) *Et via vix voci tandem laxata dolore est*
> (a9) *Chi puo dir com'egli arde e in picciol fucco*
> disent les amoureux qui veulent représenter une passion insupportable
> (a10) *Misero quod omnes,. ..*

Cette alternance rapide des trois langues accentue le rôle médiateur du mot italien qui introduit la première personne d'un locuteur, absent de la métaphore virgilienne et présent dès le premier vers de Catulle : *Misero...* Le vers sentencieux de Pétrarque est en effet "dit" par les amoureux, qui représentent leur passion en latin. Le français inséré entre les deux citations devient langue d'interprétation de langues de représentation visuelle (le latin) et la langue du témoignage parlé (l'italien). Les fragments de Pétrarque et de Catulle introduisent des témoins, en guise d'exemples, à la manière des faits rapportés dans la première partie. Les citations de "dits" (*dicta*) sont des exemples parlants qui correspondent aux faits et gestes (*res gestae*) historiques : à la représentation plastique succède la présence de la voix.

L'italien donne la parole aux amoureux. En énonçant cette parole ils confèrent à sa pensée l'autorité de leur assertion. Ils ne citent pas plus Pétrarque qu'ils ne récitent ce vers, ils en font l'expression de leur expérience et de leur jugement, donnant ainsi à la sentence valeur de témoignage. La force (l'*energeia*) du vers lyrique évoque toutefois un sujet qui donne par le mètre une forme à sa passion. Les mêmes amoureux témoins représentent en effet leur trouble en interprétant la *persona* de Pétrarque à laquelle succède celle de Catulle. Mais la brachylogie de la phrase charnière :

> (a9 Pétrarque)
> disent les amoureux qui veulent représenter
> une passion insupportable
> (a10 Catulle)

où "représenter" porte grammaticalement sur la citation italienne mais discursivement aussi sur la citation latine, produit un effet de superposition des deux *persona* lyriques dans la même personne actrice des amoureux. Or cette équivalence des rôles est un effet de la correction de Montaigne en 1588 où il supprime l'insérende de la citation de Catulle :

> ... une passion insupportable. Ce que exprime naifvement le divin poème.
> *Misero...* (1580)

Le chant de Catulle réduit à l'expression d'un état d'âme en 1580, devient en 1588 celle d'un actant du "récit" : les amoureux destinés par Montaigne à interpréter des rôles lyriques, sont en même temps cités comme témoins garants de la pensée contenue dans la sentence italienne. Les rôles de témoin et d'acteur tenus par le groupe anonyme des amoureux, se dédoublent dans l'ordre successif du texte : les témoins font d'abord leur acte d'assertion en italien, les acteurs représentent ensuite leurs tourments dans l'imitation latine de Sapho. Insensiblement la double fonction de la citation italienne se dénoue entre la présence orale du témoin et la représentation des personnages amoureux par le chant lyrique, dans une langue qui est aussi celle de l'entendement où est reçue la sentence de Sénèque citée ensuite :

> *Curae leves loquuntur, ingentes stupent*
> (Léger, le chagrin parle, mais grand il fait silence) (a12, p. 13)

Toute formule de présentation d'un sujet énonciateur de ce sénaire tragique est absente : le plus monstrueux exemple de la passion amoureuse, Phèdre, ne laisse aucune trace dans le texte français. Le simulacre dramatique qu'aucun acteur n'interprète est réduit, comme le figment de Niobé, à la fonction signifiante de support matériel du sens. Mais, de même que le corps fabuleux de Niobé "imite" les corps historiques, auxquels se joint celui de l'interprète dans un "nous" collectif, le vers dramatique de Phèdre est entendu de l'auteur- auditeur, qui se représente avant la sentence par laquelle il reproduit en la traduisant celle de Sénèque :

> Toutes passions qui se laissent goûter et digérer ne sont que médiocres. (a11, p.13)

Le personnage dramatique n'a, dans l'essai, pour tout partenaire du dialogue que Montaigne, au(di)teur-traducteur. La réplique de Phèdre est en effet adressée à Hippolyte dans un dialogue où Montaigne pourrait jouer ce rôle silencieux à l'écoute de la protagoniste. La psychanalyse soupçonnerait peut-être un transfert d'impuissance sur le "chaste"

Hippolyte, car l'aveu qui précède la citation est celui de la défaillance
sexuelle de Montaigne :

> Et de là s'engendre par fois la défaillance fortuite, qui surprend
> les amoureux si hors de saison de cette glace qui les saisit par la
> force d'une ardeur extreme, au giron mesme de la jouyssance:
> (b4') accident qui ne m'est pas incogneu. (a11)Toutes passions...

Mais l'auteur du premier et du dernier essai (la confidence ajoutée en 1588
est supprimée sur l'exemplaire de Bordeaux) n'est présent que dans la
langue de la traduction qui accueille la parole sentencieuse. L'auteur est un
traducteur qui se présente donc seulement par le truchement linguistique.
Il résorbe la parole étrangère dans l'intimité de sa langue par une
assimilation des éléments qui risquent de la figer dans le réalisme
"stupide". Parmi les formes de résistance à l'aliénation du copiste,
rapporteur de faits ou acteur de dits, la production d'une langue d'auteur,
constitue l'un des moyens de conjurer la double "passion" du lecteur : le
plagiat et l'interprétation. Nous avons vu comment la voie métaphorique
offrait un terme moyen, conciliateur des postulations contradictoires de la
reproduction des objets sensibles à la vue ; il reste à voir comment, dans
l'ordre de la perception auditive et de l'expression vocale, l'assimilation
des langues mentionnées et la présence du locuteur qui les interprète,
résistent à la double affection de l'acteur-orateur : l'aliénation de son
identité dans la récitation, et la passivité impuissante de l'auditeur.
        Les fragments du discours amoureux emprunté à Pétrarque, à
Catulle et à Sénèque, se rejoignent en une coulée qui sourd de deux
langues citées : le latin et l'italien ainsi que du grec que les trois poètes
imitent ; la figure rhétorique commune à ces trois "citations" ainsi qu'à
celle de Virgile qui leur est ajoutée, n'est pas, comme la métaphore
caractéristique des deux premiers vers latins de l'essai, de nature visuelle,

mais sensible à l'ouïe : les *persona* et personnages qui énoncent les vers insérés dans la deuxième partie de l'essai, ou dont les comportements linguistiques y sont décrits, confèrent un support personnel à la voix qui se fait entendre sous la forme de la prosodie ; la strophe lyrique de Catulle, le vers de Pétrarque et les mètres épiques de Virgile unissent leur diversité dans les échos sonores ou sémantiques que Montaigne a provoqués :

> (a9) *Chi puo DIR...* (Pétrarque)...
> (a10) *Quod LOQUAR AMENS* (Catulle)...
> (a12) *Curae leves LOQUUNTUR...* (Sénèque)...
> (b4) *Arma AMENS vidit...*
> *... et longo vix tandem tempore*
> *FATUR* (Virgile) (p. 13)

Les reprises de *amens*, les variations morphologiques sur les lexèmes signifiant le "parler" : le *dir* italien dérivé du latin *dicere*, *loquar*, *loquuntur*, *fatur*, ne s'accompagnent pas d'un déplacement de l'objet signifié, mais d'une substitution des sujets de l'acte commun d'énonciation qu'ils signifient. A l'analogie des faits et gestes des corps plastiques, succède donc l'homologie de la voix interprète des vers enchaînés par ces itérations verbales, laquelle est réalisée dans l'essai, par l'attribution d'un sujet unique aux verbes *dir* et *loquar*. La *translatio* des sujets locuteurs compense l'objectivité de la langue latine, plus figurative que figurée. Il n'est qu'à rapprocher le *diriguisse malis* ovidien du *diriguisse visu* qui a pour sujet Andromaque dans la dernière citation, pour saisir la différence linguistique ; le même symptôme physique n'est plus causé par des maux psychiques mais par un objet présent et sensible à la vue, les armes (*arma*), désigné par une expression qui ne signifie pas plus qu'elle ne dit. Cette langue de la présence surgit donc dans les fragments d'un bloc linguistique commun aux poètes latins et italiens qui ont dissimulé par leur imitation le grec d'Euripide et de Sapho auquel Sénèque et Catulle font écho. Le grec opère encore dans ses succédanés étrangers et lyriques la transmutation des sens dans le sens : la chaleur qui court dans les membres (*tenuis sub artus* / *Flamma dimanat*), le voile qui recouvre les yeux de la *persona* catullienne (*gemina teguntur* / *Lumina nocte*), désignent les symptômes d'un corps aux sens tendus vers le soleil dont il infléchit les feux dans une flamme intestine et dont il réfléchit la lumière dans les yeux que le tain de la nuit réunit au néant[16]. Le silence même est encore éloquent, de Virgile à Pétrarque où il se dit par l'abstraction du "rien à dire" (*nihil est quod loquar*), produite par la privation du sens intellectuel, "*amens*" : le préfixe vide de sens articule logiquement une stupeur, une "stupidité" qui, en français, prend la forme et l'espace du corps. En latin la logique mime l'impuissance expressive : le silence y est doublement parlé, par le lexique et par la négation ; le mutisme en latin se dit à pleine voix :

> *et longo vix tandem tempore fatur*
> (et après bien du temps elle (Andromaque) recouvre à peine la voix) (b4, p.13)

La *vox* latine qui se perpétue dans le *dir* italien ne trouve aucun écho dans la langue de Montaigne. Le silence qui saisit à la lecture du français est troublé seulement par la voix de l'auteur qui se fait entendre à l'huis clos de la parenthèse "(di-je)" (p. 10). La seule occurrence de la voix en affaiblit la portée en la noyant dans les pleurs refoulées d'un malheureux qui "ne peut espandre ny vois ny pleurs" (p. 11) ; alors qu'en français les yeux sont "fichez en terre", les yeux d'Andromaque terrifiée à la vue des armes d'Enée, se remplissent de visions prodigieuses :

---

[16] voir la traduction de M. de Gournay, Appendice IV.

Ut me conspexit venientem et Troia circum
Arma amens VIDIT, magnis EXTERRITA monstris
(Dès qu'elle me vit approcher et qu'elle aperçut de tous côtés les armes troyennes, perdant l'esprit, comme effrayée de visions prodigieuses) (b4,p.13)

Le regard du capitaine Raïssac, comme celui du roi Psamménitus est proprement "atterré" dans la prose française.

Le français de Montaigne a la langue prise dans un réseau qui ne se noue qu'en certains points à celui des langues "italiques" : fait de langue ou de langage. Il n'est qu'à évoquer la langue de Racine pour retrouver dans le français "le plus pur", ces feux de la passion, cette voix interdite qui cependant ne cesse de dire, et ces yeux aveuglés de trop de lumière, pour que la langue de Lesbos s'acclimate en français :

Nam simul te aspexi
Nihil est quod loquar amens
(Catulle) (a10, p.13)
(Interdit à ta vue Le trouble se répand dans mon âme éperdue)

La traduction de Costes n'est qu'une réminiscence de la *Phèdre* où Racine mêle le chant de Sapho au drame d'Euripide. Montaigne reproduit la version latine de la tragédie grecque ; dans *l'Hippolyte* de Sénèque, la passion plus matérielle s'appesantit sur l'âme (*curae leves...*). Cette langue, est vraiment romaine dans l'épopée où Virgile célèbre les origines troyennes de la latinité. Le silence n'y est plus une abstraction de la parole dans la métaphore de la "voie dégagée par la douleur à la voix" (*via vix tandem voci laxata dolore est*) : la passion virgilienne est à l'âme ce que l'attaque est au soldat, une force hostile à repousser:

et longo VIX tandem tempore FATUR (b2) (*AEn.* XI, 151)

(et sa douleur enfin laissa passer sa voix)
et VIA VIX tandem VOCI laxata dolore est (b4) (*AEn.*,III, 309)
(et après bien du temps elle recouvre à peine la voix)

L'effort (*vix*) se conjugue à la marche, ou à la résistance qui défend le passage (*via*) de la voix (*vox, voci*). Les deux phrases de Virgile sont distribuées autour des mêmes vocables, déplacés de l'espace militaire à celui de l'âme. Cette transposition qui semble métaphorique porte cependant moins sur les images et les objets, que sur les vocables : elle se fait par les sonorités des dictions, communes à l'élocution et à la conquête militaire. La constante phonique initiale des monosyllabes *via, vix, vox* attire d'autres mots brefs, réunis également dans une formule triadique, celle du *veni, vidi, vici*. Ces actes du vainqueur qui triomphe par la rapidité de ses mouvements aussi prompts que son regard, provoquent chez sa victime une réaction pathétique, une passion qui prend le langage même de l'action : devant Enée, Andromaque s'immobilisa à sa vue (*visu*), perdant l'esprit en voyant ses armes (*arma*). Vaincue à la vue du survenant, Andromaque se tait, ne retrouvant la voix qu'après un certain temps (*longo vix tempore*), comme après la voie est dégagée de la force qui la bloquait : la répétition des vocables dans ces deux citations de *l'Enéide* les place dans un rapport de complémentarité sémantique, selon un enchaînement acoustique.

La spatialisation des luttes de l'âme se projette dans la langue de Montaigne qui toutefois démilitarise ces affrontements pour les réduire à l'exercice de forces purement physiques. En adoptant l'image de la *via laxata*, Montaigne l'adapte en représentant le filet de la passion où la voix est encore prise, où elle se démêle, d'où elle se déprend. La passion se joue en français dans une physique de forces qui pèsent de tout leur poids sur les barrières de la patience, que la moindre surcharge... brise (p. 11). Si les attaques du mal qui se situe hors de l'âme se font avec la violence d'une charge qui assaille la constance, cet "effort" est converti en pesanteur ; la charge devient un fardeau mal contenu qui "aggrave (alourdit) l'âme de profondes pensées". Le *cogito* a pris du poids en passant en français par le *pensare* (le pesage) du latin. Le penser amoureux devient une passion de l'âme qui, oppressée, opprimée, ne peut s'exprimer qu'à la suite d'une secousse qui, en rompant les barrières de la passivité, dégage la voie aux plaintes. Allégée du poids qu'elle portait, l'âme s'emporte, se met en branle, elle se met en mouvement, s'émeut. Perdant ainsi sa stabilité, sa constance, elle peut se déployer en un mouvement d'expansion qui lui donne cet espace confortable où elle peut "se mettre plus au large et à son aise" (p. 12).

6. COMMENT LE SUJET DU DISCOURS DEVIENT LE SUJET DES *ESSAIS*

La langue de Montaigne prend les formes sensibles et une substance pesante qui résiste aux emportements du désir : il s'agit de donner un corps à une âme émotive qui lutte contre la passion par l'exercice même du langage :

> J'ai l'appréhension naturellement dure ; et l'encroûte et l'épaissis tous les jours par discours. (b5, p. 14)

Ce "discours" qui est la raison (*ratio*) et l'oraison (*oratio*) de Montaigne amalgame dans la langue métaphorique de l'oraison la plasticité visuelle et le souffle de la parole pour produire sa "raison" dans le corps où la voix s'intériorise. Le corps massif de Niobé semble être approprié par l'auteur de l'essai qui se ferme, s'endurcit ; il se rend muet, mais non stupide : le sens de l'allégorie n'est plus au-delà de l'image, mais intériorisé dans ce corps par lequel Montaigne se représente ; il ne s'emporte pas dans l'"encyclopédie du monde" mais en cherche le sens, caché au coeur de la statue fabuleuse où il s'installe pour l'interpréter dans l'encyclopédie de son moi. Cette métamorphose volontaire est produite par le sujet du discours qui inverse les rapports de force entre les deux espaces séparés par l'appréhension : la crainte d'une charge extérieure est détournée par une prise dirigée à partir du sujet locuteur vers les objets qu'il représente en se les incorporant. L'effort de la tristesse, du déplaisir et des passions violentes est converti en effort de l'art du langage, encore inquiet d'être frappé d'impuissance. En se représentant comme auteur d'un discours, Montaigne choisit l'expression de la langue orale (l'*oratio*) pour désigner son "oraison" écrite, où la voix s'assourdit en sécrétant un corps : telle est histoire métaphorique de l'écriture par laquelle se forme le sujet des *Essais*.

La montée du sujet, en 1588, s'accompagne d'additions de fragments poétiques : le monostique du chant XI de l'*Enéide* et les quatre vers du chant III énoncés à la première personne par Enée. Dans ce discours qui s'exerce à résister aux apports extérieurs, la présence étrangère s'accroît au fur et à mesure que le sujet propre du texte s'affirme, comme s'il ne pouvait se constituer que dans l'incorporation et la rumination de voix autres, par une "appréhension" qui donne une forme substantielle ou sujet du texte. C'est en effet au milieu de cette deuxième partie à dominante orale, où les sujets de la passion apportent leur témoignage direct, que Montaigne se représente pour donner l'exemple de sa défaillance sexuelle:

"... accident qui ne m'est pas inconnu" (b4', p.13)

Cet aveu est d'autant plus curieux qu'au même moment Montaigne borde l'essai de son portrait en sage, dégagé de l'emprise des passions (b1, p. 11, b5, p. 14). Mais la privation de la jouissance sexuelle n'est pas du même ordre que celle d'une fonction vitale : l'usage expressif de la langue ou du discours. En effet, Diodore le dialecticien meurt de ne pouvoir se développer d'un argument (a13, p. 14), saisi d'une passion de honte aussi mortelle que la douleur, faute de pouvoir s'exprimer. La langue de l'affectivité ou le discours, l'expression lyrique ou la dialectique, assument un rôle vital que la poétique de la jouissance et la rhétorique de la persuasion présupposent, pour les surdéterminer d'une émotion délectable. Le discours amoureux qui ne peut déployer ses plaintes et ses persuasions ressortit en effet à l'art où le *movere* rhétorique permet la *delectatio* poétique. Trois fonctions de langage sont ainsi empêchées par des passions différentes qui affectent le siège de chaque mode de discours. Le plus naïf, l'expression des sentiments par une langue mêlée de pleurs et de cris, est interdit par l'émotion la plus naturelle : le deuil des parents (Psammenitus, Raïssac, Niobé), seule affliction que les philosophes aient daigné reconnaître en composant des consolations. L'art rhétorique ou poétique correspond à un désir de jouissance et de possession de l'autre, que Montaigne ne considère pas comme vital puisqu'il peut affirmer en même temps son immunité passionnelle et son impuissance au plaisir. La dialectique associée à la vanité est entraînée dans la même réprobation, comme étant une affection du discours qui s'expose aux attaques, aux surprises de l'argumentation, à cet imprévu dont se garde Montaigne dans son discours écrit ("J'ay l'apprehension naturellement dure et. ..l'espessis tous les jours par discours"). Cette fermeture du moi, effet d'un entraînement volontaire est la condition même de son existence dans un discours qui se refuse à la vanité démonstrative, au désir de persuader ou d'émouvoir, comme aux nécessités de l'expression émotive.

En se donnant comme un contre exemple aux ravages exercés par la tristesse et autres passions, Montaigne rapporte ainsi à lui-même le sujet de l'essai par un mouvement d'introversion. Or, au moment où s'affirme le moi, en 1588, Montaigne ajoute un fragment de l'*Enéide* (b4) comme un autre exemple de saisissement : "la surprise d'un plaisir inespéré nous estonne de même" ; ce "nous" étonné qui introduit la citation est illustré par Andromaque, surprise de voir aux bords du Scamandre le frère d'Hector, Enée, qui raconte cette entrevue et décrit l'émotion dont il fut responsable. La première personne du narrateur épique ne peut donc se rapporter au "nous" muet qui parle pour les "surpris" regroupés dans la dernière partie de l'essai qui suit ces vers de Virgile. Ces exemples, pris à l'histoire collective, reçoivent donc une forme épique, intermédiaire entre l'évocation lyrique et la représentation plastique. En effet, la défaillance d'Andromaque qui se laisse tomber à terre est évoquée avec l'*enargeia* d'une peinture prise sur le vif, dans un récit qui présente la personne du narrateur-témoin avec toute l'*energeia* d'une déclamation rendue directement par la citation[17]. Cet enchâssement de la vision dans la diction témoigne d'une subordination de la vue (passive) à la voix (active), qui traverse l'essai. La parole, rapportée indirectement dans les exemples spectaculaires de la première partie, s'énonce directement ensuite puis agit par la surprise sur les personnages rassemblés dans la dernière partie, sans autre mise en scène que celle de leur nom :

---

[17] Erasme définit l'*enargeia*, que Quintilien, après Cicéron, traduit aussi par *evidentia* (*I. O.* IV, 2, 63 ; VIII, 3, 61 ; IX, 2, 40), comme une façon de présenter un objet de façon frappante, à l'ouïe, mais surtout à la vue (*nulla melius rem ad oculos ponit*), *Parabolae*, *AMS* II-5, p. 90, 1. 33). Dans le français du XVIe siècle, le terme d'"illustration", employé notamment, on le sait, par Du Bellay, rend le concept rhétorique d'*enargeia*, auquel Erasme consacre la "cinquième manière d'enrichir le discours", par des descriptions, narrations, prosopopées (*De Copia, LB* I, pp. 77-78). L'*enargeia* a pu être confondue avec l'*energeia* ("*ab agendo, ergon*"), qui donne de la vigueur à l'expression par une brièveté efficace : c'est une espèce de règle de communication, qui consiste à "ne rien dire qui soit oiseux" (I. O. VIII, 3, 88) ; *cf.* T. Cave, "'Enargeia' : Erasmus and the Rhetoric of Presence *in* Sixteenth Century", *L'Esprit Créateur*, 1976(XVI, 4), pp. 5-18.

> le Pape Léon dixième, ayant esté adverty de la prinse de Milan, qu'il avait extrêmement souhaitée entra en tel excez de joye, que la fièvre l'en print et en mourut... Diodorus le Dialecticien mourut sur le champ, espris d'une extreme passion de honte, pour en son eschole, et en public, ne se pouvoir desvelopper d'un argument qu'on luy avoit faict. (a13, p. 14)

Ces personnes sont frappées dans leur entendement à l'écoute d'une nouvelle, abstraite donc de la perception visuelle qui nécessitait dans les premiers exemples que le corps et la scène soient représentés. La parole qui saisit par surprise est contenue dans le passage de l'*Enéide*, modèle réduit de tous les modes de représentation successivement essayés en 1580. Le rôle d'Enée est, en effet, celui d'un témoin qui rappelle, sur le mode de la commémoration historique, la surprise d'Andromaque, dont le corps mi-fabuleux mi-historique figure celui des "surpris" de l'histoire. Cet enchâssement de la parole dans la représentation plastique correspond à celui des deux premiers exemples, soigneusement incorporés : "le Prince des nostres", qui est en effet surpris d'"'ouïr... nouvelles de la mort de son frère", est apparié au conte de Psammenitus où son cas est inséré dans la narration descriptive :

> Mais le conte dit que Psammenitus... voyant passer devant luy sa fille prisonnière... Cecy se pourroit apparier à ce qu'on vid dernièrement d'un Prince des nostres, qui, ayant ouy à Trante, où il estoit, nouvelles de la mort de son frère aisné... Il s'en pourroit (di-je) autant juger de nostre histoire, n'estoit qu'elle ajouste que Cambises s'enquerant à Psammenitus...(a1, a2, a3 ; p. 11-12)

Montaigne dans son "conte" rappelle ces spectacles comme le fait le narrateur épique, auquel il prête en effet sa voix, confondue dans la personne plurielle du "nous" introducteur du récit d'Enée. "Nous" les surpris, et "nous" les amoureux sont ajoutés en 1588 où ils multiplient la première personne dans ses métamorphoses passionnelles. Dans ces trois instances, le moi dissimulé dans le nous collectif, interprète la fiction poétique et participe à la communauté des actants et des témoins de l'histoire. En 1588 Montaigne joue le rôle lyrique des "amoureux" ainsi que celui du narrateur épique. La première personne d'Enée (*ut ME conspexit*) ne peut en effet être interprétée par aucun personnage de l'essai, mais seulement par son auteur qui, du même coup, est l'acteur de la citation ; ce sont ces rôles, détachés de tout engagement passionnel, que Montaigne s'entraîne à tenir, semble-t-il, en forgeant tous les jours son "discours", comme il le déclare dans la conclusion contemporaine de l'addition de la dernière citation de l'Enéide.

Par cet endurcissement volontaire, Montaigne inverse le mouvement de la passion, par une action dirigée contre le monde extérieur, auquel il oppose une "croûte" d'indifférence qui amortit, dans son épaisseur substantielle les "efforts" venus du dehors. La sécrétion protectrice de la sérénité de Montaigne, est produite par un "discours" centré en 1588 sur la voix d'un "au(ra)teur" qui réfléchit le sujet de son discours sur l'acteur qu'il devient. Cette intériorisation de la passion renverse les rapports de force, dans une dialectique de l'échange où le sujet se relève de la sujétion. A la différence cependant de la dialectique impersonnelle de l'école, qui n'est pas exempte de passion, témoin, la mort de Diodore, celle de Montaigne procède plutôt par détournement progressif jusqu'à l'équilibre d'une "appréhension", qui tient l'équilibre entre le repliement craintif et la préhension active. La passion devenue médiocre se digère dans le discours, qui peut dire la parole impossible et s'oppose ainsi aux exemples dont il est chargé.

La montée du sujet dans l'essai de 1588 est donc l'effet d'une résistance à ces passions que Montaigne représentait dès 1580. Dans la substance d'une langue assimilatrice des apports étrangers, il désarme leur emprise aliénatrice ; cependant cette forme d'imitation semble restreinte et comme mise en échec par les îlots de reproduction. Il faut cependant voir dans la concomitance de la représentation du sujet et de la deuxième vague citationnelle de 1588 une relation qui, sans présenter l'enchaînement d'une causalité nécessaire, n'est pas de pur hasard. Les citations en 1580 illustrent les descriptions et la pensée, ou bien mettent en présence de la voix d'un sujet parlant lorsque ces mots rapportés sont dits à la première personne. Cette rhétorique de la présence dont relèvent les citations, produit la représentation de l'auteur, car les discours rapportés dans leur langue originale introduisent dans le texte des sujets énonciateurs à interpréter, imposent une présence à assumer : ces fragments du discours de la passion font passer l'auteur, de la production linguistique à l'action discursive. C'est en effet d'abord par la langue qu'en 1580 Montaigne s'affirme, dans une expression translative où l'interprétation est figurée par la métaphore et opérée dans la traduction assimilatrice. Les additions de 1588 introduisent un sujet pluriel qui réunit les voix des interprètes de la passion amoureuse et de la surprise. Participant de cette énonciation collective qui assume les paroles citées, l'auteur est donc un acteur qui, pour ne pas se laisser prendre au jeu d'une interprétation aliénante, doit affirmer sa propre existence et sa force d'assimilation. Le même processus, observé dans la langue par les mouvements d'appropriation que sont la métaphore et la traduction, s'observe au plan de l'énonciation par la formation d'un sujet capable d'assumer la présence des sujets qu'il introduit, sans se confondre en eux dans la récitation. En résistant à l'objet de son discours (que celui-ci soit une image ou une parole), Montaigne est amené à produire deux forces préhensives : celle de la langue et celle du sujet du discours.

L'essai de 1580 est écrit sur le mode le plus naturel, celui de la représentation qui tente de se détacher de l'emprise de son objet par une production linguistique. Mais le discours proprement dit où s'exerce le jugement, est impuissant en 1980, alors qu'il s'affirme nettement dans la dernière addition de l'introduction qui condamne sévèrement la tristesse. La formation du discours passe en effet par celle de son acteur qui dès 1588 se prend pour objet, par un acte de parole où s'exprime la raison du discours des *Essais* :

> Je suis peu en prise à ces passions (b5, p. 14)

Les deux sujets de l'essai ("je" et les "passions") sont alors liés dans un acte assertif qui énonce, leur relation, sur le mode négatif et abstrait. Montaigne fonde son existence autoriale en se mettant "en prise" sur l'objet de son discours dont il est "exempt" (vide) : il n'est que l'acteur de l'essai :

> De la tristesse
> Je suis des plus exempts de cette passion. (b1, p.11)

Ainsi commence le discours définitif.

Le discours des *Essais* est donc induit par la langue : l'enchaînement analogique des exemples (faits et dits) est soutenu par un mouvement métaphorique qui tisse un réseau de correspondances entre les réalités physiques et psychiques, entre les domaines du corps et de l'âme. Plus précisément, le discours spéculatif, régi par le principe de "vanité" qu'est la loi du "connais-toi toi-même", se dégage de la récitation de Montaigne, ce récit décousu parce qu'il mêle justement le langage au métalangage, la narration à la troisième personne et la présentation de la première personne : plurielle ou singulière. Or l'auto-portrait, qu'à la suite d'une longue tradition à laquelle Montaigne paie son dû quand il use ailleurs de la métaphore plastique ("car c'est-moi que je peins..."), est également conçu selon le registre auditif : "je ne dis les autres que pour mieux me dire" (i. 26, 148 c). La différence entre les relations que traduisent donc le medium visuel ou vocal, est explorée dans l'essai "De la tristesse" : la vue instaure une relation de force car le regard objective le sujet jusqu'à la réification, ainsi que le rappellent les exemples regroupés sous la figure de Niobé : la vue instaure donc une relation "passionnelle" car passive. L'intériorisation du regard ou son introversion produit la voix ; Montaigne donne de ce processus une justification épistémologique à la fin de l'essai "De la vanité" : la métaphore visuelle (que Montaigne substitue au terme abstrait de "connaître" dans l'adage apollinien) confère au regard intérieur une force préhensive que seule la parole possède : la connaissance de soi ouvre une voie moyenne entre la passivité de la vue et l'acte de la parole, qui pourrait être celle du discours écrit, de la "littérature".

QUATRIEME PARTIE

CITATION, DIALOGISME ET RETRO-PORTRAIT

La représentation du moi qui s'accentue dans les derniers essais s'accompagne d'une recrudescence citationnelle, si bien que dans les éditions abrégées, les citations et l'autoportrait étaient éliminées au titre des faiblesses des *Essais*. De même, dans la réception critique, ces deux aspects de l'œuvre de Montaigne, apparemment sans rapport ont été associés pour être mis au rebut comme des scories de l'essence montaignienne, mises au compte de la vanité d' un auteur qui se conformait à la "fantaisie du siècle". C'est en effet au ressort psychologique que Villey pouvait recourir afin de tenter de résoudre le paradoxe sur lequel se terminait sa thèse: comment l'affirmation du moi, qui ne va pas sans une certaine complaisance narcissique peut-elle être compatible avec les emprunts étrangers ?

Pour résoudre cette contradiction, on doit dégager la citation du préjugé qui lui est attaché à partir du XVIIe siècle, afin de retrouver la fonction dialogique qu'elle avait dans la tradition philosophique populaire de la diatribe et de l'entretien moral avec lequel Montaigne renoue. La composante dialogique des *Essais* conduit naturellement à considérer le sujet de l'autoportrait, auquel convient plutôt la notion de personne. L'effet de subjectivité connu sous le nom de Michel de Montaigne, est produit rétroactivement par les entretiens *in absentia* que sont les *Essais* où Montaigne est donc conduit à faire son "retro-portrait".

1. LA CITATION MECONNUE

Au moment où elle reçoit son appellation française, la citation est réprimée, pour être confondue, au XVIIe siècle, avec les citations du grec et du latin, qui tombent dans le discrédit au fur et à mesure que le français est institué comme la langue du bon usage. Les préjugés qui s'attachent alors à la citation "pédante" apparaissaient déjà chez Montaigne (i. 25, 136-137), mais le XVIIe siècle rejette aussi la citation comme un des oripeaux du baroque en lui déniant toute élégance et toute efficacité[1]. Ainsi les partenaires du dialogue sur les citations, consigné par Claude Fleury en 1664, condamnent la citation en prenant pour modèle d'éloquence les discours de Cicéron qui, lui, ne faisait pas affront à sa patrie en citant les poètes grecs[2]. A côté du courant cicéronien dont les professionnels de l'éloquence se réclameront au XVIIe siècle, on assiste au XVIe siècle à une renaissance de la littérature latine de la Seconde Sophistique dont Montaigne connaît surtout Aulu-Gelle et Macrobe, deux auteurs qu'Erasme recommandait, entre autres, au nom de l'éclectisme qui préside à son *Ciceronianus* anti-cicéronien. Or la bibliothèque de Montaigne n'est pas cicéronienne ; malgré les nombreux emprunts qu'il fait aux traités philosophiques de Cicéron, les préférences stylistiques de Montaigne vont, on le sait, à Plutarque et à Sénèque chez lesquels il trouvait, ainsi que dans les *Nuits Attiques* et dans les *Saturnales*, une abondance de citations, donc une matière à sa "copie" et un modèle de style citationnel. La citation abonde en effet dans l'antiquité, mais moins dans l' éloquence que dans les polygraphies et les œuvres morales, car il faut distinguer l'allégation, qui introduit dans le discours une preuve ou un témoignage, de l'insertion de passages littéraires, de vers ou de bons mots, qui

---

[1] Voir l'une des premières critiques dans le *Discours contre les citations du grec et du latin es plaidoyers de ce temps*, par Alexandre de Filère, Thoulouzain (Paris : F. Huby, 1610). Bernard Lamy écrit : "Une sottise lorsqu'elle est dite en grec est souvent bien reçue... si cette coutume n'était point ordinaire, nous serions aussi étonnés de cette manière de parler, que d'entendre un phrénétique... Qu'est-il besoin d'alléguer Euclide pour prouver que le tout est égal à ses parties, de citer les Philosophes pour persuader le monde qu'il fait froid en hiver", *La Rhétorique*, IV, xvii. *Cf*. B. Beugnot, "Dialogue, entretien et citation à l'époque classique", *Revue Canadienne de Littérature Comparée*, hiver 1976, pp. 17-40.

[2] *Dialogues sur l'éloquence judiciaire*, éd. F. Gaquère (Paris : de Gigord, 1925).

contribuent à la *dicacitas*, à l'*urbanitas* de l'orateur, à l'agrément spirituel de son discours, plutôt qu'à sa force démonstrative[3]. La rhétorique des citations caractérise surtout les œuvres où l'éloquence, étant subordonnée à une fin morale, entre dans le cadre de la philosophie.

L'absence ou la présence de citations dans la philosophie antique correspond à un partage entre la philosophie que l'on dirait aujourd'hui "professionnelle" et celle qui, dans une visée homélitique, s'ouvre à une large audience. La citation de poètes dans la philosophie morale et populaire la déporte du côté de la "littérature". Les logiciens du Portique, tout comme l'Aristote de l'*Organon,* n'ayant pas pour objet de discuter les lieux communs de la morale, ne font pas appel aux exemples littéraires[4]. L'autre domaine spécialisé de la philosophie qu'est l'épistémologie excluait la poésie du champ de la connaissance. Les sceptiques soumettent le savoir littéraire à une critique radicale: dans l'*Adversus Mathematicos*, Sextus Empiricus fait leur procès aux professeurs de littérature, les grammairiens, qu'il accuse d'être doublement ignorants, tant en raison de leur propre incapacité à comprendre les problèmes philosophiques ou scientifiques dont traite la poésie, qu'à cause de la matière même qu'ils enseignent, car les poètes, ne cherchant qu'à séduire les âmes, n'hésitent pas à se contredire. Selon Sextus, il faut voir dans le mépris de la littérature, la marque distinctive des vrais philosophes: "invoquer le témoignage des poètes n'est pas le fait d'un philosophe bien né chez qui la raison se suffit à elle-même pour emporter l'adhésion, mais de ceux qui abusent la grande foule de l'agora"[5]. Par ces "philosophes des rues", ou de l'agora, ces bateleurs, Sextus entend sans doute les Cyniques, ces disciples des Sophistes qui avaient donné naissance à un courant de

---

[3] Cicéron, *De Oratore*, II, 234-290. Quintilien, *Inst. Orat.*, VI. 3, 96.

[4] Aristote fait cependant une citation dans la *Métaphysique*, XII, x, 1076 a.

[5] *Adversus Mathematicos*, I, 280. Trad. J. Pépin, *Mythe et Allégorie chez les Stoïciens* (Paris : Et. Augustin., 1976), pp. 141-142.

philosophie populaire, avec ses franges marginales de vrais et de faux Diogène. Les pères spirituels du Cynisme (Antisthène, Bion) ont mis les procédés des Sophistes au service d'une éthique d'allégeance socratique à laquelle il s'agissait d'acquérir la foule par tous les moyens rhétoriques. Les thèmes cyniques étaient donc exploités par des rhéteurs qui ont ainsi donné naissance à la diatribe, dont les aspects proprement cyniques sont caractérisés par la variété et par l'outrance. On pourrait comparer le style bigarré, imagé et frappant de la diatribe cynique à celui des *Essais* qui, toutefois, ne versent pas dans les excès auxquels se livraient les philosophes de l'agora, afin d'attirer le public et de soutenir son attention en le divertissant ; on retiendra surtout le mélange du sérieux et du plaisant, le *spoudaiogeloion*, comme une attitude commune aux auteurs de diatribe, et, dans une certaine mesure, à l'auteur des *Essais*.

Le rire qui triomphait chez Rabelais et qui faisait l'agrément des adages et autres mots d'esprit collectionnés par Erasme, a perdu de sa force dans les *Essais* ; on y sourit en coin, lorsqu'on saisit le sens érotique d'une grave maxime et que l'on peut apprécier les applications parodiques de certaines citations. Or la parodie épique, qui dérive de l'emploi fréquent de citations poétiques était un des ressorts comiques employé dès l'origine de la littérature de tendance cynique[6]. Montaigne, connaissant mal le grec, n'a pas eu le même accès qu'Erasme à l'œuvre de Lucien ; or, celui-ci rivalisait avec la satire de Ménippe, en mêlant à sa prose des vers d'Homère et d'Euripide détournés de leur sens, à la manière des sillographes qui, animés, eux aussi, de l'esprit mordant des Cyniques, avaient cultivé la parodie dans le genre des "silles" (*sillos* signifie d'abord une grimace grotesque), centons de vers destinés à ridiculiser les philosophes dogmatiques[7]. Les centons des Capiluppi, auxquels

---

[6] André Oltramare, *Les Origines de la Diatribe romaine* (Lausane: Payot, 1926), p.16.

[7] *Cf.* C. Wachsmuth, *Corpusculum Poes. Epic. Graec. Ludibundae* (Teubner, 1885).

Montaigne fait allusion, renouaient avec la tradition cynique de la satire ;
Montaigne ne s'émerveille pas de cette virtuosité dont il fait cependant
preuve lui aussi, à l'échelle réduite de ses propres centons ; il ne porte pas
non plus à la louange de son héros Julien l'Apostat sa pratique de la
parodie, qui lui vaut d'être compté, avec Lucien, au nombre des autorités
du genre, dans la Préface au *Combat d'Homère et d'Hésiode, Parodies*,
de H. Estienne. La veine grecque de la parodie cynique n'a pas dans les
Essais la virulence lucianique et érasmienne ; Montaigne ne cultive pas un
genre, il fait de l'esprit en appliquant un bon mot au détour de sa causerie,
à la manière de certains philosophes cyniques ou stoïciens, dont il pouvait
lire dans Diogène Laërce les citations d'Homère ou d'Euripide qui leur
servaient de répliques spirituelles ou de saillies croustillantes[8].

Cependant Montaigne rencontrait un usage plus sérieux de la
citation chez Plutarque, qui, d'ailleurs, n'avait pas retenu la parodie dans
son traité *Comment lire les poètes* ; Montaigne le trouvait aussi dans les
dialogues des *Tusculanes*, les *Epîtres* de Sénèque ou les *Entretiens*
(*Diatribai*) d'Epictète ; ces œuvres portent la marque directe de la diatribe
d'origine cynique dans la forme de l'entretien et de la controverse, ainsi
que dans la large part qui y est faite aux citations poétiques[9]. De ses
origines populaires, la diatribe morale a en effet conservé le goût des

---

[8] Ariston parodie *Iliade*, VI, 181 (la chimère a une tête de lion, une queue de dragon
et le corps d'une chèvre), en l'appliquant au philosopohe Arcesilaus : "Platon est en tête,
Pyrrhon à la traîne, Diodore au centre" (Diog. Laërce, IV, 33). Diogène le cynique voyant
un jeune homme couché sur le ventre, lui conseille de se lever, "... de peur qu'un dard ne
l'atteigne dans le dos" *Iliade*, III, 95 (Diog. Laër., VI, 53) ; voir encore Diog. Laër., IV,
29, 64 ; VII, 172.

[9] *Diatribès*, synonyme, à l'origine, de *dialexis dialogos, homilia*, traduit en latin par
sermo, finit par désigner simplement un traité de philosophie morale ou un sermon
populaire ; mais tous ces termes renferment l'idée de conversation. *Cf.* Th. Coladeau,
Etude sur Epictète (Paris, 1903), pp. 2836337. R. Hirzel, *Der Dialog* (Leipzig, 1895), T.
I, 369 sq.

exemples aisément accessibles, qui satisfont sa visée homélitique. La
poésie fournissait, dans l'antiquité, une référence commune à un public
qui, en Grèce, avait appris que l'*Iliade* et l'*Odyssée* par cœur à l'école
élémentaire du grammairien. Bien que Cicéron et Sénèque s'adressent à
des destinataires choisis, le premier est, dans les *Tusculanes*, fidèle à
Ennius, qui était encore, au temps d'Horace, l'Homère latin que l'on
enseignait dans les écoles[10]. A l'époque de Montaigne, Virgile devait tenir
le premier rang parmi les auteurs latins étudiés au Collège de Guyenne ; or
c'est l'un des auteurs les plus abondamment cités dans les *Essais* ; est-ce à
dire que Montaigne cherche à se conformer au goût commun ?
Certainement non, puisqu'en accordant le second rang à Lucrèce, il se fait
l'un des premiers vulgarisateurs du *De Natura*. Les citations de poètes qui
servaient de référence culturelle aux moralistes de l'antiquité conservent
encore cette fonction dans les *Essais* mais dans l'éclatement d'une culture
dont les *disjecta membra* sont appropriés par des publics divers. Ainsi les
citations les plus neuves des *Essais*, celles que Montaigne emprunte à des
auteurs contemporains, esquissent un cadre favorable au dialogue avec les
lecteurs de tout bord religieux. Les deux vers de Buchanan, dont
Montaigne a dû interpréter les tragédies sur la scène du Collège de
Guyenne, à l'époque où le savant écossais y enseignait, peuvent passer
pour un hommage, au même titre que les vers latins de La Boétie, le long
fragment de la *Remontrance au Peuple Français* de Ronsard et les vers
imités de Virgile qui lui sont dédiés. Si le poète officiel, défenseur du parti
catholique, tient une place d'honneur dans l'Apologie, on est autorisé à y
voir une "citation plastron" des options politiques et religieuses de
Montaigne, qui se manifestent peut-être encore à l'occasion de l'addition
tardive d'un vers des plus gaillards de Théodore de Bèze, poète des

---

[10] *Cf.* Louis Holtz, *Donat et la tradition de l'enseignement grammatical* (Paris,
CNRS, 1981), pp. 114-116.

Juvenilia et traducteur des *Psaumes*, dont la Curie romaine avait censuré l'éloge que Montaigne avait fait de son talent littéraire[11]. Ainsi conçues comme une référence commune et un repère servant à orienter le sens de la communication qui s'établit entre Montaigne et ses lecteurs, les citations de Cicéron, accompagnées parfois d'un commentaire critique, peuvent s'adresser à des lecteurs sénéquiens dont il semble que Montaigne ait par ailleurs cherché à obtenir la reconnaissance, en empruntant quelque quarante citations à leur chef de file, Juste Lipse. Ce n'est donc plus, dans les *Essais*, la référence à une littérature populaire qui peut justifier la fonction référentielle des citations, mais le choix de textes appréciés des cercles auprès desquels Montaigne désire être entendu. En un sens, le "poids surnuméraire" que Montaigne dit avoir ajouté à son livre afin que son acheteur ne s'en aille pas les mains vides, remplit la même fonction publicitaire que les citations de poésie des diatribes des "philosophes de l'agora", bannis par Sextus Empiricus de l'enceinte réservée aux vrais philosophes.

Mais, au temps de Montaigne, la littérature latine ne constitue plus le tout venant de la culture: même les rois peuvent ignorer le latin, puisque Henri III ne l'a appris que sur le tard ; aussi assiste-t-on à un déplacement des valeurs attachées à la citation littéraire: ce qui était marque et stigmate de vulgarisation dans la philosophie antique, devient, au XVIe siècle, un signe d'appartenance à la bourgeoisie cultivée. Lorsqu'un philosophe de

---

[11] Buchanan, vers imités du *Franciscanus*, vv. 13-14, dans iii. 10, 1016 b ; *Johannes_Baptista*, v. 31, dans iii. 5, 845 c. La Boétie dans i. 10, 39 a ; 14, 56 a ; 29 a ; iii. 13, 1068-69 b, 1085 b. Ronsard, vers imités de Virgile, à sa louange, dans ses *Oeuvres complètes*, dans *Essais*, ii. 12, 441a, la *Remontrance au Peuple de France,* dans *Essais* ii. 12, 514 a. Th. de Bèze, *Juvenilia*, dont le vers, *Rimula, dispeream, ni monogramma tua est*, est monté sur un vers de Saint-Gelais, "Un vit d'amy la contente et bien traite", dans *Essais* iii. 5, 889 c. Autres citations de poètes français : Marot, dans ii. 18, 665 c ; Pibrac, dans iii. 9, 957 b ; J. Second, dans iii. 5, 849 c ; 863 b ; Du Bellay, dans i. 25, 133 a.

profession, comme Ramus, mêle à son traité de *Dialectique* des citations
de poètes latins, c'est bien, en un sens, un geste qui renoue avec la veine
populaire de la philosophie antique, mais son souci de vulgarisation se
manifeste surtout par la traduction en français de son manuel, citations
comprises[12]. Au reste, le modèle qui est plus directement responsable du
style littéraire de la philosophie de Ramus, est celui de la rhétorique, qu'il
inclut dans la dialectique. Dans son projet de réforme du trivium, Ramus
ôte en effet au grammairien l'étude de la poésie, pour la confier au rhéteur
et au philosophe[13]. Ramus, qui voit dans la littérature un modèle de
dialectique naturelle, rejoint, à cet égard, la philosophie naturelle de
Montaigne, pour qui le discours rationnel s'acquiert par le "commerce" de
l'entretien, dans la dialectique de la communication ; aussi "prête-t-il
l'oreille aux livres" (ii. 18, 665), et réserve-t-il un large accueil aux voix
étrangères.

Même si les citations des *Essais* ne suscitent plus le rire qui
éclatait dans la diatribe cynique et qu'Erasme désirait susciter chez le
lecteur de ses recueils de bons mots, l'écriture est encore pour Montaigne
bruissante des voix auxquelles il conserve leur substance physique, en
reproduisant les langues anciennes "d'autorité" (latin et grec) mais aussi
les langues vernaculaires: l'italien des poètes et du peuple, des proverbes
de Gascogne, de Dauphiné et de France[14].

Dans un contexte français, la citation qu'un Ramus traduit, à la
différence de Montaigne, atteste, avec ce double témoignage d'un
traitement divergent, un élargissement de la fonction de référence

---

[12] P. Ramus, *Dialectique*, éd. M. Dassonville (Droz, 1964).

[13] *P. Rami Scholarum Rhetoricam* (Francfort, 1593), éd. anastatique Minerva, 1965,
p. 105.

[14] iii. 13, 1087 b. Deux dialectes français sont cités, le gascon (i. 25, 137 c) et le
dauphinois (i. 57, 327 b). Peut-être Montaigne a-t-il traduit un vers de Virgile (*AEn.*, XII,
46) dans iii. 12, 1041 b.

culturelle, réservée, dans l'antiquité, à la poésie ; la composante linguistique prend une importance telle qu'elle pourrait prévaloir sur la composante sémantique. La citation littéraire de l'antiquité, qui se perpétue dans les œuvres neo-latines d'un Erasme et d'un Juste Lipse, se présente dans les *Essais* comme une citation de langue ; de là, la critique des citations du grec et du latin au XVIIe siècle.

2. CITATION ET DIALOGISME

La citation antique se trouvait intégrée dans la forme essentiellement dialogique de la diatribe, de l'entretien épistolaire ou pédagogique, où elle se trouvait associée avec d'autres figures de l'allocution: prosopopée et apostrophe. Les personnages de la comédie rencontraient même une scène dramatique dans les *Entretiens* d'Epictète, selon un procédé qui reparaît dans les *Essais*. Voici, à titre d'exemple, comment Epictète interpelle le héros d'une comédie de Ménandre, le soldat Thrasonidès, afin que le maître donne une leçon à l'élève avec lequel il "s'entretient":

EPICTETE: Mais, réponds-moi à cette question: n'as-tu jamais éprouvé de passion pour quelqu'un, fillette ou garçonnet, esclave ou libre ?L'esclavage est-il donc autre chose ?... Si toutefois tu as honte de l'avouer pour ton propre compte, vois ce que dit et fait Thrasonidès, lui dont les campagnes sont si nombreuses...
"Une fillette", dit-il, "m'a subjugué, une fillette de vil prix, moi que nul ennemi n'a jamais pu soumettre".
Malheureux! être l'esclave d'une fillette de vil prix! Pourquoi donc te proclamer encore libre ? *Le voilà* qui réclame une épée...

Le voilà qui envoie des cadeaux... *Le voilà* qui supplie et qui pleure... *Le voilà* dans le ravissement... Etait-il libre ainsi[15] ?

Le moraliste se fait ici montreur de marionnettes, par l'effet de son seul commentaire des faits et gestes d'un personnage fictif, qui devait être familier au public auquel il s'adresse. On trouve dans les *Essais* un répondant de cette mise en scène imaginaire dans un passage comme celui-ci:

> Celuy-là se plaint de sa facilité (de la mort):
> *Mors, utinam pavidos vita subducere nolles*
> *Sed virtus te sola daret*
> (O mort! plût au ciel que tu dédaignasses d'enlever les lâches de la vie, et que le courage seul te pût donner) (i. 14, 51 b)

Montaigne présente aussi des insensés, oublieux de la mort, pantins qu'il fait surgir, l'espace d'une citation, à la suite des fous qu'il a déjà campés lui-même:

> (a) Il faut estre tousjours boté et prest à partir... L'un se pleint... de la mort, dequoy elle luy rompt le train d'une belle victoire ; l'autre, qu'il luy faut desloger avant qu'avoir marié sa fille. .
> (b)*miser, ô miser, aiunt, omnia ademit*
> *Una dies infesta mihi tot praemia vitae*
> (Malheureux, ô malheureux que je suis, disent-ils, un seul jour néfaste m'enlève tous les biens de la vie.)
> (a) Et le bastisseur,
> *manent* (dict-il) *opera interrupta, minaeque*
> *Murorum ingentes*

---

[15] IV, I, 18. Trad. J. Souilhé (Belles Letres, 1965). Montaigne mentionne le cas de Thrasonidès, amoureux de son amour, dans iii. 5, 881c.

(mon œuvre demeure inachevée, d'énormes pans de mur
menacent ruine.) (i. 20, 88-89)

Le style direct des paroles citées, indiqué par l'incise "dict-il" en français,
suffit à représenter le vieillard et la mort. Ailleurs, ce peut être la citation
qui commente la conduite d'un personnage décrit par Montaigne:

> Voyez un vieillard, qui demande à Dieu qu'il luy maintienne sa
> santé entiere et vigoreuse...
> *Stulte, quid haec frustra votis puerilibus optas ?*
> (Insensé, à quoi bon ces souhaits vains et ces vœux
> puérils ?) (iii. 12, 1089 b)

Montaigne simule également le dialogue avec des présences anonymes,
vraisemblablement situées dans le cercle imaginaire de ses lecteurs,
auxquels il s'adresse par les impératifs "oyez", "dites", "voyez", à moins
qu'il ne réponde à leurs objections anticipées par un "me direz-vous", ou
un"me dira-t-on"[16]. Exceptionnellement, Montaigne interpelle un auteur,
Platon en l'occurrence (i. 31, 204). Au nombre des figures dialogiques,
on retiendra encore la prosopopée du dieu de Delphes et le dialogue de
l'esprit et de l'imagination qui apparaissent dans les derniers essais (iii. 9,
1001 ; iii. 13, 1090-92). La citation enfin, peut être donnée à entendre:

> *Oyez* la protestation de Cicero qui nous explique la fantasie
> d'autruy par la sienne: *Qui requirunt...* (ii. 12, 507 c)
> ils n'avoient encore *ouy soner à leurs oreilles* (1588)/receu cette
> belle sentence (Ex. de Bordeaux):
> *dolus an virtus quis in hoste requirat ?*

---

[16] La deuxième personne du pluriel est fréquente : *direz* (6 fois), *diriez* (7), *oyez* (18),
pouvez (16), *dites* (11), *voyez* (57) ; par exemple dans i. 14, 59 a ; 20, 85 a ; ii. 12, 350c;
iii. I, 790 b ; 4, 839 b.

(ruse ou courage, qu'importe entre ennemis ?)(i. 5, 25 a)

Formulées dans le registre de la perception auditive, des insérendes
citationnelles invitent à sous-"entendre" devant d'autres citations un verbe
d'écoute, qui rappelle que toute énonciation crée une relation de
communication, tant il est vrai, comme le rappelle Montaigne, que "la
parole est moitié à celuy qui parle, moitié à celuy qui l'escoute" (iii. 13,
1088 b).

La citation invite donc au dialogue, fictif, avec les personnages
qu'elle met en scène, ou anticipé, avec le lecteur absent ; elle indique ainsi,
par contraste avec la forme diégétique des *Essais*, l'autre orientation,
dialogique, du discours de Montaigne. Alors que les paroles rapportées au
style direct en français, peuvent être insérées dans un récit, les citations
latines sont toujours insérées par un temps du discours (au sens de
Benveniste), c'est-à-dire par un présent ou un passé composé, comme par
exemple,

> Et me suis escrié apres mon patenostre:
> *Impius haec tam culta novalia miles habebit!*
> (Un barbare soldat s'emparera de ces terres si bien
> cultivées!) (iii. 9, 97O b)

.L'association de la citation à un temps du discours explique un curieux
passage du français au latin, à l'intérieur d'un seul et même texte,
emprunté à l'histoire d'Alexandre ; il s'agit d'une réplique mémorable de
ce prince:

> Alexandre à Polypercon...: "Poinct, fit-il, ce n'est pas à moy
> d'employer des victoires desrobées: *malo me fortunae paeniteat,
> quam victoriae pudeat"*. (J'aime mieux avoir à me plaindre de la
> fortune qu'à rougir de ma victoire.) (Quinte Curce, IV, xiii)

> *Atque idem fugientem haud est dignatus Orodem*
> *Sternere...*
> (Il dédaigne de frapper Orode dans sa fuite.)
> (*AEn.*, X, 732) (i. 6, 29 b)

La réponse d' Alexandre est soumise au bilinguisme: en français elle fait d'abord partie du récit, comme l'indique le temps passé de l'incise, "fit-il"; mais la sentence finale en est détachée par la reproduction du latin de Quinte-Curce, comme si Montaigne arrêtait là son récit, pour écouter le mot du prince. Si l'on ignore que le texte franco-latin en prose est tout entier d'Alexandre, on pourra voir là un exemple de montage d'un mot étranger sur un personnage qui n'en est pas l'auteur, analogue à celui qui enchaîne ensuite directement les vers de l'*Enéide* à la sentence de prose. Par un jeu de langues, Alexandre est donc dépossédé de son apophtegme, qui lui revient, détaché de tout contexte historique, au même titre que les vers de Virgile auxquels il est lié dans un court centon. L'écart linguistique souligne donc ici le passage du récit au discours.

La citation n'est donc qu'une des figures de l'énonciation et de la communication, qui caractérise la diatribe antique comme les *Essais*[17]. Aussi est-ce dans la perspective de l'entretien, qu'à partir de l'étude des citations, on est amené à poser la question montaniste par excellence, sous la forme, non pas du "Qui est Montaigne" ? mais d'un "Qui est celui dont parle Montaigne et qui parle dans les *Essais*" ?

3. PERSONNE ET PERSONNAGE

Ainsi que le montre avec une netteté particulière, dans l'exemple

---

[17] "L'essai peut être conçu comme l'intériorisation d'une forme dialogique", écrit Eva Kushner, "Monologue et dialogue dans les deux premiers livres des *Essais*" (*Colloque de Durham*, N. C., 1980), pp. 103-120. R. F. Jones, "On the Dialogic Impulse in the Genesis of Montaigne's *Essais*", *Renaissance Quarterly*, XXX, No 2 (1977), 172-180.

précédent, le mot d' Alexandre, la citation est proprement désemparée, suspendue, entre plusieurs énonciateurs, elle est incertaine de son lieu d'émission, au même titre que toute énonciation, lorsque celle-ci est conçue dans la relation du dialogue[18]. Montaigne joue en effet, au moment où il cite, le double rôle de locuteur et d'auditeur. La citation est donc une énonciation d'une espèce particulière, qui est nettement dialogique, puisque, selon F. Jacques, "le dialogisme de l'énonciation désigne cette double appartenance du discours à un "je" scindé, parce que constitué par son autre, divisé contre lui-même par son écoute de l'autre"[19]. La citation est, en somme, une énonciation encadrée par les guillemets, ou soulignée par tout autre artifice formel, insérée dans le discours d'un citateur qui se l'approprie d'autant moins qu'il l'écoute davantage, en respectant notamment la langue étrangère. La recrudescence des citations latines au cours des rédactions successives des *Essais* y introduit donc davantage de dialogisme en accentuant le caractère "parlé" de ce texte, conformément à l'aveu de Montaigne: "je parle au paier comme au premier que je rencontre"(iii. 1, 790b). Loin de contredire la personnalisation de plus en plus marquée des *Essais*, l'abondance des citations va au contraire de pair avec la constitution de la "personne" de l'auteur et, par conséquent, avec la représentation de son "moi". Mais là encore, il n'est pas inutile d'évoquer la tradition dans laquelle s' inscrit le projet de Montaigne, pour mieux appréhender le rapport, qui lui est essentiel, entre la citation, le dialogue et la connaissance de soi.

Les *Essais* renouent avec la tradition socratique de l'introspection, requise pour une éthique fondée sur l'autonomie de la personne, qui, avant Montaigne, avait été souvent confondue avec un exercice de

---

[18] Francis Jacques, *Dialogiques* (Paris : Puf, 1979), 339.
[19] *ibid.*, 39.

mémoire[20]. La même pratique pouvait donc remplir une finalité morale ou servir d'entraînement rhétorique. Par ailleurs, la technique du dialogue était commune à l'enseignement éthique, d'un Epictète, par exemple, et à l'apprentissage de l'éloquence, témoin les controverses imaginées par Sénèque le Rhéteur. L'éthique usait donc de la rhétorique, le *gnôthi sauton* s'aidait du *laleî sautô*: le "connais-toi toi-même" prenait la forme d'un dialogue intérieur, préliminaire ou subséquent à l'entretien[21].

L'introspection lalique et même bavarde de Montaigne ne manque pas non plus d'être ambivalente: elle vise à une fin morale dont l'enjeu est la maîtrise de soi, mais le moi ne se constitue, de l'aveu même de Montaigne, que par l'écriture de son livre ("mon livre m'a fait..."). La tentative, l'essai, de Montaigne, tend à prouver que, pour se connaître, le sujet-objet de la connaissance doit auparavant se parler et "se communiquer". La visée "théorique", au sens propre de contemplation, passe donc d'abord par la pratique de la parole où se constitue la personne du locuteur, ou sujet rhétorique. Or, le statut philosophique de la première personne qui anime les *Essais* n'a guère suscité de questions: il semble aller de soi qu'elle désigne un moi préexistant à l'écriture, qui se révèle à l'introspection:

> Montaigne étudie Montaigne... Montaigne sait combien il est difficile de saisir le centre et les limites ténues du moi... (H. Friedrich, pp. 15-17)
> L'essai, selon Montaigne, est tout à tour (ou simultanément) une révélation instantannée du moi et une poursuite qui ne peut s'achever. (J. Starobinski, p. 89)

---

[20] Par Cicéron, entre autres. Voir Constant Martha, *Etudes morales sur l'antiquité* (Paris : Hachette, 1905), 191.

[21] Th. Colardeau, *Etude sur Epictète*, p. 295. Epictète, II. i, 32 ; III. viii, 1-7.

Le dessein de Montaigne est conçu ici comme la quête d'une prise de conscience de soi, dont le processus même est moins pris en considération que ne le sont ses effets dans l'autoportrait de Montaigne. Sans doute la nature plus analytique qu'autobiographique de ce portrait était-elle déjà notée par H. Friedrich (pp. 236-237), mais c'est à M. Beaujour que l'on doit d'avoir montré que le moi dans les *Essais* se constitue grâce à la rhétorique, dont Montaigne exploite les lieux de l'invention, afin de se donner une mémoire, topique, plutôt qu' historique[22]. Son défaut de mémoire, que Montaigne estime être peu ordinaire (i. 9), doit nous alerter sur l'absence d'identité initiale du locuteur des *Essais*, en tant que tel, car le "moi cesse d'être lui-même lorsqu' il a perdu son unique possession, le souvenir"[23]. En allant plus loin le long de la voie ouverte par M. Beaujour, on pourrait donc soutenir qu'au départ, l'auteur des *Essais* n'est pas un moi qui livre sa subjectivité dans les confidences autobiographiques ou dans la confession analytique d'un autoportrait: de là, ces premiers essais qui "puent un peu l'étranger". Mais la confusion du moi et de la personne dans la lecture des *Essais* a été initiée par Malebranche et surtout par Pascal qui condamnait, on le sait, le sot projet de se peindre, et, à juste titre d'ailleurs, puisqu'il conduit au solipsisme où Montaigne pourtant n'a pas versé. Cependant la présentation de Montaigne comme une personne morale, à laquelle le moi porte ombrage, s'est introduite par le biais de la réhabilitation de Montaigne, à laquelle les XIXe et XXe siècles se sont employés.

Le double sens de "personne morale" s'applique à l'auteur des *Essais*. Sans doute est-ce pour les enseignements, au reste fort divers, qu'ils contiennent, que les *Essais* ont valu à leur auteur le titre de moraliste. Mais, comme seul le texte français était retenu à ce titre, la

---

[22] M. Beaujour, *Miroirs d'encre* (Pais : Seuil, 1980), pp. 112-126.

[23] Francis Jacques, *Différence et Subjectivité* (Paris : Aubier-Montaigne, 1982), p.41.

responsabilité de l'auteur était fondée sur une conception monologique de son discours d'où les citations étaient exclues. Cependant en signant son livre, Montaigne assume la responsabilité de la totalité de son contenu, non seulement de ses énoncés, mais, au même titre, de ses emprunts, avoués ou dissimulés, dont il est le tuteur et garant. La personne morale de l'auteur recouvre donc en partie la personne du locuteur. Conformément à ses origines, légale de "personne morale", et grammaticale de *persona* ou *prosopôn* en grec (le masque théâtral), la personne est définie traditionnellement par la capacité d'assumer une responsabilité, de "jouer avec grâce et aplomb une foule de rôles"[24]. Pour Montaigne, sa personne morale n'est engagée à défendre que son livre, auquel seul, dit-il, et non pas à lui-même, il a attaché les pensées qu'il contient:

> Mon livre peut sçavoir assez de choses que je ne sçay plus, et tenir de moy ce que je n'ay point retenu et qu'il faudroit que, tout ainsi qu'un estranger, j'empruntasse de luy, si besoin m'en venoit. (ii. 8, 402 c)

Montaigne se défend ainsi contre toute réduction de sa personne littéraire à sa personne privée ou publique. La confusion des personnes en une seule identité disparaît au reste, à la mort de l'individu, bien que les études montaignistes soient souvent tombées dans le piège autobiographique, en essayant de concilier en une seule personne les différents rôles tenus de son vivant par Montaigne ; son livre n'est pourtant qu'une suite d'essais de son jugement qui s'exerce en épousant des opinions diverses et contradictoires. L'espace rhétorique de la parole remplace l'espace historique des *Mémoires* et introduit la dialectique du jugement. Montaigne

---

[24] *Ibid.*, p. 39.

conçoit en effet l'exercice du jugement comme un exercice analogue à un exercice de style qui s'acquiert par imitation: "l'imitation du parler par sa facilité, suit incontinent tout un peuple ; l'imitation du juger, de l'inventer, ne va pas si vite" (i. 26, 172 c). On verra donc dans la variété des opinions énoncées sans indication de la première personne, l'expression de la personne de l'auteur-acteur. Montaigne, au cours de son entraînement, de son "exercitation" de la faculté de juger, prononce des jugements qui n'engagent pas toujours son adhésion personnelle, cela à la manière des poètes de l'antiquité: ce qui explique la réserve des moralistes qui, depuis Platon, font peser sur la poésie un soupçon de mensonge et qui, au XIXe siècle, essaient de construire la personne morale de Montaigne à partir de morceaux choisis. Or l' "évolution" et les "contradictions" de Montaigne, sont plus exactement relatives aux positions qu'il occupe dans les configurations diverses de l'espace d'interlocution, parlant tantôt à la place d'un auteur, tantôt lui répondant, ou bien donnant sa propre opinion. Au lieu de fonder la connaissance du moi qui parle et qui se peint dans les *Essais*, sur l'existence d'un sujet historique, il convient plutôt d'inverser le rapport pour instituer le moi à partir de la "personne".

On distinguera la personne, qui parle, du personnage, dont elle parle, même si personne et personnage se réfèrent en fin de compte, au même individu. Le personnage est le sujet logique d'énoncés prédicatifs, qui constituent ce que l'on a coutume d'appeler l' autoportrait. La personne du locuteur se manifeste par des commentaires, des jugements, exprimés par des verbes d'attitude propositionnelle: "je crois", "m'est avis", ainsi que par la mention d'observations et d'expériences personnelles: "j'ai vu", "j'ai ouï". Le personnage, lui, est désigné comme le sujet de prédications qualitatives: "je suis d'une taille un peu au-dessous de la moyenne", "j'ay une condition singeresse et imitative". Le portrait de la personne en personnage correspond à un changement dans le registre de la perception et de l'énonciation. La personne se présente par la voix, le personnage est représenté par la parole et les mots de la personne, il est offert au regard, mais seulement en tant que construction verbale. La personne rhétorique se double ainsi d'un personnage "théorique" qui devient objet de référence pour les lecteurs des *Essais*, à commencer par Montaigne lui-même qui se raconte, se "récite", dit-il, qui s'allègue en s'identifiant à la figure qu'il se compose:

> Moulant sur moy cette figure, il m'a fallu si souvent dresser et composer pour m'extraire, que le patron s'en est fermy et aucunement formé soy-mesmes (ii. 18, 665c)

La représentation de la personne en personnage, du sujet qui parle en sujet du discours, devrait entraîner, dans l'énonciation, le passage de la première à la troisième personne grammaticale, mais Montaigne ne se désigne jamais par son nom, si ce n'est une seule fois, dans ce portrait signature:

> Les autheurs se communiquent au peuple par quelque marque particuliere et estrangere ; moy le premier par mon estre universel, comme Michel de Montaigne, non comme grammairien ou poëte ou jurisconsulte (iii. 2, 805c)

Le dédoublement de la première personne du locuteur en objet de délocution à la troisième personne, ressort de la paraphrase suivante, qui est ambivalente quant à la personne grammaticale du sujet: "moi qui suis / qui est Michel de Montaigne ". Le sujet de l'autoportrait se décline donc, de la première personne du pronom, universelle dans la mesure où celui-ci n'est que l'indicateur d'une personne qui parle, à la troisième personne, individuelle, du nom propre, en passant par le "moi" médiateur: "je", "moi", "Michel de Montaigne". En se nommant, Montaigne se présente comme un homme sans qualité autre que celle de son nom propre ; ce n'est donc qu'un homme de parole (ou de lettres), qui interprète et actualise ses lectures, entre autres expériences, au gré de circonstances qui, forcément se modifient au cours des vingt années que dure la rédaction des *Essais*. La personne qui parle dans les *Essais* est donc d'autant plus universelle qu'elle est mouvante et circonstantielle, toujours à l'écoute du monde. La personne littéraire qu'est l'auteur des *Essais* porte le nom qui désigne aussi le maire de Bordeaux ainsi que le personnage qui se dépeint dans son livre ; la troisième (ou la non-personne) du nom propre donne ainsi une référence individuelle à la personne universelle du locuteur, et un support existentiel au personnage ; cette pluralité de références prête à confusion entre les trois instances distinctes de "Michel de Montaigne": la personne rhétorique, le personnage "théorique" figuré par la parole, et le suppôt historique.

4. RETROPORTRAIT ET RETROSPECTION

Montaigne se communique par un être d'autant plus universel et commun qu'il est singulier: le paradoxe de cet autoportrait est de même nature que celui de la citation ; celle-ci est en effet un signe signifiant et auto-référentiel qui se désigne lui-même dans sa réalité matérielle: "a direct quotation of a sentence both names and contains it"[25]. La citation présente donc une double instance, autonymique (auto-désignatrice) et sémantique ou communicationelle ; c'est une énonciation qui donne pour ainsi dire un nom propre à l'énoncé qu'elle contient et qui véhicule un sens, commun à l'auteur et aux lecteurs, qui est singularisé par la mention quasi nominale. La doublure autonymique ou auto-référentielle est propre aux textes cités

---

[25] Nelson Goodman, *Ways of Worldmaking* (Cambridge : Hackett, 1981), p. 42.

comme à celui qui les cite dans les *Essais*, puisqu'on observe une augmentation parallèle des mentions citationnelles et de la mention du locuteur, sous la forme du pronom "je", dans des énoncés descriptifs de ses goûts et de ses comportements les plus intimes. Montaigne "se communique" singulièrement lorsqu'il "se (ré)cite" : la forme réflexive de ces verbes employés par Montaigne comporte une mention auto-référentielle du sujet, qui est à mettre en parallèle avec la mention autonymique de la citation. Il apparaît alors que l'autoportrait est, comme la mention citationnelle, second par rapport à l'énonciation première dont la fonction est simplement de communiquer un sens. Si l'on n'admet pas la caractérisation autonymique de la citation[26], on reconnaîtra plus aisément, surtout dans les cas des citations littéraires, que celles-ci supposent une énonciation antérieure qu'elles reproduisent en se désignant comme une copie. De même, pour que le "je" puisse se dire, il faut qu'il produise un énoncé ; le "je" renvoie donc d'abord à l' acte d'énonciation dont il est l'agent, c'est pourquoi "je" ne peut pas être remplacé par une description du type "celui qui parle", ou par une troisième personne, sans perdre sa fonction propre qui est de renvoyer à l'énoncé dont il est d'abord l'agent ou l'acteur, puis le sujet logique. "Je" ne peut être le sujet d'un autoportrait et manifester sa subjectivité qu'à la condition de produire des paroles:

> Il faut le dire avec force: l'ego n'est pas plus créé par le vocable "je", que le monde par le vocable "ceci". A ceci près que la subjectivité ne prend forme que par les conditions d'usage effectif des indicateurs de personne ; elle n'acquiert un contenu de subjectivité empirique que par le jeu des opérateurs épistémiques dans la parole adressée[27].

---

[26] *Cf.* Josette Rey-Debove, *Le metalangage*, p. 109.
[27] F. Jacques, *Dialogiques* (Parris : Puf, 1979), p. 120.

Montaigne ne dit pas autre chose lorsqu'il ajoute, en vue de la dernière édition des *Essais*: "Je n'ay pas plus faict mon livre que mon livre m'a faict, livre consubstantiel à son autheur... (II. 18, 665c) ; phrase souvent citée mais où l'on ne prend pas garde au temps passé: "mon livre m'a faict" ; or, dans ce livre, notamment dans la première édition, Montaigne parle relativement peu de son moi intime, mais il mentionne fréquemment que c'est lui qui parle, pense ou juge. L'autoportrait auquel il se livre dans les derniers *essais* de 1588 et ensuite dans les touches additionnelles, est un effet produit par l'écriture, et la lecture, de son livre. Le moi de Montaigne est donc un effet de ses *Essais*, qui délivre une subjectivité constituée retroactivement, c'est un moi "retro" qu'il peut objectiver et donner à voir dans un retro-portrait, après avoir affermi sa personne dans l'action d'un discours mêlé de récits et de jugements et dans l'interaction des textes lus et du texte écrit où le "je" qui communique finit par "se communiquer".

Le "je", c'est bien connu, n'étant que l'autre de la seconde personne (il n'y a pas de "moi" sans "toi"), ne se constitue que par sa participation à un dialogue, mais il n'acquiert la conscience de soi que dans la mesure où il peut se représenter à lui-même, tel que les autres le voient, ou bien comme la seconde personne à laquelle s'adresse son interlocuteur:

> En somme le statut de la personne suppose l'aptitude de l'individu à se substituer lui-même dans ces trois positions, selon qu'il parle, qu'on lui parle, ou qu'on parle de lui... le locuteur doit être capable de parler de soi comme d'un autre, en usant du pronom "moi"... Ainsi *La jeune Parque*:
> Et moi, vive, debout...
> Par ces deux lexèmes, "je", "moi", la personne apparaît

explicitement dans son double rapport, allocutif à son dire, et délocutif au prédicat qui lui est associé objectivement [28].

Montaigne est toujours en mouvement entre ces trois instances de l'interlocution qui se trouvent réunies dans la personne communautaire du "nous", qui comprend "moi" et "vous qui me lisez", ou bien "moi", "vous" et "ceux dont je parle". Un espace d'interlocution et de circulation des rôles se crée entre Montaigne, son lecteur, et l'auteur ou le texte qu'il pose en tiers dans les citations. La relation à la parole qui est instaurée par la citation correspond au plus juste à la désignation originelle du locuteur par la *persona* grammaticale qui n'est autre que le masque de l'acteur. D'une part, en effet, Montaigne joue de la citation comme d'une récitation qu'il interprète en prenant le masque d'un Martial ou d'un Catulle. Par contre, dans sa fonction d'allégation, d'exemple ou de référence culturelle, la citation instaure une relation à trois termes, entre Montaigne au(di)teur et son lecteur qu'il renvoie à une troisième voix, celle qui est mentionnée. La citation peut donc se prêter, soit à la mimesis dramatique, soit au dialogue ; Platon condamnait la première, mais usait de la seconde[29]. En marquant une préférence pour les citations de prose, dans les dernières additions, Montaigne semble renoncer à la (ré)citation mimétique pour se situer exclusivement dans l'espace dialogique où le discours de raison renonce au jeu poétique dans une visée plus fonctionnelle[30]. Lorsque Montaigne enfin fait une application parodique, il appartient au lecteur d'être à la hauteur de l'attente créée par l'auteur qui suppose que celui-ci ait le texte original présent à l'esprit. Le destinataire,

---

[28] *Ibid.*, p. 125.

[29] *République*, 379 D-391 C. *Cf.* D. Tarrant, "Plato's Use of Quotations", *The Classical Quarterly*, 45 (1951), 56-67.

[30] *Cf.* l'étude du *Dialogue* de Claude Fleury par Michel Charles, "Arlequin à l'écart", *Rhétorique de la lecture* (Paris : Seuil, 1977), pp. 189-212.

en actualisant le texte sous-entendu par la parodie, occupe ainsi la position du tiers référentiel qu'il cumule avec celle de l'allocutaire. A travers son lecteur, et grâce à lui, c'est donc à l'auteur qu'il parodie, que Montaigne s'adresse. En assumant la duplicité de son lecteur, Montaigne en fait un complice. Les partenaires du "commerce" que Montaigne entretient avec ses lecteurs et ses auteurs, occupent donc alternativement les trois instances de la communication, sans se fixer à aucune d'entre elles, ils assument tous les rôles. Une remarque s'impose alors concernant le tiers référentiel, qui détient la position normative:

> La loi est la parole qui s'*inter-dit*, qui se dit entre...
> nécessairement référée à un troisième terme qui s'interpose, lieu
> de la métaphore paternelle ou du père symbolique auquel le nom
> renvoie[31].

La place détenue dans le discours par l'autorité devrait être occupée par les citations, mais puisqu'il leur arrive d'être détournées pour être appropriées par l'auteur ou par le lecteur, l'irrespect de Montaigne à l'égard des autorités apparaît comme la contrepartie du dialogue qu'il renoue avec les anciens.

Les exercices de dialogue *in absentia* que sont les *Essais* rejoignent les prescriptions éthiques de la philosophie antique. Montaigne retrouve l'origine dialogique de l'introspection qui, eu égard à la médiation de la parole qu'elle requiert, serait plus justement appelée retrospection. Plus Montaigne s'essaie à écrire, plus il subit les effets de son discours à la première personne. Il n'est pas surprenant que les derniers essais livrent des confidences sur les comportements de l'individu, puisque ce moi physique est la référence existentielle, le suppôt, présupposé par l'emploi de la personne du discours "je". Montaigne passe ainsi du registre allocutif

---

[31] Denis Vasse, L'*ombilic et la voix* (Paris : Sevil, 1974), p. 182.

au registre délocutif, de la présence vocale à la représentation visuelle, en donnant à voir à ses lecteurs lointains le personnage qu'il savait être connu de ses parents et amis pour lesquels il avait commencé à écrire. Le retro-portrait de la personne universelle en un individu singulier est donc l'effet du discours ou de l'écriture rhétorique de Montaigne, comme l'indique le recours accru à cette figure de l'énonciation qu'est la citation.

CONCLUSION

Le projet de notre étude s'est imposé à la suite d'une confrontation quasi conflictuelle des interprétations des *Essais* : celle des premiers admirateurs de Montaigne qui louaient son art de la citation et celle qui prévalut ensuite, jusqu'à notre époque où une réaction nette se dessine contre les lectures traditionnelles des *Essais*, proposés à un public curieux de connaître l'essence montaignienne et d'où les citations étaient exclues. Nous avons commencé par passer en revue les éditions complètes et abrégées afin de dégager la position critique des lecteurs délégués à la diffusion de Montaigne, à des époques de plus en plus éloignées du moment de création des *Essais* ; cet examen des applications de l'interprétation dans les récritures du texte, n'était pas seulement dûe à l'absence quasi totale de commentaires sur les citations, mais aussi à une exigence méthodologique. Il semble en effet qu'au moment où l'attention des étudiants de littérature se déplace de la fonction autoriale au statut du lecteur, plusieurs genres littéraires jusque là relégués dans les coulisses de l'érudition et la boutique des antiquaires littéraires, s'offrait comme un champ d'étude privilégié pour la connaissance de la masse de ces lecteurs moyens qui se trouvent représentés dans les éditions abrégées ou annotées. Or, à consulter les *Esprits de Montaigne* et les grandes éditions de Gournay, Coste et Duval, il est apparu que les citations latines des *Essais* avaient été appréciées des éditeurs philologues, mais condamnées par les éducateurs et les moralistes, pour être inutiles à la connaissance de Montaigne et même, parce qu'elles étaient un symptôme de son scepticisme ou de sa vanité d'auteur. La parole empruntée est donc un facteur de gêne pour les tenants d'un exercice sérieux de l'énonciation selon lequel le locuteur s'engage dans ses dires sans emprunter un masque étranger. N'ayant d'autre présupposé théorique que celui par lequel tout acte d'énonciation, oral ou écrit est un acte de communication, auquel la citation apporte un degré de complication, nous avons supposé que toute reproduction d'une parole ou d'un texte, constitue un genre de copie, dont la citation n'est qu'une espèce. Aussi les récritures des *Essais* nous ont-elles servi à apprécier d'une part, la réception des citations et d'autre part, à analyser les modes de la "copie".

Quel que soit leur degré d'interprétation reconstructrice, les éditions intégrales ou réduites attribuent à l'auteur des *Essais* un texte, plus ou moins modifié par les lecteurs délégués du public que sont les "intellecteurs" : le genre de l'édition suppose en effet que la copie du texte soit conforme à l'exemplaire tel qu'il est sorti des mains de l'auteur, et que le lecteur médiateur soit situé en marge, comme il convient aux glosateurs. Au contraire de ces "copies de lecteurs", les oeuvres présentées comme originales peuvent utiliser des passages entiers des *Essais* sans mentionner leur auteur : tel est le cas de la *Sagesse* ; la propriété d'auteur ne constituait pas à cette époque un droit plus légitime qu'elle ne l'était au temps de Montaigne qui, lui-même pratique le démarquage que nous désignons comme "copie d'auteur", dans la mesure où ses emprunts ne sont attribués qu'à lui-même c'est-à-dire au locuteur qui les actualise. Un genre mixte, de mention et d'utilisation des *Essais* est présent dans certaines *Pensées* de Pascal, qui adoptent à l'égard de Montaigne l'attitude que ce dernier arbore à l'égard de certaines de ses lectures : Pascal comme Montaigne dialoguent avec les auteurs dont ils sont les lecteurs, libres de faire l'usage qui bon leur semble, des passages qu'ils empruntent, mais dont à l'occasion ils indiquent l'origine : ce dernier mode de reproduction qui mêle la mention attributrice et l'utilisation appropriatrice, relève de ce que nous appelons la "copie d'auteur-lecteur" dont les *Essais* offrent le paradigme. Ainsi localisée entre les pratiques opposées de l'attribution et de l'appropriation, la "copie" dont nous avons présenté des instantiations concrètes à l'échelle du livre, comprend comme espèce, la reproduction d'un passage ou d'un mot, qu' est la citation. Nous avons donc proposé un modèle d'analyse des citations des *Essais*, qui est fondé sur les deux paramètres de la mention et de l'utilisation, opérant sur un énoncé, c'est-à-dire sur un ensemble signifiant composé d'un signe, d'un acte et d'un sujet de l'énonciation. La mention et l'utilisation étant complémentaires, Montaigne use de ce qu'il n'attribue pas à une instance d'énonciation étrangère : ainsi peut-il reproduire la "voix" latine tout en appliquant le sens des mots cités à son propre texte. Mais lorsqu'il mentionne l'auteur de la citation, Montaigne rapporte fidèlement au style direct l'énoncé, que ce soit en latin ou en français.

La reproduction de la voix latine, mentionnée par la typographie, confère aux mots une matérialité qui se prête à la jouissance esthétique de la "rumination", que rend explicite l'essai "Des vers de Virgile". Mais le plaisir que procure à Montaigne son bilinguisme naturel est limité à la citation poétique: lorsqu'il reproduit la prose, notamment et exclusivement dans les derniers ajouts, les passages latins, qu'il ne prend plus la peine d'introduire par une paraphrase, lui permettent d'établir un commerce plus intime avec les lecteurs "suffisants" en latin. La citation se présente ainsi comme un instrument de communication discriminatrice dont le lecteur "français" ne retient que le geste, vaniteux et pédant, de démonstration d'un savoir auquel il n'a pas accès. Le paradoxe présenté par la recrudescence citationnelle qui accompagne le développement de l'auto-portrait reçoit un élément de réponse dans l'essai "De la vanité". Le précepte socratique du "connais-toi toi-même" qui suit la plus longue citation des *Essais* introduit en effet une dimension réflexive, dont la nature épistémique se traduit par un acte de mention du sujet de la connaissance, qui est aussi le sujet de l'énonciation : le "je" est délocuté dans le "moi".

La relation de lecture que Montaigne entretient avec son livre ne diffère pas, en effet, de celle qu'il entretient avec ses autres lectures, si ce n'est par la mention du suppôt physique de la voix actrice des *Essais* ; en donnant un corps et un nom à l'énonciateur, "acteur" de son livre, Montaigne ne fait qu'appliquer à son texte le principe de mention délocutrice qu'il applique aux textes cités, leur conférant ainsi un degré supplémentaire de représentation matérielle. Que la réflexion silencieuse du sujet sur lui-même soit impliquée par la réflexion du locuteur sur son acte de parole semble assez naturel : ce qui est plus curieux, c'est que cette relation de l'auteur à son discours ne se manifeste franchement qu'avec Montaigne. On peut supposer que cet écrivain amateur met à profit la technique nouvelle de l'imprimerie, en ce qu'elle lui permet de lire et de récrire son discours, comme une allocution différée par l'édition. L'impression favorise donc l'instance métalinguistique où Montaigne se situe de plus en plus nettement à mesure que les *Essais* sont rééditées.

Libre de toute contrainte, Montaigne actualise son livre, en insérant sa parole (dictée), dans le texte imprimé, dont il modifie également la ponctuation, expressive de la voix. Ainsi se dessine, tout au long de l'histoire des *Essais*, une relation entre le discours direct et la réflexion du lecteur sur son acte de parole, ce qui lui permet d'assumer au niveau métalinguistique de la (ré)citation, les trois positions constitutives du discours : celles du dialogue avec ses lecture et ses lecteurs supposés, et celle de l'objet de référence à la troisième personne : il se nomme, tout en se communiquant. L'auteur des *Essais* qui se représente donc dans un personnage nommé Montaigne, est en cela la "matière" objective produite non par l'écriture seule, mais par la récriture; or la langue qui représente ce sujet "poétique" est elle-même une expansion du sujet rhétorique qu'est la première personne de l'"acteur", interprète des divers sujets dont la parole est rapportée au style direct. La relation, alternativement dialogique et référentielle que Montaigne entretient avec les textes qu'il "copie", est réitérée à l'égard de son propre discours, lorsqu'en se relisant il désigne la première personne du locuteur en une troisième personne : le sujet acteur des *Essais* se (ré)cite en objet de référence.

APPENDICE I

EDITIONS DES ESSAIS

Le frontispice de l'exemplaire de Bordeaux (donc de l'édition de 1588 imprimée à Paris chez Abel l'Angelier) porte imprimée la mention suivante, que Montaigne a biffée : "Cinquiesme edition, augmentee d'un troisiesme livre : et de six cens additions aux deux premiers". Montaigne a écrit de sa main : "Sixième édition" et ajouté à la suite sa devise, qui apparaît ici pour la première fois, "*Viresque acquirit eundo*" (et il prend de la force à force d'avancer, *AEn*. IV, 175). On ne connaît cependant que trois éditions qui précèdent celle de 1588 : celle de 1580, publiée à compte d'auteur chez S. Millanges à Bordeaux, ainsi que la deuxième, en 1582 (où sont ajoutées quelques citations italiennes, au retour d'Italie) et l'édition du même texte en 1587 chez Jean Richer à Paris. On dispose maintenant de deux autres éditions documents, par reproduction photographique : celle de l'édition de 1580, où Daniel Martin a annoté le texte en indiquant l'emplacement et la date des modifications apportées ultérieurement (Genève, Slatkine, Champion, 1976), et celle de l'édition de 1582, avec une introduction de Marcel Françon (Cambridge : Harvard U. P., 1969). L'édition de 1588 (qui est donc celle de l'exemplaire de Bordeaux), a été reproduite par phototypie (Hachette, 1912) et par typographie (Imprimerie Nationale, 1906-1931 ; 3 vols.). Dans cette dernière édition, qui est celle dont nous nous servons, les annotations et corrections de Montaigne relatives notamment à la ponctuation, sont plus faciles à lire que dans l'édition municipale où elles sont données en notes ou en appendice. C'est toutefois cette dernière édition (procurée par Strowski, Gebelin et, pour les deux derniers volumes (*Les Sources, Le Lexique de la langue des Essais)*, par Villey), qui constitue l'édition savante des *Essais* (Bordeaux : Imprimerie Nationale, 1906-1933 ; 5 vols.).

Sur les éditions des *Essais*, nous avons consulté le *Catalogue annoté de toutes les éditions des 'Essais' de Montaigne*, Bibliothèque du Dr. Armaingaud (Paris : Conard, 1927) et nous renvoyons à la *Bibliographie méthodique et analytique* établie par P. Bonnet (Genève-Paris, Slatkine, 1983).

Rappelons que c'est sous le second Empire, que l'érudition montaigniste se constitue, sous l'impulsion de l'érudit Dr. Payen, qui réunit une collection d'ouvrages ayant appartenu à Montaigne (Fonds Payen : Réserve, Bibliothèque Nationale, Paris), et que son projet d'édition des *Essais*, qu'il ne put mener à bien, sera suivi d'une brillante campagne de reconstitution des éditions primitives des *Essais*, dès les premières années de la Troisième République. La société des Bibliophiles de Guyenne, représentée par Barckhausen et Dezeimeris, ouvre la série, par la publication en 1870 de l'édition de 1580, avec les variantes de 1582. L'édition de 1588 (qui avait les préférences, notamment, de Sainte-Beuve, pour être plus suivie, comme produisant mieux une impression d'ensemble), est reproduite par Motheau et Jouaust en 1873 : les additions de l'édition de 1595 sont données en note. Dans leur avertissement, ces éditeurs soutiennent la thèse des deux exemplaires, dont l'un aurait été légué à Marie de Gournay et dont l'autre aurait été le seul à avoir été conservé. Aussi, refusant de privilégier l'exemplaire de Bordeaux sur celui qui aurait servi de base à l'édition posthume de 1595, ces éditeurs s'en tiennent à la dernière édition qui ait paru du vivant de Montaigne. L'édition de 1595, procurée par Marie de Gournay et sans doute aussi par Pierre de Brach, a été supplantée par l'exemplaire de Bordeaux dans les éditions du XXeme siècle, qui se basent sur les nouvelles éditions du début du siècle, celles de Strowski, d'Armaingaud et de Villey (qui toutefois collationnent les additions manuscrites de Montaigne dans l'exemplaire de Bordeaux avec l'édition de Gournay). La dernière édition qui reproduit celle de 1595 a été procurée par E Courbet et Ch. Royer, à la fin du siècle dernier (Paris : chez A. Lemerre, 1872-1900, 5 vols. in-12).

Essais, Livres I & II	1580
édition originale	Bordeaux : Simon Millanges
Dezeimeris & Barckhausen	Bordeaux : chez Gounouilhou, 1870
D. Martin	Genève-Paris : Slatkine Champion, 1976
Essais, Livres I, II, III	1588
édition originale	Paris : Abel l'Angelier
Motheau & Jouaust Paris :	Librairie des Bibliophiles, 1886
Edition posthume	1595
(M. de Gournay, P. de Brach)	Paris : Abel l'Angelier
Victor Leclerc[1]	Paris : Lefebvre, 1826
Courbet& Royer	Paris : Lemerre, 1872-1900
Edition des *Essais* corrigés par M. de Gournay	1635
édition originale	Paris : Jean Camusat
	Paris : Toussainct du Bray & Rocolet, 1635
Eloi Johanneau	Paris : Lefebvre, 1818

[1] Malgré son intention de suivre l'édition de 1595, V. Leclerc signe l'édition du texte de 1635 que son éditeur a reproduit pour l'avoir déjà imprimé en 1818 (éd. Johanneau).

APPENDICE II

M. DE GOURNAY, PREMIERE TRADUCTRICE DES CITATIONS

Nous reproduisons ici l'avis au lecteur que M. de Gournay place en tête des traductions des citations, dans l'édition de 1617 (qui est repris, avec quelques variantes dans la Préface de 1635), (M. Nivelles : Paris, 1617), pp. 989-991)

"L'imprimeur m'a pressée de traduire les passages Latins des *Essais* ; sur le dessein qu'il prétend que plusieurs ignorans de leur langage, ont de les entendre. Ce désir est assez creu : veu qu'un Lecteur qui cognoist ces passages-là, n'est pas plus prest de demesler ce Livre à point, que celuy qui ne les cognoist pas, s'il n'est d'ailleurs ferré à glace. Neantmoins pour servir à l'utilité du mesme Imprimeur, je me suis fléchie à les tourner. Si j'ay rendu la Poésie comme l'oraison, souz le seul genre de la prose, pour estre plus fidelle, à l'exemple d'autres versions authorisees de nostre siècle ; on m'en doibt réputée soulagée de temps, non de peine & solicitude aigue : la moins espineuse & scabreuse circonstance de telle traduction, estant de la bastir en vers. Je le dis parce que ceste masse ou plutost nuée & moisson d'autheurs Latins est la cresme & la fleur choisie à dessein comme on void, de l'ouvrage des plus excellents autheurs, & plus elegans & riches de langage comme d'inventions : autheurs outre plus figurez & pressez. Or d'exprimer la conception d'un grand autheur estoffée de telles qualitez d'élocution, & l'exprimer en une langue inférieure avec quelque grace, vigueur & briefveté, but d'un pertinent traducteur : ce n'est pas léger effort. Mais combien plus est-ce d'exprimer pres de douze cens passages de ce qualibre, amples, médiocres ou petits ? Or nonobstant ma prose gén500ralle, je n'ay pas laissé de rendre en un ou deux vers, les brefves sentences ou autres traits d'eslite : tant pour n'estre astrainte par aucune religion à renoncer ce privilège de passer de la prose aux vers que comme plus faciles à retenir de ceste sorte. J'ay tourné d'autre part en vers, trois passages d'estendue : un à l'entrée du livre, deux au chapitre, Sur des Vers de Virgile : tant par esbat, que pour piquer, si je puis, quelqu'un par exemple à faire le mesme du reste. J'ay traduict les Grecs aussi, sauf deux ou trois, que l'Autheur a traduits luy-mesme, les insérant en son texte. Et ne présente point d'excuse d'avoir laissé dormir les libertins souz le voile de leur langue estrangere, ny d'avoir tors le nez à quelque mot joyeux de l'un d'entr'eux : ce mot estant seul, qui me peust empescher d'en faire present au Lecteur. Au surplus en deux ou trois lieux seulement, je me suis donnée liberté d'un mot de paraphrase : jugeant la lumière nécessaire en cet endroit, pour lever au foible Lecteur l'occasion de supposer une batologie. Comme aux lieux, (qui sont courts de nombre pourtant) où je l'ay iugé plus en train d'ignorer & chercher que de supposer, je me suis restreinte dans les loix d'une austere traductrice. J'adjousteray sur le Latin des *Essais*, que si parfois on trouve quelque dissonance entre le texte originaire & luy, comme de temps, personnes, & autres légères circonstances, on le doit attribuer non à l'inadvertance, ains au dessein & mesnagement de l'Autheur qui, par ce tour de soupplesse se l'est approprié : comme il s'est approprié certains passages, à sens tout divers, & par fois opposite de leur intention natale, par une excellente application. C'a esté certes une de mes peines, me trouvant sur quelque passage contourné ou frelaté, de l'exprimer en telle sorte, qu'il quadrast sortablement s'il estoit possible, à la composition & à l'application ; enfin s'il se trouve quelque faute en mon ouvrage, j'espere qu'elle sera faute, non de prevoyance, ains de Grammaire, en laquelle ie suis peu versée : & que partant un lecteur habile homme prendra la peine de m'advertir, plutost que de me quereller.

Choix de traductions

Les sentences sont souvent traduites par un alexandrin :

Turpis Romano Belgicus ore color   (Properce, II, xviii, 26)
Le teint blanc des Flamans   (iii. 12, 483b)
est laid en un Romain (p. 1050)

Nimium boni est, cui nihil est mali   (Ennius, cité par Cicéron, *De*
Qui n'a nul mal,   *Fin*, II, xiii) (ii. 12, 493 c)
il a beaucoup de bien (p. 1031)

Les vers de Virgile et de Lucrèce de l'essai "Sur des vers de Virgile" (iii. 5, 849 b) sont traduits en vers ; voici la traduction de Virgile (*AEn.* VIII, 387-392) :

> *Dixerat...*
> Ainsi dit la Déesse : & comme elle apperçoit, Que ce nouveau désir tièdement il reçoit ; Son col en souriant tout autour elle enlasse, D'un bras qui la blancheur de la neige surpasse : L'animant des faveurs d'un mol embrassement, Lors sa flamme ordinaire il conçoit promptement, Le feu congnu se glisse aux moelles bouillantes ; Et dans ses os fondans sent des ardeurs courantes. Tout ainsi que parfois une fente qui luit, Aux nuages brillants, sous l'esclat d'un grand bruit ; Parcourt deçà delà d'une lueur volage ; Lorsqu'un foudre esclairant a crevé ce nuage. (p. 1066)

M. de Gournay n'a pas traduit les trois derniers vers de Virgile (404-406), que ses métaphores n'arrivaient sans doute pas à voiler d'une honnête pudeur. Mais elle a pu "tourner" les vers de Lucrèce (I. 33-40) (iii, 5, 872 b) :

Belli fera...
Ce brave Mars conduit les fiers exploicts de guerre, Qui font trembler d'effroy la terre. Ce Dieu qui chaque jour se respand à l'envers, En tes bras ronds et blancs à ses ardeurs ouverts : Estreint des noeuds puissans de ta chaisne eternelle, Beant d'aspre desir, ô Deesse immortelle, Ses yeux en tes beautez il paist avidement : Et pend à ton visage incliné molement, Humant l'esprit charmeur qui vole de ta bouche. Tandis doncques qu'il gist sur ta divine couche ; Ton beau cors s'espanchant pour le sien enlasser ; Vueilles les doux propos de tes lèvres verser.

Relevons la synecdoche de la "divine couche" qui traduit le *tuo corpore*, les "bras ronds et blancs" pour le *gremium* (giron), et le curieux "se répand à l'envers" pour *se rejicit* (se jette sur).

Parmi les quelques citations de poésie que M. de Gournay a rendues en vers, la strophe de Catulle (LI, 5), imitée de Sapho (*Essais*, i, 2, 13a) est ainsi traduite en 1617 (a), puis revue et corrigée en 1625 (b) et 1635 (c) :

misero quod omnes	Moy chétif qu'Amour asservit(a)
Eripit sensus mihi. Nam simul te	Lesbia tous mes sens ravit (a)Lesbine (b, c)
Lesbia, aspexi, nihil est super mi	Car dès que l'advise la belle (a, b)
Quod loquar amens.	Mon esprit m'esgare et chancelle (a) raison (b) Ma raison (c)

Lingua sed torpet, tenuis sub artus	Ma langue qui ne parle plus/ Se fige en mon gosier perclus
Flamma dimanat, sonitu suopte	Une flamme en mes os s'instille (a) Un esprit de flamme soudaine (b, c) Puis coulant souz ma peau subtille (a) Me pénétrant de veine en veine (b, c) Vient en ma face espanouyr (a, b, c)
Tinniunt aures, gemina teguntur	Un tintouin se fait ouyr (a) ouir (b) (c) Dans mon oreille martelée
Lumina nocte. (Éd. 1617, p. 992 ; 1625, p.4 ; 1635, p.7)	Et ma veue obscure est voilée.

Autres variantes dans la traduction du vers de Sénèque (*Hippolyte*, II, 3, 607), cité dans le même essai (I. ii, 13) : *Curae leves loquuntur, ingentes stupent* :

> Les foibles passions la parolle fournissent Les extrêmes, hélas : tous muets nous transissent (a) Aux foybles passions les parolles florissent La langue & les esprits aux grandes se transissent (b)(c).

Bien qu'elle remarque, à propos de *Honesta oratio est* (i. 23, 120 b) qu' "on ne peut traduire ce mot, exprès, " M. de Gournay s'efforce d'en rendre l'ironie : "Du moins ce propos est beau. La couverture est belle. Honneste pretexte. A mauvais effect bonne parole". Autre exemple de l'indétermination de la traduction : un vers de Virgile (*AEn*, VI, 734) (iii. 9, 989 b) pour lequel deux traductions sont proposées : "Chaqu'un de nous a sa peine à patir", et, en italique : *Chaqu'un de nous patit son purgatoire* ; M. de Gournay commente ainsi sa traduction de *Quisque suos patimur manes* "Ce mot, veu l'application de Virgile, se peut prendre aussi tost simplement, que proverbialement. " Seule la traduction littérale (la première) sera conservée à partir de l'édition de 1625 (éd. 1617, p. 1078 ; éd. 1625, p. 90) ; ou encore, ce vers de Térence : *Humani a se nihil alienum putet* (*Heauton.*, I, 1, 25) (*Essais*, ii. 2, 346 a)) ; la première traduction est en prose : "Il ne se croid affranchy d'aucune des choses qui puissent toucher l'homme", la seconde est un alexandrin : "*Tout ce qui est de l'homme, il croid qu'il le regarde*" ; une note en regard, indique au lecteur qu'il peut faire son "choix" (éd. 1617, p. 1020).

Citations des "libertins"

M. de Gournay n'a pas traduit certains passages où Montaigne use de son latin en toute liberté (nous reproduisons la traduction de l'édition Rat-Thibaudet)

(V. -S.)	*more ferarum...* (Lucrèce, IV, 1261-64)
(ii. 12, 470a)	Dans la position des bêtes quadrupèdes, La femme conçoit mieux, semble-t-il ; la semence Atteint son but, poitrine en bas et pieds en l'air.

(*ibid.*)   *Nam mulier prohibet...*
(Lucrèce, IV, 1266- 69)
La femme met obstacle à la conception Lorsque tordant sa croupe elle stimule l'homme Et fait jaillir le flot de ses flancs épuisés.
Le soc ainsi heurté quitte le bon sillon, L'élan de la semence est   écarté du but.

(ii. 12, 471 a)   *neque illa /Magno...*
(Horace,*Sat.*,I, ii, 69-70)
Elle n'a pas besoin D'un c... appartenant à fille consulaire.

Chez Horace, le sujet est masculin (*ille*), même viril, puisque ce passage est extrait de la prosopopée du membre viril ; Montaigne en a fait une "application", en lui substituant un féminin (*illa*) qui se réfère à la nature.

(ii. 12, 472a)   *nec habetur turpe...* (Ovide, *Mét.*, X, 325-28)
La génisse subit sans vergogne son père, La cavale le sien, on voit le bouc couvrir Celles qu'il engendra, l'oiselle aussi conçoit D'oiseau qui la conçut.

(ii. 12, 474a)   *Quod futuit Glaphyran Antonius...*
(vers que Martial attribue à Auguste : *Epigr.*, XI, xxi, 3-8)
Comme Antoine a baisé

Glaphyre, mon devoir, De
l'avis de Fulvie, est de
baiser Fulvie. Baiserè-je
Fulvie ? Et s'il en faut
autant A Marius, faut-il le
faire ? soyons sage. Bataille
ou   lit, dit-elle ? Eh quoi
donc : à la vie je pourrais
sacrifier mon membre ? Allez
trompettes!

(ii. 12, 482 a)   *Venantumque canes...*
                                (Lucr.,IV, 992-998)
                                Souvent les chiens de chasse,
                                au cours d'un doux   sommeil,
                                Agitent tout à coup les jarrets :
                                il aboient, Reniflent autour
                                d'eux à coups précipités,
                                Comme s'ils dépistaient et
                                suivaient le gibier, Ou
                                s'éveillent, courant à
                                leur idée un cerf, Comme s'ils
                                le voyaient détaler devant
                                eux. Puis l'erreur se dissipe et
                                le sens leur revient.

(*ibid.*)   *consueta domi catulorumblanda*
                                propago (Lucr., V, 999-1002)
                                Voyez ces gentils chiens de
                                maison s'agiter, Secouer de
                                leurs yeux un peu de
                                somnolence, Et se lever d'un
                                bond croyant apercevoir Des

visages nouveaux, des inconnus suspects.

(ii. 12, 484 a)

Ille quod obscoenas in aperto (Ovide, *Remèdes d'amour*, 429-30) Tel d'un corps qu'on lui livre a vu le coin obscène, Et dans l'élan du coup sent tomber le désir.

(ii. 12, 487 a)

Illiterati num minus nervi rigent ? (Horace, *Epodes*, VIII, 17) Pour être un illettré tient-on l'engin moins raide ?

(ii. 12, 584 a)

Moechus es Aufidiae (Martial, *Epigr.*, III, lxx) Mari d'Aufidia, tu deviens, Corvinus, Son amant quand elle est femme de ton rival. Femme d'autrui te plaît qui, tienne, te déplaît ?Hé : la sécurité te fait donc impuissant ?

(*ibid.*)

Nullus in urbe fuit (Martial, *Epigr.*, I, lxxiv) Dans Rome entière nul ne touchait à ta femme, O Cecilianus, quand on le pouvait faire. Mais tu la fais garder et tous les amateurs L'assiègent en grand nombre. Oh! l'habile mari!

APPENDICE III

DEFINITIONS DE LA CITATION

Le terme de *citation* qui prend son sens moderne à la fin du XVIIe siècle efface la distinction entre, d'une part, l'acte de renvoi, la référence ou mention qui est désignée par *allegare, citare* dans les dictionnaires latins du XVIe siècle, et d'autre part l'objet même de l'allégation (auteur ou passage d'un texte, énoncé ou histoire), ainsi qu'il apparaît d'après les définitions suivantes.

Le dictionnaire latin de Calepin/Calepino (Genève : R. Estienne, 1554) ne contient pas le verbe *citare* (pourtant classique et utilisé par Erasme), mais il indique que *allego* est employé pour *citare* (*usurpatur etiam pro citare, sive adducere, epágein, prosphérein, paréxesthai*). Les deux termes sont confondus dans la fonction de "produire" quelqu'un ou quelque chose "à la manière d'un ambassadeur auprès de quelqu'un dont nous voulons obtenir quelque chose" (*quum rei alicujus impetrandae gratia ad aliquem mittimus eos quos, aut gratia, aut authorirate apud illum valere existimamus, quique veluti legatorum officio fugentes, nostram apud illum causam agant*). Dans ce sens, l'allégation offre une médiation persuasive.

L'emploi de *alléguer* (54 fois) *allégation* (6 fois) dans les *Essais* ne permet pas de distinguer entre la définition de Calepin : "produire un médiateur" ou celle de R. Estienne : "renvoyer l'allocutaire auprès d'un auteur ou d'exemples", comme dans : "Tu m'allegues Démocrite : *me ad Democritum vocas.* " (R. Estienne, *Dictionnaire Français-Latin*, 1539). On trouve "alléguer Homere" (i. 12, 45 c), "alléguer l'exemple... " (*ibid.*), "ce beau mot qu'un Ancien allègue... " (ii, 15, 612 a), "alléguer l'expérience" (ii, 11, 429 a).

Ce n'est que dans le *Dictionnaire* de Cotgrave (1611) que la citation est spécifiée par la nature purement textuelle de l'objet cité : "*Citation* : a citation ; summons, warning to appear ; also a citing, adjourning summoning. *Cité* : cited, also alledged or cited as a text. *Citer* : to cite or alledge as a Text. " Nicot, *Thresor de la langue Française* (1621) reprend les exemples de R. Estienne et ajoute pour *alléguer* : "alleguer les Arrests de la Cour donnez en semblable cas, alléguer force loix, paragraphes et opinions de Docteurs", dont la traduction latine est *citare*. Mais citer a son sens strictement juridique : *in jus vocare*. La distinction repose sur la nature de l'objet : on *allègue un texte*, on *cite quelqu'un* : "on dit à présent citer pour adiourner (quelqu'un) en cour d'Eglise", alors que selon Cotgrave, on allègue ou cite un texte.

Chez les auteurs français de la fin du XVIe siècle, on relève la distinction entre *passages* et *allégations* : "un langage si entrelacé de divers passages et diverses allégations" (Du Vair à propos de Pibrac ; *De l'éloquence française* (éd. 1625, p. 422)). Mais c'est le mot de passage que retient Richelet (1680) comme équivalent de citation (qui n'a donc plus son sens juridique) : "passage d'un auteur". Sorel (1667) emploie indifféremment "allégation" ou "passages qu'il cite" : "En ce qui est de ses allégations, comme elles viennent fort à propos aux sujets qu'il traite, on n'y doit point trouver à reprendre, si on considère qu'il a eu en ceci Plutarque pour patron qui cite partout des vers d'autres Autheurs que de lui" (Coste T. 10, p. 48).

Le terme de *citation* n'apparaît, semble-t-il, dans l'usage, qu'au tout début du XVIIe siècle, avec J. P. Camus et M. de Gournay qui emploie aussi le latinisme d'usurpation ; les emplois de ces termes *allégation*, *citation*, au XVIIe siècle, sont flottants dans la langue courante, où la distinction de la langue juridique est neutralisée. On emploie indifféremment *allegation* pour *citation*, jusqu'à ce que *citation* s'impose, dans le sens de "passage d'un auteur", comme en témoigne l'usage de C. Fleury dans ses *Dialogues* (cf. IVe Partie).

L'art de citer, selon le *De Copia* d'Erasme (*LB* I, p. 45F)

Dans la première partie du *De Copia,* consacrée à l'art de varier les expressions (*verba*), Erasme énumère, sans autre commentaire, quelque vingt-six formules pour citer les auteurs (*Auctores citandi formulae*) :

1. - selon (l'opinion de) Cicéron (*ut Ciceroni placet*)
2. - au dire de Platon (*auctore Platone*)
3. - parce qu'il a été de cet avis (*quia hoc sensit*)
4. - parce qu'il a donné ce conseil (*quia hoc suasit*)
5. - parce qu'il raconte ceci (*quia hoc narrat*)
6. - selon le témoignage de Varron (*Teste Varrone*)
7. - si nous en croyons Térence (*si Terentio credimus*)
8. - ainsi que Pline le rapporte (*ut refertur apud Plinium*)
9. - comme le dit le Protagoras de Platon (*ut ait Protagoras Platonicus*)
10. - comme le dit Simonide chez Xénophon (*ut apud Xenophontem Simonides dixit*)
11. - "Le bonheur réside dans le plaisir", selon le témoignage d'Epicure (*Epicuro teste, felicitas in voluptate sita est*)
12. - Aristote a réparti les biens en trois catégories (*Aristoteles bonorum tres ordines fecit*)
13. - Théophraste a écrit que les animaux qui n'ont pas le sang chaud ne respirent pas, (*non spirare animal cui non fit sanguis calidus, auctor est Th.*)
14. - On trouve chez Pline que les éléphants ne se reproduisent qu'à partir de leur dixième année (*apud Plinium scriptum est, elephantos decimo demum anno parere*)
15. - Pyrrhon nie que l'on puisse connaitre quoi que se soit (*Pyrrho negat quicquam sciri posse*)

16. - Tite Live témoigne que ceci est vrai (*Id verum esse testis est Livius*)

17. - Ce dont nos annales font foi (*extat in annalibus*)

18. - Cela est rapporté dans les textes des anciens (*veterum libris proditum est*)

19. - Il cite plusieurs auteurs de cette opinion (*ejus sententiae complures citat auctores*)

20. - Il allègue plusieurs témoignages qui vont dans ce sens (*ad eam sententiam allegat quamplurimos testes*)

21. - Il défend cette opinion (en recourant à) de nombreuses autorités (*eam sententiam multorum auctoritate tuetur*)

22. - Pline confirme cette opinion (*huic opinioni Plinius adstipulatur*)

23. - Platon se range à cet avis (*huic sententiae suffragatur Plato*)

24. - Pythagore pense la même chose (*idem sentit Pythagorus*)

25. - Pour Aristote même l'éponge est un animal (*Aristoteli animal est etiam spongia*)

26. - Selon Pline les arbres ont des sens (*Plinio sentiunt arbores*)

La formule citationnelle mentionne soit un auteur par son nom propre ((1-16 ; 22-24), soit plusieurs auteurs qui sont du même avis (18-21), soit un texte anonyme à défaut du nom propre (17). La citation apporte une preuve : parce que (*quia*) (3-5), un témoignage (*teste*) (6, 16, 20) qui tient au nom même de l'auteur cité ou à l'ancienneté du texte (17-18). L'énoncé lui-même n'est pas rapporté (2 ; 12-15 ; 17-18). Le citateur cherche à établir que son idée relève d'un sens partagé par une communauté garante du bon sens : "je pense comme..." (1 ; 8 ; 9 ; 10 ; 21-24). L'énoncé n'est donc pas nécessairement reproduit car il est supposé connu ou accessible au lecteur, comme faisant partie d'un ensemble de références culturelles qui constituent une compétence commune. Si le texte est reproduit ce n'est pas forcément sous une forme exacte : il peut être reformulé (14-15), résumé (12). Le mode d'énonciation n'est donc pas respecté : la citation est indirecte (13-15) ou semi-directe (25-26), l'énoncé est au style direct mais le nom de l'auteur est inséré dans la phrase (11).

La "citation" n'est donc pas un énoncé, mais un acte et un art de présenter un témoignage, une preuve par analogie, la matière d'un exemple, auxquels le nom d'auteur donne la garantie d'un sens stable, fixe, servant de référence. L'énoncé connu ou accessible n'est pas nécessairement formulé, il peut y être simplement fait allusion (1-11 ; 16-24). La fonction de la citation n'est pas autoritaire mais référentielle ainsi qu'il apparaît dans les formules (11-15) et surtout (12) : "Théophraste a écrit que les animaux qui n'ont pas le sang chaud ne respirent pas" ; bien que l'auteur soit mentionné, c'est l'exemple dont il est responsable qui prévaut. Il est d'ailleurs possible de contester cet exemple comme d'y voir une preuve : la citation elle-même n'impose pas l'autorité, elle apporte une matière qui peut servir à persuader, informer, égayer selon la fonction rhétorique ou poétique que lui donne l'usager. Ainsi Montaigne distingue entre les usages de ses allégations :

> ny elles (mes histoires) ny mes allegations ne servent pas toujours simplement d'*exemple*, d'*authorité* ou d'*ornement* (i. 40, 251 c)

Ces trois usages correspondent aux trois fonctions rhétoriques : de l'enseignement (par l'exemple), de la persuasion (par l'authorité), de la délectation (par l'ornement).

APPENDICE IV

CITATIONS CENSURÉES DANS L'ÉDITION DE LYON (1595)

L'édition F. le Febvre (Lyon, 1595), procurée vraisemblablement par Simon Goulart, et fondée sur l'édition l'Angelier de 1588, a supprimé des citations isolées et des passages dont la plupart contiennent des citations, de Lucrèce, de Manilius surtout, mais aussi d'Ovide, d'Horace, Juvénal, La Boétie, Perse et les vers de Martial que M. de Gournay s'est refusée à traduire.

Nous indiquons par (G) les citations censurées aussi dans la traduction de Gournay (*cf.* Appendice II) ; nous donnons l'incipit des citations, et, sauf pour celles qui sont marquées (G), la traduction complète. Les strates du texte, parfois fautives dans l'édition V. -S., sont prises à l'édition R. -T. L'édition de F. le Febvre est désignée par F.F.

La censure s'exerce sur l'Apologie de R. Sebond (ii. 12).

	F.F.	*R.T.*	*V.S.*	
Début	p.383	415a	438	C'est à la vérité...
		416b	439	*Nam cupide concultatur* (Lucr., V, ll39) (On foule aux pieds plus fort ce qu'on avait trop craint)
Fin	p.383	416b	439	presté particulier consentement.
D.	p.386	418a	441	l'amour de la nouvelleté...
F.	p.386	418a	441	*Illisos fluctus* (vers imités de Virgile, au début d'une pièce, *In laude Ronsardi*, publiée en 1563, à la fin de la *Réponse de Ronsard aux injures et aux calomnies*

(Comme un vaste rocher qui
refoule les flots Et qui fait poudroyer
leurs vagues aboyantes, Sa masse est là).

D.   p.395 428a   450   *cum suscipimus magni coelestia*
mundi (Lucr., V, 1203-05)
(Quand nous levons les yeux jusqu'aux
parvis du ciel Vers l'immobile éther tout
brasillant d'étoiles, Et pensons dans
leurs cours la lune et le soleil)

Facta etenim et vitas hominum suspendit
ab astris (Manilius, III, 58) car il a fait
dépendre des astres les actions et la vie
des hommes

speculataque longe/Deprendit...
(Manilius, I, 60-63)
(Elle voit ces astres éloignés Gouverner
notre terre avec leurs lois cachées, Et
l'univers entier mû d'un rythme réglé Et
le cours des destins dépendant de ces
signes)

     p.395 428 a   451   *Quantaque quam parvi faciant...*
(Manilius, I, 55 et IV, 93)
(Si grands sont les effets des moindres
mouvements, Si puissants cet empire où
les rois sont soumis)

furit alter amore...
(Manilius, IV, 79, 89 et 118)
(L'un furieux d'amour A traversé la mer
et mis en cendres Troie ; D'un autre c'est

le sort de rédiger les lois ; Des enfants
tuent leur pére et des parents leurs fils ;
D'un meurtre mutuel sont animés des
fréres ; Nous n'y sommes pour rien, et
de tels attentats, Le fer qui les punit, ces
membres déchirés, cela vient du destin,
ce que j'en dis en vient)

F.	p.395	429a	452	et de nostre terre en faire un astre esclairant et lumineux ?

D.	p.421	449a	470	La génération est la principale des actions naturelles...

more ferarum... (G)

F.	p.421	449a	470	*Nam mulier prohibit...* (G)

D.	p.423	450a	470	*neque illa...* (G)
	p.423	450a	472	mais non pas si exactement qu'ils n'ayent encore quelque convenance à notre débauche...

F.	p.423		451a	472	*nec habetur turpe...* (G)

D.	p.425	453a	474	Voulons-nous en croire ceux mesmes qui en sont les principaux autheurs et motifs ?. .

Quod futuit Glaphyram... (G)

F.	p.425	453a	475	Or ce grand corps... qui semble menasser le ciel et la terre.

	p.436	461a	482	*Venantumque canes...* (G)
	p.436	461a	482	*consueta domi...* (G)
D.	p.439	463a	484	Vrayement c'est aussi un effect digne de considération.
		464a		*Ille quod obscoenas...* (G)
F.	p.439	464a	484	l'usage et la cognoissance nous dégoutte les uns des autres.
	p.442	466a	487	*Illiterati...* (G)
D.	p.447	471a	491	Et d'où vient, ce qu'on voit par expérience, que les plus grossiers et plus lourds sont plus fermes et plus desirables aux exécutions amoureuses...
F.	p.447	471a	492	sinon que en cetuy-cy l'agitation de l'âme trouble sa force corporelle, la rompt et lasse ?
D.	p.448	472a	492	Quel saut vient de prendre sa propre agitation et allégresse...
F.	p.448	472a	493	*pungit/In cute* (La Boétie, *Poésies latines*) (Le moindre effleurement de la peau nous affecte. Se bien porter nous est égal. On est content De n'être ni goutteux ni pleurétique : à peine La santé pouvons-nous la sentir, la connaître).

D.	p.448	473a	493	L'appetit qui nous ravit à l'accointance des femmes...
F.	p.448	473a	493	... Ainsi des autres.
D.	p.449	473a	494	Car que veut elle dire autre chose, .
			494b	*Che ricordarsi il ben doppia la noia.* (Se souvenir du bien passé double la peine)
		474a	494	*Suavis est laborum praeteritorum memoria* (Doux est le souvenir des maux passés) (Cic., *De fin.* I, xvii)
		474a	495	*Qui genus humanum* (Lucr., III, 1056-57) (Son surhumain génie éclipsa tous les autres Comme un soleil levant efface les étoiles).
		475a	495	*potare et spargere flores* (Hor., *Ep.*, I, v, 14-15) (Je veux boire d'abord et répandre des fleurs, quitte à passer pour un fou).
	p.449	475a	495	*pol! me occidistis, amici,* (Hor., *Ep.*, II, ll, 138-140) (Vous me tuez, hélas! ô mes amis, dit-il, Au lieu de me guérir. Mon plaisir est ravi Et vous m'avez chassé de mon aimable erreur)
F.	p.449	475a	496	C'est ce que dit ce vers ancien Grec, qu'il y a beaucoup de commodité à n'estre pas si advisé.

D.   p.467   497a   516   Parquoy de faire de nous des Dieux, .

                                Quae procul usque adeo (Lucr., V.
        497b   517   123-124)
                                (Et tout cela si loin de la divinité, Indigne
                                de compter dans le monde des dieux!)

F.   p.467   497b   517   *Quid juvat, hoc,* (Perse, 61-62)
                                (A quoi bon introduire en les temples nos
                                moeurs, Esprits courbés à terre et dénués
                                du ciel)

        p.470   500a   519   *Nec si materiam nostram* (Lucr., II, 847-
                                851)
                                (Le temps, s'il rassemblait toute notre
                                matière, Nous morts, et lui rendait son
                                ordre d'aujourd'hui, Si l'on nous
                                rappelait à la clarté vivante, Rien de cela
                                pourtant ne pourrait nous toucher
                                Puisqu'en nous la mémoire aurait perdu
                                sa chaîne).

        500b   519   *Inter enim jacta est vitai pausa*
                                (Lucr., III, 872-73)
                                (Car la vie à son terme expire en
                                l'intervalle Où tout se meurt sans but et
                                sans toucher des sens).

        p.477(sic)502b 522   *Et casta inceste*(Lucr., II, 99-100)
                                (Et vierge impurement au temps même
                                des noces Elle tomba, victime offerte par
                                son père).

        p.474   504a   524   *omnia cum caelo* (Lucr., VI, 679-680)

(Tous ces objets, le ciel et la terre et la mer Ne sont rien comparés à la la somme des sommes).

D.   p.474 505b   524   *Terramque et solem* (Lucr., II, 1085-86)
(Terre et soleil et lune et mer, rien n'est unique, Tout va se répétant par nombres infinis).

cum in summa res nulla sit una.
(Lucr., II, 1077-78)
(On n'en verra pas un dans la somme des êtres Qui grandisse isolé, soit unique et son genre).

505b   525   *Quare etiam atque etiam* (Lucr., II, 1064-66)
(Répétons-le toujours, reconnaissons-le bien! La matière ailleurs forme, ainsi qu'en notre monde, D'autres masses sans fin qu'étreint l'avide éther !)

F.   p.474 505a   525   notamment si c'est un aimant, comme ses mouvements le rendent si croyable.

508a   527   Combien de querelles et combien importantes a produit au monde le doubte du sens de cette syllabe, *hoc*!

509a   528   *cras vel atra/Nube*(Horace, *Odes*, III, xxix, 43-48)

(Que Jupiter demain étale au ciel Un noir nuage ou bien un soleil pur! Mais il ne

				peut revenir sur le temps. Il ne peut pas reprendre et annuler Ce qu'a jamais ravi l'heure qui fuit !)
F.	p.479	510a	529	et qu'il y regarde plus entier et plus attentif qu'aux événemens qui nous sont légiers ou d'une suite ordinaire.
D.	p.528	561b	577	*si consilium vis* (Juvénal, *Sat.*, X, 346-348)(Voulez-vous un conseil ? Laissez aux dieux le soin de juger ce qui sied et qui nous est utile : l'homme leur est plus cher qu'il ne l'est à lui-même)
F.	p.528		577	ou telle autre chose de laquelle l'issue vous est incognue et le fruit doubteux.
D.	p.535	567a	583	Comme, pour exemple : peu d'entre eux eussent approuvé les conditions contrainctes de nos mariages ;
		568a	584	*Moechus es Aufidiae...* (G)
				Nullus in urbe fuit... (G)
F.	p.535	569a	585	et n'ordonnoyent aux voluptez autre bride que la modération et la conservation de la liberté d'autruy.
D.	p.544	577a	592	A manier une belle d'arquebouse soubs le second doigt...
		578a	593	*Auferimur cultu* (Ovide, *Remèdes à l'amour*, I, 343-46)

(La parure séduit. L'or et les pierreries Excusent tout : c'est peu qu'elle-même est la femme. Souvent sous tant d'éclat l'on ne sait ce qu'on aime. L'amour riche nous trompe en prenant cette égide).

| | | 578a | 594 | *Cunctaque miratur* (Ovide, *Métam.*, III, 424-26) |

(Et tout cela qui fait qu'on l'admire, il l'admire Sans savoir, il se veut. Il loue, il est loué, Désire, est désiré, brûle au feu qu'il allume).

| | | 578a | 594 | *Oscula dat reddique putat* (Ovide, *Métam.*, X, 256-58) |

(Il donne des baisers, les croit rendus, saisit, Entreint, croit sous ses doigts sentir la chair qui cède Redoute de meurtrir ces membres qu'il enlace).

| F. | p.544 | 579a | 594 | Il y en a qui n'en peuvent pas seulement porter la pensée. |

| | | 582b | 598 | *Et vulgo faciunt id* (Lucr., IV, 73-78) |

(Jaunes, rouges et verts, c'est ce que font, ces voiles Qui tendus dans le haut de nos larges théâtres Pendent au vent le long des poteaux et des poutres. Le peuple réuni, les gradins et la scène, Les membres du sénat, les dames et les dieux Sont teints de leurs couleurs que fait flotter la brise).

| D. | p.544 | 583b | 599 | Ces personnes qui, pour aider leur volupté... |

F.   p.544   584b   599   *Ut cibus, in membra* (Lucr., III, 703-04)
                                     (Ainsi distribué dans le corps, l'aliment
                                     Se disperse en créant toute une autre
                                     substance).

BIBLIOGRAPHIE

Editions des *Essais*

Reproduction typographique de l'édition originale de 1580.

Ed. Daniel Martin. Genève-Paris : Slatkine-Champion, 1976.

Reproduction typographique de l'exemplaire annoté par l'auteur et conservé à la Bibliothèque de Bordeaux. Paris Imprimerie Nationale, 1906, 1913, 1931. 3vols.

Les essais... Lyon : F. le Febvre, 1595.
Ed. M. de Gournay. Paris : M. Nivelle, 1617.

----. Paris : Vve Rémy Dallin, 1625.

---. Paris : Rocolet, 1635.

Ed. A. Courbé. Paris : R. Estienne, 1640.

Ed. P. Coste. Paris : La Société, 1725. 3 vols.

---. Genève : J. S. Cailler, 1779. 10 vols.

Ed. J. F. Bastien. Paris : J. F. Bastien. 1783.

Ed. J. A. Naigeon. Paris : P. Didot, 18O2. 4 vols.

Ed. Amaury Duval. Paris : Chassériau, 1820-22. 6 vols.

Ed. Coubet & Ch. Royer ; Paris : A. Lemere, 1872-77.

Ed. Fortunat Strowski. Bordeaux : Impimerie nouvelle, F. Pech, 1906-20. 4 vols.

Montaigne. *Oeuvres Complètes.* Ed. A. Thibaud et M. Rat. Paris : Gallimard, 1962, 1965.

Les 'Essais' de Montaigne. Ed. P. Villey (1924), revue par V. -L. Saulnier. Paris : PUF, 1978.

The essays of Montaigne. Done into English by John Florio, *anno* 1603. (Facsimile de l'édition de 1892-93). New York : AMS Press, 1967. 3vols.

Essais de Montaigne (self-édition). Texte original, accompagné de la traduction en langage de nos jours, par le Général Michaud. Paris : F. Didot, 1907.

Réductions des *Essais*

Anon. *L'esprit des 'Essais' de Michel, seigneur de Montaigne.* Paris : C. de Sercy, 1667.

Pensées de Montaigne, propres à former l'esprit et les moeurs... par Artaud. Paris : Anisson, 1700.

L'Esprit de Montaigne ou les Maximes, Pensées et Réflexions de cet Auteur, rédigées par ordre de Matières par Pesselier, Londres, 1753.

L'esprit de Montaigne... par M. Laurentie. Paris : Bureau de la bibliothèque choisie, 1829.

Essais. Ed. épurée... par l'abbé Musart. Publ. de la Société de Saint Victor. Paris : Perisse frères, 1847.

Extraits de Montaigne... par V. Fauron, Lauréat de l'Académie Française, Professeur agrégé au Lycée Charlemagne. Paris : P. Dumont, 1883.

L'esprit de Montaigne, choix des meilleurs chapitres et des plus beaux passages des *Essais*, disposés dans un ordre méthodique... par le docteur C. Saucerotte. Paris : Didier-Perrin, 1886.

Extraits de Montaigne. . par Eugène Réaume, professeur de rhétorique au lycée Fontaines. Paris : E. Belin, 1888.

Pilules apéritives à l'Extrait de Montaigne. Paris : Steinheil, 1908.

Oeuvres choisies de Montaigne par René Radouant. Paris : Hatier, 1914.

Montaigne, textes choisis et commentés par P. Villey, Professeur à la Faculté de Caen. Paris : Plon, 1912.

La moëlle de Montaigne. Paris : Champion, 1912.

Les pages immortelles de Montaigne choisies et expliquées par André Gide. Paris : Corréa, 1948.

Marcu, Eva. *Répertoire des idées de Montaigne*. Genève : Droz, 1965.

Principales études utilisées

Armaingaud, A. *Catalogue annoté de toutes les éditions des 'Essais' de Montaigne*. Paris : Conard, 1927.

Balzac, Jean-Louis Guez de, *Entretiens* (1657). Ed. Bernard Beugnot. Paris : Didier, 1972. 2 vols.

Beaujour, Michel. *Miroirs d'encre*. Paris : Seuil, 1980.

Beugnot, Bernard. "Dialogue, entretien et citation à l'époque classique" *Revue Canadienne de Littérature Comparée* (hiver 1976), pp. 39-50.

---. "Un aspect de la réception critique : la citation." *Oeuvres et Critiques*, 1 (1976), 5-19.

Blum, Claude. "Ecriture et système de pensée : l'histoire dans les *Essais*", *Montaigne et les 'Essais' (1580-1980)* (q. v.), pp. 3-13.

---. "La fonction du 'déjà dit' dans les *Essais* : emprunter, alléguer, citer". *CAIEF*, 33 (1981), 35-51.

Boase, Alan M. *The Fortunes of Montaigne : a History of the 'Essays' in France, 1580-1669*. (réimpression de l'édition de 1935). New York : Octagon, 1970.

Bonnet, Pierre. *Bibliographie méthodique et analytique*. Genève - Paris ; Slatkine, 1983.

Bowen, Barbara C. *The Age of Bluff*. Univ. of Illinois Press, 1972.

Brody, Jules. *Lectures de Montaigne*. Lexington Ky. : French Forum Publishers, 1982.

---. "Les oreilles de Montaigne", *Romanic Review*, 84 (1983), 121-135.

Brunschvicg, Léon. *Descartes et Pascal lecteurs de Montaigne* : Neuchâtel: éd. de la Baconnière, 1945.

Calepino, Ambrogio. *Dictionarium Latinae Linguae*. Bâle, 1542.

Cave, Terence. " 'Enargeia' : Erasmus and the Rhetoric of Presence in Sixteenth Century". *L'Esprit Créateur*, XVI (1976), 5-18.

---. "Problems of reading in the *Essais* of Montaigne". *Montaigne : essays in memory of Richard Sayce* (q. v.), pp. 133-166.

---. *The Cornucopian Text : Problems of Writing in the French Renaissance*. Oxford : Clarendon Press, 1979. Réimpr. 1985.

Charles, Michel. *L'arbre et la source*. Paris : Seuil, 1985.

---. "Bibliothèque". *Poétique*, 33 (1978), 1-27.

---. *Rhétorique de la lecture*. Paris : Seuil, 1977.

Charron, Pierre. *De la Sagesse*. Ed. A. Duval. Collection des moralistes français. Paris : Chassériau, 1820.

Chomarat, Jacques. *Grammaire et rhétorique chez Erasme*. Paris : Belles Lettres, 1981. 2vols.

Clark, Carol. *The web of Metaphor : Studies in the Imagery of Montaigne's 'Essais'*. Lexington, Ky. : French Forum Pubblishers, 1978.

Colardeau, Th. *Etude sur Epictète*. Paris, 1903.

Coleman, Dorothy G. *The Gallo-Roman Muse ; aspects of Roman literary tradition in XVIth cy. France*. Cambridge : Cambridge Univ. Press, 1979.

Cotgrave, Randle. *A dictionarie of the French & English tongues*. London : A. Islip, 1611. (Reproduction, William S. Woods. Columbia : Univ. of South Carolina Press, 1950).

Cottrell, R. D. "Une source possible de Montaigne : le traité du Ris de Laurent Joubert". *BSAM*, 9-10 (1982), 73-80.

Croquette, Bernard. *Pascal et Montaigne, Etude sur les réminiscences des 'Essais' dans l'oeuvre de Pascal*. Genève : Droz, 1974.

Delepierre, O. *Tableau de la littérature du centon*. Londres, 1874.

Desbordes, Françoise. "Les vertus del'énoncé". *La Licorne*, Publications de la Fac. de Lettres, Univ. Poitiers, 3 (1979), 65-84.

Dezeimeris, R. "Annotations inédites de M. de Montaigne sur le *De rebus gestis Alexandri Magni* de Quinte-Curce". *RHLF*, 28 (1921), 577-600.

Dréano, M. *La renommée de Montaigne en France au XVIIIe siècle*. Angers : éd. de l'Ouest, 1952.

Duval, E. M. "Rhetorical Composition and 'open form' in Montaigne's *Essais*". *BHR*, xliii (1981), 269-286.

Erasme, D. *De copia verborum et rerum. Opera omnia*, vol. 1 (faccsimile de l'éd. P. Vander. Leyden, 1703-1706). Londres : Gregg Press, 1961-1962. *LB* I.

---. *L'Eloge de la Folie*. Trad. P. de Nolhac. Paris : Garnier-Flammarion, 1964.

---. *Parabolae*. Dans *Opera omnia*, vol. 1-5. Ed. J. C. Margolin. Amsterdam : North Holland, 1971.

Estienne, Henri. *Parodiae morales... in poetarum veterum sententiae celebriores... Centonum veterum et parodiarum... exempla*. Geneva : H. Stephanus, 1575.

Estienne, Robert. *Dictionnaire françois-latin*. Paris : R. Estienne, 1539.

Fernandez, Ramon. "Montaigne". *NRF*, 235 (1933), 829-835.

Ferreyrolle, G. "Les citations de Lucrèce dans l'Apologie de Raymond Sebond". *BSAM*, 5 (1976), 49-63.

Filère, Alexandre de. *Discours contre les citations du grec et du latin es plaidoyers de ce temps*. Paris : F. Huby, 1610.

Fleury, Claude. *Dialogue sur l'éloquence judiciaire*. Ed. F. Gaquère. Paris : de Gigord, 1925.

Fraisse, Suzanne. *L'influence de Lucrèce en France*. Paris : Nizet, 1962.

Frame, Donald M. *Montaigne in France (1812-1852)*. New York : Columbia Univ. Press, 1940.

Frémy, E. *L'Académie des derniers Valois : Académie de poésie et de musique, 1570-1576 ; Académie du Palais, 1576-1585* (facsimile de l'éd. de Paris, 1887). Genève : Slatkine, 1969.

Friedrich, Hugo. *Montaigne*. Trad. française, Paris : Gallimard, 1949. Réimpr. 1968.

Fromilhague, R. "Montaigne et la nouvelle rhétorique". *Critique et création littéraire en France au XVIIe siècle*. Paris : CNRS, 1977, pp. 57-67.

Fumaroli, Marc. *L'Age de l'Eloquence : rhétorique et "res literaria", de la Renaissance au seuil de l'époque classique*. Genève : Droz, 1980.

Fusil, C. A. "Montaigne et Lucrèce", *Revue du XVIe siècle*, 13(1926), 265-281.

Gelas, Bernard. "Eléments pour une étude de la citaton". *Sémiologiques. Linguistique et Sémiologie*, 6 (s. d.), Presses Universitaires de Lyon, 165-187.

Genette, Gérard. *Palimpsestes*. Paris : Seuil, 1982.

Goodman, Nelson. *Ways of worldmaking*. Cambridge : Hackett, 1981.

Gray, Floyd. "Reflections on Charron's Debt to Montaigne"*French Review*, xxv (1962), 377-382.

Hendrick, Ph. J. "Lucretius in the 'Apologie de R. Sebond'", *BHR*, 37 (1975), 457-466.

Hirzel, Rudolf. *Der Dialog. Ein literarhistorischer Versuch.* Leipzig : S. Hirzel, 1895.

Holtz, Louis. *Donat et la tradition de l'enseignement grammatical.* Paris : CNRS, 1981.

Huarte. *L'examen des esprits.* Trad. Vion Dalibray. Paris, 1645.

Ilsley Marjorie H. *A Daughter of the Renaissance.* Mouton : The Hague, 1963.

Jacques, Francis. *Dialogiques* . Paris : PUF, 1979.

---. *Différence et Subjectivité.* Paris : Aubier-Montaigne, 1982.

Jones, R. F. "On the Dialogic Impulse in the Genesis of Montaigne's *Essais*". *Renaissance Quarterly*, XXX (1977), 172-180.

Klibansky, R., Panofsky, E., Saxl, F. *Saturn and Melancoly : studies in the history of natural philosophy, religion and art.* New York : Basic Books, 1964.

Kogel, Renée. *Pierre Charron.* Genève : Droz, 1972.

Kushner, Eva. "Monologue et dialogue dans les deux premiers livres des *Essais*". *Colloque de Durham*, Univ. of North Carolina, 1980.

Leake, Roy E. et al. *Concordance des 'Essais' de Montaigne.* Genève : Droz, 1981. 2vols.

Lejeune, Philippe. *Le pacte autobiographique.* Paris : Seuil, 1975.

Lewis, Philip. "The Discourse of the Maxim". *Diacritics* (Fall, 1972), pp. 41-48.

Lydgate, Barry. "Mortgaging One's Work to the World : Publication and the Structure of Montaigne's *Essais*". *PMLA*, 96 (1981), 210-331.

Marguerite de Valois. *Mémoires et autres récits de Marguerite de Valois, la reine Margot*. Ed. Y. Cazaux. Paris : Mercure de France, 1971.

Marin, Louis. *Etudes sémiologiques*. Paris : Klincksieck, 1972.

Maskell, David. "The Evolution of the *Essais*". *Montaigne : essays in memory of Richard Sayce* (q. v.), pp. 13-34.

Mathieu - Castellani, Gisèle. *Montaigne, l'écriture de l'essai*. Paris : PUF, 1988.

McKinley, Mary B. *Words in a Corner : Studies in Montaigne's Latin Quotations*. Lexington, Ky. : French Forum Pubishers, 1981.

Metszchies, Michaël. *Zitat und Ziterkunst in Montaigne's 'Essais'*. Genève: Droz, 1966.

"Montaigne" : essays in memory of Richard Sayce. Ed. I. D. Mc Farlane and Ian Maclean. Oxford : Clarendon Press, 1982.

Montaigne et les 'Essais' (1580-1980). Actes du Congrès de Bordeaux (juin 1980). Ed. P. Michel. Paris-Genève : Champion-Slatkine, 1983.

Nicolaï, Alexandre. *Les belles amies de Montaigne*. Paris : Dumas, 1950.

Nicot, Jean. *Thresor de la langue Françoise*. Paris : D. Douceur, 1606.

Norton, Grace. *The Influence of Montaigne*. Boston & New York : Houghton Miffin & Cy, 1908.

--. *The Spirit of Montaigne*. Boston & New York : Houghton Miffin & Cy, 1908.

---. *Studies in Montaigne*. New York : Macmillan, 1904.

Oltramare, André. *Les origines de la diatribe romaine*. Lausanne : Payot, 1926.

Pepin, Jean. *Mythe et Allégorie chez les Stoïciens*. Paris : Et. Augustiniennes, 1976.

Pertile, Lino. "Paper and Ink : the structure of unpredictability". Dans "*O un amy!" Essays on Montaigne in Honor of Donald M. Frame*. Ed. R. C. La Charité. Lexington, Ky. : French Forum Publishers, 1977.

Phillips, Margaret Mann. "Erasme et Montaigne". *Colloquia Erasmiana Turoniensia*. Paris : Vrin, 1972, I, 479-503.

Pire, G. "De l'infuence de Sénèque sur les *Essais* de Montaigne". *Les Etudes Classiques*, 22 (1954), 270-286.

Pressac de. *Epistres de L. A. Sénèque... traduites en françois* ; 4e éd., Tournon : C. Michel, 1593.

Quine, W. V. *From a Logical Point of View*. Cambridge, Mass : Harvard Univ. Press, 1963. Ed. rev., 1969.

Ramus, Pierre. *Dialectique*. Ed. M. Dassonville. Genève : Droz, 1964.

---. *Scholarum Rhetoricarum* (facsimile de l'éd. Francfort, 1593). Minerva, 1965.

Regosin, R. L. "Sources and Resources : the 'Pretexts' of Originality in Montaigne's *Essais*". *Substance*, 21 (1978), 103-115.

Rey-Debove, Josette. *Le métalangage*. Paris : le Robert, 1978.

Richelet, Pierre. *Dictionnaire françois* (Réimpr. de l'éd. de Genève, 1680). Genève : Slatkine Reprints, 1970.

Rigolot, François. "Les *incipit* des *Essais* : structure et évolution". *Montaigne et les 'Essais' (1580-1980)* (q. v.), pp. 247-260.

---. *Le Texte de la Renaissance*. Genève : Droz, 1982.

---. "Montaigne's Purloined Letter". *Yale French Studies*, 64 (1983), 145-166.

Schon, Peter. *Vorformen des 'Essays' in Antike und Humanismus*. Ein Beitrag zur Entstehungsgeschicte des *Essais* von Montaigne. Wiesbaden : 1954.

Screech, Michaël A. "Common places of Law, Proverbial Wisdom and Philosophy : their Importance in Renaissance Scholarship (Rabelais, DuBellay, Montaigne)". *Classical Influences on European* Culture A. D. 1500-1700. Cambridge : Cambridge Univ. Press, 1976, pp. 127-134.

Simonin, Michel. "Le statut de la description à la fin de la Renaissance". *L'Automne de la Renaissance*. Ed. J. Lafond et A. Stegmann. Paris : Vrin, 1981, pp. 129-140.

Starobinski, Jean. *Montaigne en mouvement*. Paris : Gallimard, 1983.

Stierle, Karl. "L'Histoire comme Exemple, l'Exemple comme Histoire". *Poétique*, 10 (1972), 1-12.

Tarrant, Dorothy. "Plato's Use of Quotations". *The Classical Quarterly*, 45 (1951), 56-67.

Tetel, Marcel. "Montaigne et le Tasse". *CAIEF*, 33 (1981), 81-98.

Thibaudet, Albert. "Portrait français de Montaigne". *NRF*, 235(1933), 646-653.

Todorov, T. *Théories du symbole*. Paris : Seuil, 1977.

Tournon, André. *Montaigne : la glose et l'essai*. Lyon : Presses Univ. de Lyon, 1983.

Uildricks, Anne. *Les idées littéraires de mademoiselle de Gournay*. Groningen, s. d.

Vasse, Denis. *L'ombilic et la voix*. Paris : Seuil, 1974.

Villey, Pierre. *Les livres d'histoire moderne utilisés par Montaigne*. Paris : Hachette, 1908.

---. *Montaigne devant la postérité.* Paris : Boivin, 1935.

---. *Les Sources et l'évolution des 'Essais' de Montaigne.* Paris : Hachette, 1908. Réimpr., 1933. 2vols.

TABLE DES MATIERES

Imprimé en Suisse